09 £3

BIBLIOTHECA ARTIS

GEO
ME
TRIA
ARTIVM REGINA TIBI
REGVM MAXIMO TE IP.
SVM DONVM OFFERT. &
PER.
SPEC
TIVA
ARCO DE LOS
PINTORES
Iuan Schorquens fecit

BIBLIOTHECA ARTIS

Tesoros de la Biblioteca del Museo del Prado

Edición a cargo de

JAVIER DOCAMPO

Con textos de

JAVIER DE BLAS

JAVIER DOCAMPO

ASCENSIÓN HERNÁNDEZ

JOSÉ MANUEL MATILLA

JAVIER PORTÚS

JOSÉ RIELLO

ELENA VÁZQUEZ

Madrid, 2010

MUSEO NACIONAL DEL PRADO

El Museo Nacional del Prado y los autores
desean dejar constancia de su agradecimiento
a las siguientes personas, por su desinteresada ayuda
en la preparación de este libro:
Luis Bardón, Howard Burns, M.ª Jesús Cervelló,
Miguel Falomir, Juan Luis González García y Lisa Pon

ESTE CATÁLOGO HA SIDO EDITADO CON MOTIVO DE LA EXPOSICIÓN *BIBLIOTHECA ARTIS. TESOROS DE LA BIBLIOTECA DEL MUSEO DEL PRADO*, CELEBRADA EN EL MUSEO NACIONAL DEL PRADO, MADRID, DEL 5 DE OCTUBRE DE 2010 AL 30 DE ENERO DE 2011

Uno de los proyectos más importantes del Museo Nacional del Prado en los últimos años ha sido la creación y puesta en marcha de su Centro de Estudios, que se abrió en el Casón del Buen Retiro en marzo de 2009. El Centro agrupa las actividades investigadoras y docentes del Museo y en él desempeñan un papel fundamental los servicios documentales formados por la Biblioteca, el Archivo y el Servicio de Documentación. La Sala de Lectura del Casón, instalada bajo la magnífica bóveda de Luca Giordano, es la muestra más visible de la nueva importancia otorgada por el Museo a estos servicios.

En este marco, la Biblioteca del Museo ha experimentado un notable desarrollo en todos sus ámbitos. Uno de los más importantes ha sido el crecimiento de su fondo bibliográfico, para lo que ha sido primordial la adquisición de varias bibliotecas particulares, especialmente la del abogado e historiador del arte José María Cervelló en 2003. El resultado ha sido la conformación de un fondo antiguo de unos cuatro mil quinientos volúmenes, destacable por su especialización en Historia del Arte y por la rareza de algunos de sus ejemplares. Su reciente formación hace que sea un conjunto poco conocido incluso entre los especialistas. Esta exposición pretende mostrar, por tanto, la variedad y la importancia de la Biblioteca del Prado a través de un conjunto representativo de cuarenta volúmenes.

El recorrido de la exposición abarca los hitos principales de la literatura artística de la Edad Moderna entre 1500 y 1750. Arranca con los grandes tratados del Renacimiento italiano y europeo, continúa con una magnífica representación de los principales escritos teóricos del Siglo de Oro español, con importantes novedades, y prosigue con una cuidada selección de tratados de arquitectura, incluyendo también algunos libros de fiestas. El apartado final pretende señalar el destacado papel que los libros tuvieron en el aprendizaje de los artistas, tanto a nivel formal como iconográfico, así como su relevancia en la difusión de las obras de arte, algunas pertenecientes al Museo, y de las colecciones principescas que están en el origen de los principales museos europeos.

La exposición sirve para comprobar una vez más la importancia de la literatura artística y de la ilustración de los libros en el desarrollo del arte en la Europa del Renacimiento y el Barroco. Por ello se presentan también ocho cuadros de la colección del Prado que demuestran la estrecha relación entre el fondo bibliográfico y la colección pictórica. Pueden verse retratos pintados por Tiziano y Velázquez de algunos de los autores presentes en la exposición, así como comprobar la utilización que algunos pintores del Renacimiento como el Greco hicieron de las ilustraciones de los tratados de arquitectura para realizar los fondos de sus cuadros. Otras obras de Van Dyck o Teniers permiten establecer interesantes reflexiones sobre la importancia de los repertorios de estampas en la difusión y el conocimiento de las obras de arte.

Como tantos proyectos del Museo éste también ha sido fruto de un trabajo colectivo, dirigido con esmero por Javier Docampo, comisario de la exposición y Jefe del Área de Biblioteca, Archivo y Documentación. Por ello quiero agradecer y felicitar a todo el personal de dicha Área y de las Áreas de Exposiciones y de Edición, así como de los Departamentos de Dibujos y Estampas y de Pintura Española, por su esfuerzo y dedicación para ofrecer a visitantes e investigadores esta importante y novedosa muestra.

Miguel Zugaza Miranda
Director del Museo Nacional del Prado

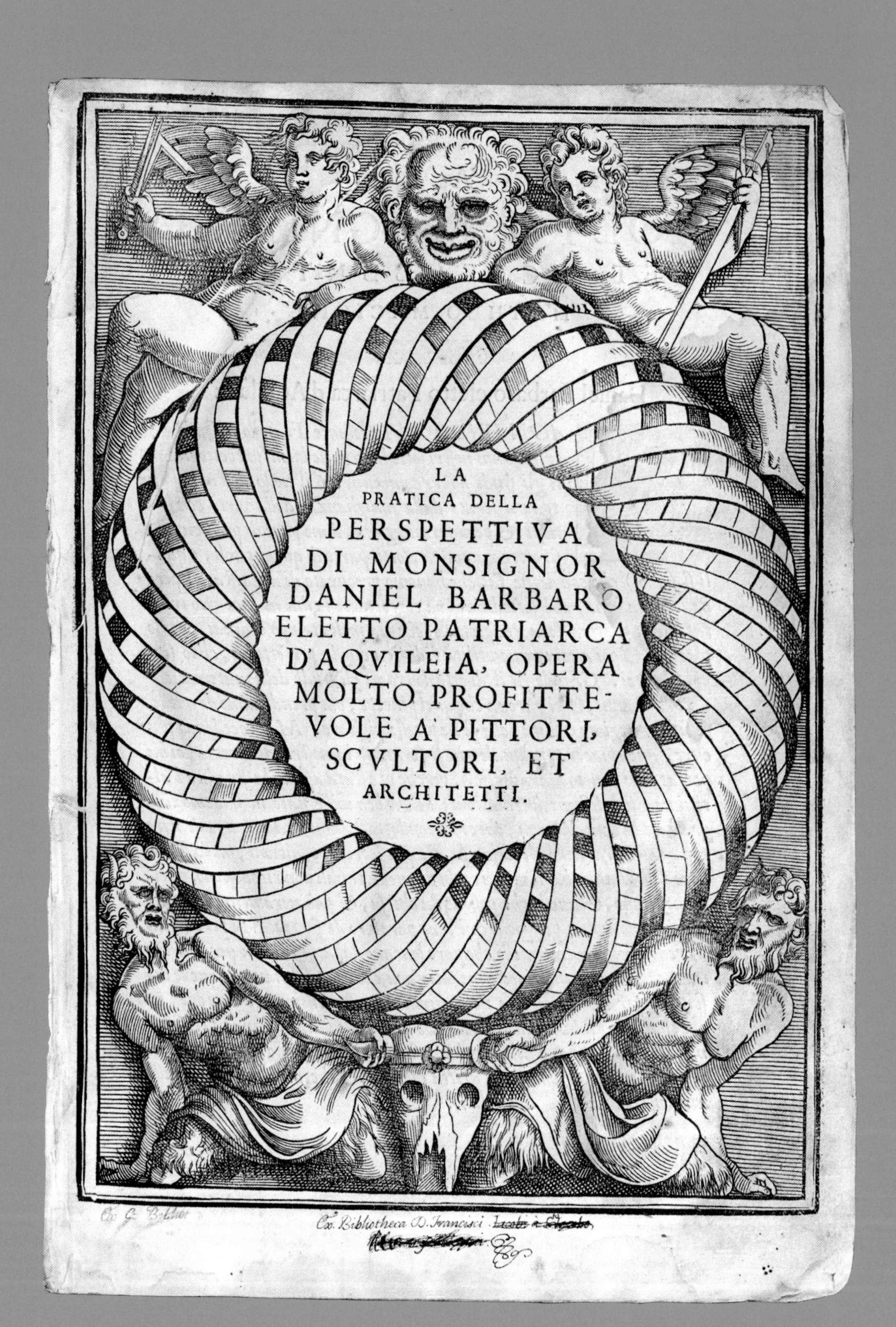
LA
PRATICA DELLA
PERSPETTIVA
DI MONSIGNOR
DANIEL BARBARO
ELETTO PATRIARCA
D'AQVILEIA, OPERA
MOLTO PROFITTE-
VOLE A' PITTORI,
SCVLTORI, ET
ARCHITETTI.

Índice

Las fichas catalográficas han sido redactadas por:
Javier de Blas Benito (J. B. B.)
Javier Docampo Capilla (J. D. C.)
Ascensión Hernández Vázquez (A. H. V.)
José Manuel Matilla (J. M. M.)
Javier Portús Pérez (J. P. P.)
José Riello (J. R.)
Elena Vázquez Dueñas (E. V. D.)

HISTORIA
De la composicion del cuerpo humano,
escrita por Ioan de Valuerde
de Hamusco.
Impressa por Antonio Salamanca, y Antonio Lafrerij,
En Roma. Año de M.D.LVI.

El fondo antiguo de la Biblioteca del Museo Nacional del Prado: la formación de una colección

JAVIER DOCAMPO

La Biblioteca del Museo del Prado conserva un fondo antiguo de notable importancia, más que por su cantidad (unos 4.500 volúmenes), por su carácter especializado (fuentes para la historia del arte y la arquitectura) y por la importancia y la rareza de algunas de sus obras. Aunque los primeros libros ingresaron hace casi siglo y medio, su crecimiento se ha acelerado en los últimos años mediante la adquisición de una serie de bibliotecas particulares[1]. Esta formación reciente hace que todavía no sea un fondo muy conocido, motivo por el que se celebra esta exposición antológica.

La cuantificación de este fondo depende lógicamente de la fecha que se tome como término *ante quem*, y aquí entramos en el resbaladizo concepto de fondo bibliográfico antiguo. Habitualmente se considera que es aquél formado por productos de la imprenta manual, pero el final de ésta no fue, claro está, instantáneo y varió notablemente de unos países a otros. Por ello, a efectos prácticos, siempre se ha intentado establecer una fecha concreta[2] que ayudase a establecer una frontera clara, aunque siempre simplificadora. Durante mucho tiempo se consideró que debía ser 1801 y así lo señalan las vigentes *Reglas de catalogación* españolas. Sin embargo, las ISBD (A) ya retrasaron la fecha a 1820 y posteriormente varias iniciativas como la *Hand Press Book* (que en la actualidad es la *Heritage Press Book*) la trasladaron a 1830.

Pero tampoco el criterio histórico puede ser el único a tener en cuenta. Existen otras razones más prácticas que intentan establecer cuáles deben ser los fondos patrimoniales de una biblioteca basándose en criterios de conservación o de rareza. Aquí aparece la problemática de los primeros productos de la imprenta mecánica, que coinciden con los primeros papeles realizados a partir de pasta de madera, cuya acidez plantea el principal problema de conservación en cualquier biblioteca. Con todos estos factores, en la Biblioteca del Museo del Prado se ha considerado fondo antiguo el formado por los libros publicados antes de 1900. El catálogo, aún pendiente de algunos ajustes, arroja las siguientes cifras: dos incunables, 166 volúmenes del siglo XVI, 406 del siglo XVII, 892 del siglo XVIII y 2.495 del siglo XIX. En total casi 4.000 volúmenes, que crecerán hasta unos 4.500 cuando se termine de catalogar la Biblioteca Correa y se rematen las correcciones necesarias en el catálogo.

Fig. 1
Juan de Valverde de Amusco, *Historia de la composición del cuerpo humano*. [Roma]: Antonio Salamanca y Antonio Lafrerij, 1556. Madrid, Biblioteca del Museo Nacional del Prado [Cerv/43 (2)]

1864-2003: LA LENTA FORMACIÓN DE UNA BIBLIOTECA DE MUSEO

Las primeras noticias que tenemos del interés del Museo del Prado, entonces Real Museo de Pintura y Escultura, en adquirir libros antiguos datan de 1864, cuando se ofreció al Museo la colección de estampas y la biblioteca de Valentín de Carderera (1796-1880)[3]. Pintor, escritor y, sobre todo, coleccionista, Carderera fue una de las figuras más interesantes del panorama artístico de su tiempo[4]. No es de extrañar esta oferta, ya que entonces era director del Museo Federico de Madrazo, buen amigo suyo[5]. No obstante, la compra no se realizó debido a su elevado precio para la precaria situación económica del Museo[6].

La colección de estampas fue finalmente adquirida por el Estado en 1868, quizá a instancias de Manuel Zarco del Valle, y fue destinada a la Biblioteca Nacional, donde se creó una Sala de Estampas, germen del actual Servicio de Dibujos y Grabados[7]. Era una colección extraordinaria, compuesta por 45.761 obras, probablemente la más importante formada nunca en España.

Respecto a la Biblioteca, el inventario hecho con motivo de la oferta de 1864 arroja la cifra de 4.036 ejemplares, divididos en veintinueve categorías como historia, biografías, literatura, artes, legislación, etc. Sólo tres de esas categorías —«Artes del dibujo en general», «Diccionarios, vidas y biografías de pintores, escultores, grabadores y arquitectos» e «Historias del grabado»— aparecen inventariadas y valoradas, quizá porque eran las únicas que interesaban al Museo. No sabemos dónde fue a parar la biblioteca de Carderera. El único dato que tenemos es que tres años después de su muerte se publicó un catálogo de venta[8]. Curiosamente, con el tiempo algunos ejemplares de esa biblioteca acabaron ingresando en el Museo del Prado, como cuatro volúmenes (21/6 a 21/9) que recogen folletos, catálogos y publicaciones periódicas italianas, francesas y españolas de los siglos XVIII y XIX.

De la Biblioteca del Museo no se tienen noticias concretas hasta 1868, cuando se recibe una encuesta del Ministerio preguntando sobre el fondo existente[9]. Sin embargo, no se ha conservado la contestación, por lo que no sabemos cómo era su tamaño. Debía de ser pequeño, porque un «Ynventario provisional» que se realizó en 1877 revela la exigua cifra de 223 ejemplares[10]. Además, en este inventario los libros se mezclan con álbumes de grabados, dibujos, acuarelas, fotografías e incluso medallas. Las publicaciones recogidas en el «Ynventario» formaban una colección interesante y bien escogida y la gran mayoría se conserva aún en la Biblioteca agrupadas en la signatura 21. Marcaban la línea de especialización que iba a caracterizar siempre a la Biblioteca y en ella se hallaban los más importantes tratados españoles, algunos en las ediciones que se fueron haciendo a lo largo del siglo XIX (Gutiérrez de los Ríos, Pacheco, Carducho, Jusepe Martínez, Interián de Ayala), aunque estaban ausentes los tratados del resto de Europa. Otro bloque interesante e, imaginamos, imprescindible para las labores de catalogación del Museo eran los repertorios de artistas españoles (Palomino, Ceán, Ossorio y Bernard) y extranjeros (Blanc, Siret). También había algunas revistas (*Gazette des Beaux-Arts*, *El Arte en España*, *El Museo de la Industria*, *Museo Español de Antigüedades*), monografías sobre los principales pintores de la colección como Rafael (Gruyer), Rubens, Velázquez (Stirling-Maxwell, Beruete), Goya (Cruzada Villaamil) o Mengs (Azara), o libros sobre museos (Viardot). Era, en resumen, una biblioteca eminentemente práctica, orientada a la documentación básica de las colecciones y a facilitar las tareas del escaso personal técnico del Museo.

Las fuentes de adquisición debieron ser variadas: compras, intercambios o donativos. Se conservan pocas informaciones al respecto. Por ejemplo, en 1897, por legado testamentario del escritor Ricardo Blanco Asenjo (1847-1897), ingresaron en el Museo, además de cuadros y estampas, «varias entregas de la Iconoteca española y 1 libro: La Antichitá di Ercolano Esposte»[11]. Las primeras se referían seguramente a la *Iconografía Española* de Valentín de Carderera, mientras que la segunda era la célebre edición en ocho volúmenes de *Le Antichità di Ercolano Esposte* publicada por la Regia Stamperia de Nápoles entre 1755 y 1792, y de la que se conserva todavía un resto muy deteriorado en la Biblioteca (18/272).

A lo largo del siglo XX existen pocos datos sobre el crecimiento de este fondo antiguo, lo que indica que más que una biblioteca de investigación se trataba de una modesta colección de libros para uso del personal que trabajaba en el Museo. Había conciencia de la carencia y así el 2 de mayo de 1913 se afirma en un acta del Patronato:

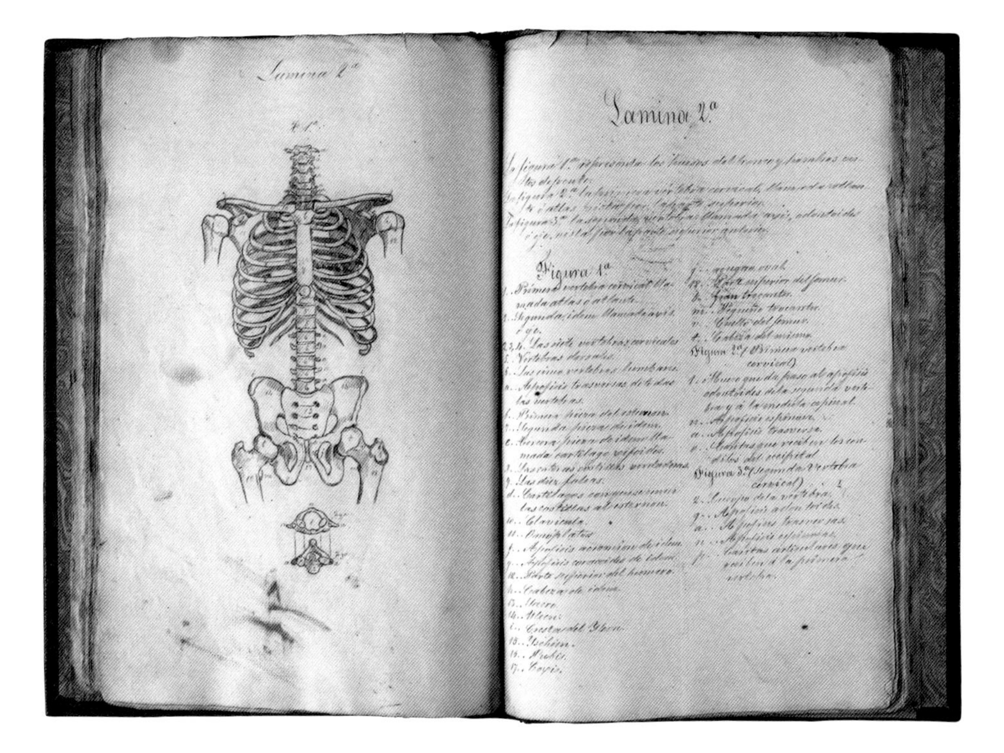

Fig. 2
Lámina 2.ª del manuscrito *Tratado de anatomía pictórica* de Antonio María Esquivel. Madrid, Biblioteca del Museo Nacional del Prado

> Contribuiría eficazmente al mismo fin propuesto de conservar debidamente lo que hoy poseemos, la creación de una pequeña Biblioteca dentro del local del Museo para uso del personal técnico y del público. En ella deberían figurar a mi juicio en 1er. término los inventarios de los cuadros de los Palacios Reales que existen en Madrid y Simancas y después algunas obras fundamentales sobre Bellas Artes, Catálogos de los Museos extranjeros y muy especialmente de las colecciones particulares españolas [...] así como también algunas publicaciones periódicas corrientes, que nos tengan al corriente del curso y cotizaciones de las obras de arte en las ventas y subastas extranjeras.

Por otro lado, aunque el Museo recibió importantes donativos y legados de pinturas y obras de arte, fueron mucho más escasos los de fondos bibliográficos. Cuando en 1915 Pablo Bosch dejó al Museo su colección de pinturas, medallas y monedas, también legó un pequeño conjunto de libros, identificados en la actualidad con un sello[12]. No pasó lo mismo con el legado de Pedro Fernández Durán en 1930, que dejó al Museo casi un centenar de cuadros y casi dos mil ochocientos dibujos, más numerosas piezas de artes decorativas, pero cuya notable biblioteca de casi veintisiete mil volúmenes fue a parar al Casino de la Gran Peña de Madrid[13].

Fue importante la incorporación de la biblioteca del Museo de Arte Moderno y Contemporáneo, cuyas colecciones de siglo xix habían entrado en el Museo del Prado en 1971. En ella había, como es lógico, numerosas publicaciones del siglo xix, e incluso alguna anterior como la segunda edición de las *Obras de D. Antonio Rafael Mengs*, editadas por José Nicolás de Azara (1797). También contaba con algún manuscrito importante como el del *Tratado de anatomía pictórica* de Antonio María Esquivel [fig. 2], así como numerosas publicaciones periódicas. Entre las donaciones notables hechas en esos años cabe destacar la realizada por Gonzalo Manso de Zúñiga en 1978 del manuscrito de los *Discursos practicables del nobilísimo arte de la pintura* de Jusepe Martínez, escrito hacia 1675 [cat. 14] [14].

Fig. 3
José María Cervelló y su esposa María Teresa Ortiz en su casa de Madrid

LA BIBLIOTECA CERVELLÓ

En el año 2003 el Museo del Prado realizaba, a través de una fórmula mixta que combinaba la compra con la donación, la adquisición bibliográfica más importante de su historia: la biblioteca de José María Cervelló. Estaba compuesta por unos mil quinientos libros antiguos, algo más de cien manuscritos, sesenta y dos láminas de cobre para estampar, trescientas cincuenta y dos estampas sueltas y un fondo bibliográfico moderno de unos siete mil volúmenes.

José María Cervelló Grande nació en Cádiz en 1947[15] [fig. 3]. A lo largo de su vida combinó su carrera como jurista con su interés por los estudios de historia del arte. En la primera de esas facetas fue abogado del Estado, profesor del Instituto Empresa desde 1979 y miembro de su consejo rector. También fue pionero de la abogacía internacional en España, primero en Ernst and Whinney y, entre 1985 y 2002, en Ernst and Young, bufete del que fue socio y secretario general. Entre 2001 y 2004 fue diputado en la Junta Directiva del Colegio de Abogados de Madrid. Recibió la cruz de honor de la orden de San Raimundo de Peñafort, destinada a reconocer los méritos relevantes de los profesionales de la Justicia y el Derecho. En la actualidad, una cátedra y unos premios con su nombre, dentro del Instituto Empresa, mantienen vivo su legado en el mundo del Derecho.

Su relación institucional con el Museo del Prado comenzó en 1994, cuando fue nombrado miembro del Patronato de la Fundación Amigos del Museo del Prado. Su dedicación a la historia del arte culminó en 2001, cuando se doctoró por la Universidad Complutense con la tesis *Gaspar Gutiérrez de los Ríos y su «Noticia general para la estimación de las artes»*, que fue publicada en 2006[16]. Fue miembro correspondiente de la Real Academia de Bellas Artes de San Fernando desde 2002 y vocal del Patronato del Museo Arqueológico Nacional de 2003 a 2004. Falleció el 10 de agosto de 2008, después de una larga y penosa enfermedad.

Cervelló formó su biblioteca en algo más de veinte años, los que van desde finales de los setenta hasta los primeros años del siglo XXI. A lo largo de ese tiempo se convirtió en un destacado bibliófilo y fue miembro de la Association Internationale de Bibliophilie desde 1995. No procedía de una familia aficionada a este tema, aunque heredó algunos libros antiguos que habían estado en manos de sus abuelos. Muy cuidadoso con sus compras y gran conocedor del mercado del libro antiguo, constituye un magnífico ejemplo de lo que un coleccionista con medios económicos limitados puede lograr con perspicacia y paciencia. Era poco amigo de las subastas, aunque realizó alguna compra menor en firmas de Madrid, como Durán o Velázquez, y sólo acudió a las grandes subastas internacionales cuando salían obras que le interesaban sobremanera, como el ejemplar de los *Principios* de García Hidalgo que adquirió en Sotheby's en 1995. Cervelló prefirió confiar en una serie de libreros madrileños a los que realizó la mayor parte de sus compras: Enrique Montero, padre e hijo, Guillermo Blázquez, Ignacio Porrúa y, sobre todo, Luis Bardón, cuya librería en la plaza de San Martín lleva más de medio siglo siendo punto de referencia para el comercio del libro antiguo en Madrid. Fuera de la capital también adquirió libros y estampas en Sevilla, Málaga y Barcelona, especialmente en Delstres.

Sus compras en el extranjero fueron más escasas, aunque en ocasiones se desplazó a París, especialmente para adquirir estampas, y a Londres, donde Robin Halwas le ayudó a conseguir algunos de los ejemplares más interesantes de su biblioteca. Normalmente, cuando encontraba algún libro importante fuera de España, acudía a sus libreros de confianza antes señalados para llevar a cabo la transacción. No todo fueron compras, también recibió notables obsequios de su familia y amigos, como la edición de 1639 de *El héroe* de Baltasar Gracián, que le llegó como regalo de boda. Hombre de su tiempo, Cervelló tampoco desdeñó las compras por Internet y llegó a adquirir ejemplares destacados en Estados Unidos por este procedimiento.

La fuente más completa para conocer la formación y el desarrollo de esta biblioteca se halla en la base de datos, exhaustiva aunque algo complicada de manejar, que realizó el propio Cervelló con la ayuda inestimable de su mujer, María Teresa Ortiz, y que ambos entregaron a la Biblioteca del Museo del Prado. Aunque el grado de información varía de un registro a otro, proporciona numerosos datos sobre los libros, manuscritos y las estampas de la colección. Los más interesantes son sin duda los que atañen al grado de conservación del ejemplar y a su procedencia. Conocedor de que numerosos libros antiguos en el mercado están incompletos, especialmente en portadas y estampas, y que muchos están restaurados en exceso o completados fraudulentamente, comprobaba cuidadosamente cada obra que compraba y recorría numerosas bibliotecas para ver más ejemplares y diferentes ediciones del mismo título. Toda esta información era minuciosamente recogida en la mencionada base de datos. Lo mismo hacía con las circunstancias que rodeaban cada una de sus adquisiciones, proporcionando jugosos detalles sobre el mercado internacional del libro durante esos años y revelando en ellas las dificultades y la pasión que rodean siempre la tarea del coleccionista y bibliófilo.

Cervelló formó su biblioteca desde una perspectiva amplia de lo que es el libro de arte[17]. Así, aunque adquirió numerosos tratados de arquitectura, pintura y otras artes, también se interesó por obras que no entran estrictamente dentro de la calificación de «literatura artística», pero que tienen un elevado aliciente para el historiador del arte, como son las relaciones de fiestas públicas, las topografías o descripciones de ciudades, los relatos de viajes, etc. Dentro de esta clase de obras ha de mencionarse su interés por los libros de emblemas, los tratados de carácter simbólico o los textos mitológicos y religiosos ilustrados.

Lógicamente, siempre se sintió atraído por adquirir obras relacionadas con la historia del arte español y logró hacerse con casi todos los tratados de arte y arquitectura anteriores a 1800 (en algunos casos con varios ejemplares) y numerosas obras de creación literaria, investigación histórica, relación de festividades, descripción topográfica, etc. Entre los más importantes tratados españoles representados destacan hasta tres ejemplares con variantes de los *Diálogos de la pintura* de Carducho de 1634 [cat. 13], el más importante tratado artístico español del Siglo de Oro, o un rarísimo folleto en el que Francisco Pacheco, maestro y suegro de Velázquez, publicó hacia 1620 el capítulo XII del libro segundo de su *Arte de la pintura* con intención de obtener un mecenas para la publicación de la obra completa, lo que no se llevaría a cabo hasta 1649 [cat. 12]. También son muy interesantes los tres ejemplares de la *Copia de los pareceres y censuras [...] Sobre el abuso de las figuras, y pinturas lascivas y deshonestas* (1632), uno de los cuales es una reimpresión que revela el nombre del devoto caballero lusitano que lo promovió, Francisco de Braganza.

Otro aspecto que siempre atrajo a Cervelló fueron las ediciones ilustradas, que adquirió al tiempo que su colección de estampas. Varias de las tipologías mencionadas, como los libros de fiestas públicas (entradas triunfales, matrimonios reales, ceremonias funerarias), cuentan casi siempre con estampas, a menudo de grandes dimensiones y plegadas para ajustarse al tamaño del libro. También las descripciones de ciudades o los relatos de viajes abundan en ilustraciones. Entre los primeros forman un conjunto destacado las «Mirabilia Urbis Romæ», que interesaron mucho a Cervelló, especialmente a partir de su colaboración en la exposición *Ex Roma lux*, que se celebró en la Biblioteca Nacional en 1997 y que contó con varios ejemplares de su colección. Por último, cabe señalar que la frontera entre libro y álbum de estampas no es siempre fácil de delimitar y en algunas tipologías, como las cartillas de dibujo, esta distinción se hace casi inútil. En cualquier caso, el resultado fue que la biblioteca Cervelló puede considerarse también un verdadero museo de la estampa, en el que están representados muchos de los grandes nombres de la historia del arte gráfico, como Durero, Ribera, Piranesi o Hogarth.

Cervelló fue sensible, como todos los bibliófilos, a la procedencia ilustre de algunos libros. Aparte de ejemplares de las grandes bibliotecas españolas dispersas en el siglo XIX, abundantes en el mercado español (Cánovas del Castillo, Carderera), Cervelló logró ejemplares procedentes de bibliotecas de célebres historiadores del arte, como Bernard Berenson (la primera edición de las *Vite* de Vasari, 1550) o Rudolf Wittkower (la edición de Ware de *The Four Books of Architecture* de Palladio, 1738). Otra obra con una procedencia destacada es *De humana physiognomia* (1586) de Giovanni Battista della Porta, que perteneció a Paul Fréart de Chantelou, el primer teórico de arte francés, amigo y protector de Poussin y autor del *Diario* de Bernini en Francia.

Respecto a las encuadernaciones, Cervelló no compró ningún ejemplar por la importancia de sus cubiertas, aunque como en toda biblioteca de fondo antiguo hay alguna notable. Así, encontramos una interesante encuadernación plateresca de finales del siglo XVI que cubre un extraordinario volumen facticio con la *Historia de la composición del cuerpo humano* de Valverde de Amusco [fig. 1], *La pratica de la perspettiva* de Daniele Barbaro y la traducción al español de la *Regola* de Vignola (1593), o buenos ejemplos de encuadernaciones heráldicas (Cerv/138, Cerv/1373) y textiles (Cerv/1161). También tuvo el buen gusto de encargar a Antolín Palomino, uno de los mejores encuadernadores españoles del siglo XX, que le hiciera cuatro ejemplares: una edición de Alciato de 1549, una primera edición de Carducho, la *Música* de Tomás de Iriarte y uno de los ejemplares de la *Copia de los pareceres*.

Las referencias más antiguas a obras compradas por José María Cervelló datan de 1979, cuando adquiere los tres volúmenes de la revista *El Artista* (1835) que, según cuenta él mismo, fue la primera obra importante que compró en Madrid a su vuelta de Palencia. Ese mismo año logra también la primera edición de los cuatro libros de Palladio [cat. 20]. A comienzos de los ochenta pareció estar especialmente interesado en libros ilustrados del siglo XVI y comenzó a formar la que sería una rica colección de obras sobre iconografía. Así, en 1980 compra la *Iconología* de Cesare Ripa [cat. 36] y las *Diverse imprese* de Alciato [cat. 35]; en 1982, una edición francesa de las *Metamorfosis* de Ovidio de 1626; y, en 1983, la *Idea de un príncipe político christiano* de Saavedra Fajardo [cat. 37]. También aparecen pronto otras tipologías que definirán la biblioteca: los libros de fiestas públicas, como la *Descripción de las honras que se hicieron a la cathólica mag. de D. Phelippe Quarto* de Pedro Rodríguez de Monforte (1666), conseguida en 1982, o las *Fiestas* de Torre Farfán [cat. 27], en 1984, y, sobre todo, los libros de arquitectura. Empiezan a llegar ediciones espléndidas: la *Perspectiva* de Andrea Pozzo (1749) en 1982, un serlio (1563) en 1983, el Vitruvio-Barbaro (1556) en 1984 y *Della trasportatione dell'obelisco Vaticano* de Domenico Fontana (1590) en 1985. La teoría del arte también empieza a ser objetivo temprano de los afanes de Cervelló y en 1981 compra *El museo pictórico* de Palomino [cat. 15], del que llegaría también a adquirir las planchas de cobre originales. En 1983 llegan los *Discursos apologéticos* de Juan de Butrón (1626) y en 1984 una edición tardía (1647) de las *Vite* de Vasari, preludio de la espléndida colección vasariana que formaría.

En la segunda mitad de los años ochenta prosiguió con las mismas líneas de compra. Algunos años, como 1986, fueron verdaderos *anni mirabiles* para su biblioteca. Ese año adquirió una serie de títulos fundamentales para la historia del arte: los vitruvios de Caporali (1536) y Philandro (1544), *I dieci libri dell'architettura* de Alberti (1546), la *Idea del tempio della pittura* de Lomazzo (1590), la edición de 1736 del *Arte y uso de arquitectura* de fray Lorenzo de San Nicolás o el *Essai sur la physiognomonie* de Lavater (1781). Comienza también en esos años su colección de estampas.

Por los datos que tenemos sobre las compras de los noventa nos encontramos de nuevo con que se concentran en algunos años especialmente fructíferos; no sabemos si porque tuvo mayores oportunidades o simplemente porque fue más cuidadoso anotando sus adquisiciones. Así, otro año espléndido fue 1991, en el que entraron en la biblioteca magníficas ediciones del siglo XVI, como el *Disegno* de Anton Francesco Doni (1549), *Los triumphos de Francisco Petrarcha* (1555) o la *Orazione funerale* de Benedetto Varchi para las exequias de Miguel Ángel (1564). Continuó también con las compras de tratados españoles, adquiriendo el segundo ejemplar de los *Diálogos* de Carducho o la edición de 1675 de la *Varia commensuración* de Juan de Arfe. Fue un año también notable para las recopilaciones de vidas de artistas, como la *Felsina pittrice* de Malvasia [véase cat. 6], las *Vite de pittori, scultori, ed architetti genovesi* de Raffaelle Soprani en dos volúmenes (1768) o la *Addenda* de Luigi Crespi a la *Felsina pittrice* (1769), ejemplar único en las bibliotecas españolas.

El cambio de milenio fue otro momento muy destacado en la formación de esa biblioteca. En 1999 llegaron importantes libros y colecciones de grabados: dos álbumes de Heemskerck, las *Victorias de Carlos V* y los *Triunfos de Petrarca*, ambos comprados en París; el vitruvio de Urrea (1582) y, sobre todo, el mencionado capítulo suelto del *Arte de la pintura* de Pacheco [cat. 11], probablemente la obra más valiosa de la Biblioteca. Al año siguiente Cervelló compró la primera edición de las *Vite* de Vasari (1550), así como dos de los libros ilustrados más importantes del Barroco europeo: la *Pompa introitus* de Gevaerts [cat. 25] y *La gallerie du Palais du Luxembourg* de Rubens [cat. 39].

En los años finales de creación de su biblioteca, Cervelló buscó completar alguno de los conjuntos previamente formados. En 2001 compra la segunda edición de las *Vite* de Vasari (1568), el libro más costoso que nunca adquiriría [cat. 5], especialmente atractivo por contener más información que la primera y, sobre todo, por los retratos grabados de numerosos artistas. Ese mismo año también logró la *Geometría práctica* de José García Hidalgo (1693), perfecto complemento a los dos ejemplares de los *Principios* del mismo autor, y la segunda edición de la *Carpintería de lo blanco* de Diego López de Arenas (1727), que, junto con la primera edición (1633), forma un conjunto casi único. El año 2002 fue excepcional para las compras de libros de arquitectura: el *Libro appartenente all'architettura* de Antonio Labacco (1559), las primeras ediciones de la *Regola delli cinque ordini* de Vignola [cat. 18] y de la *Idea della'architettura universale* de Vincenzo Scamozzi (1615) o la primera edición en francés de la *Architectura* de Jean Vredeman de Vries (1577).

Las últimas grandes incorporaciones se realizaron en 2003 y con ellas Cervelló intentó llenar algunas lagunas relativas al Renacimiento italiano: las *Due lezzioni* de Varchi (1549), los *Due trattati* de Cellini (1568) y sobre todo la primera edición en italiano de *La pittura* de Alberti [cat. 1], obra fundacional y fundamental de la teoría artística y primero de los libros que figura en esta exposición.

Con posterioridad al ingreso de su biblioteca en el Museo, Cervelló no pudo refrenar su amor por los viejos libros de arte y continuó realizando algunas adquisiciones destacadas. Por fortuna, esos libros se incorporaron también a la Biblioteca del Museo del Prado en 2009. Entre ellos se encuentran algunas primeras ediciones de títulos clave dentro de la literatura artística, como el *De sculptura* de Pomponio Gaurico (1504), *L'idea* de Federico Zuccaro (1607) o las primeras ediciones alemana (1528) e italiana (1591) del tratado de las proporciones de Durero. También han ingresado obras destacables por sus ilustraciones como la galería de hombres ilustres de Paolo Giovio [cat. 31] o las cartillas de dibujo de Le Brun y Matías de Irala, de la que sólo se conocían tres ejemplares hasta la fecha. Y, por último, varios títulos que completan la magnífica colección de tratados de arquitectura que ya poseía su

Fig. 4
Federico de Madrazo, Retrato de José de Madrazo, en *El Artista*, entre pp. 306 y 307. Madrid, Biblioteca del Museo Nacional del Prado [Mad/756]

biblioteca: la *Architectura von Ausstheilung* de Dietterlin, una de las obras maestras del manierismo [cat. 22], así como *las Dichiarazioni dei disegni del Reale Palazzo di Caserta* (1756) y una edición francesa de la *Regola* de Vignola (1665) que se suma a las quince ediciones ya existentes en la Biblioteca que permiten reconstruir, siquiera parcialmente, la historia editorial de esta obra capital.

LA BIBLIOTECA MADRAZO

La biblioteca de la familia Madrazo fue comprada a sus descendientes en el año 2006, junto a una amplia colección de obra sobre papel (dibujos, estampas, fotografías)[18]. Los Madrazo fueron la más importante dinastía de pintores españoles del siglo XIX y comienzos del XX. Su fundador fue José de Madrazo (1781-1859) que, además, fue director del Museo del Prado, coleccionista y poseedor de una importante biblioteca, parte de la cual se conserva entre los libros adquiridos por el Museo[19] [fig. 4]. Su hijo Federico de Madrazo (1815-1894) ocupó también la dirección del Prado en dos ocasiones y junto con otros miembros de la familia contribuyó al enriquecimiento de la biblioteca familiar.

La biblioteca está formada por cerca de mil volúmenes de monografías a los que hay que sumar un pequeño número de publicaciones periódicas, manuscritos y mapas. En cuanto a su cronología, abundan, lógicamente, las obras correspondientes al siglo XIX, que suponen un poco más de la mitad del fondo. La otra mitad corresponde a obras de los siglos XVI (un cuatro por ciento), XVII (un diez por ciento) y XVIII (un treinta por ciento). Al tratarse de la biblioteca de una familia estrechamente vinculada con las Bellas Artes, predominan entre sus fondos los libros sobre arte: tratados de arte y arquitectura, vidas de artistas, tratados de anatomía, cartillas de dibujo, catálogos de colecciones pictóricas, etc.

La colección de tratados de arquitectura es especialmente interesante. En buena parte proceden —sobre todo los italianos— de José de Madrazo; el resto pudo ser adquirido por Juan de Madrazo, hermano de Federico y arquitecto. Entre los españoles hay que destacar la obra de Juan Caramuel Lobkowitz *Architectura civil recta y obliqua*, en tres volúmenes muy bien conservados [cat. 23]. A José de Madrazo pertenecieron el hermoso libro de Cornelius Meyer *L'arte di restituire à Roma la tralasciata navigatione del suo Tevere* (1685), en un ejemplar que contiene otras obras del autor [fig. 5], así como dos magníficos álbumes de estampas, cuya encuadernación, muy deteriorada, indica que tuvieron un origen común: los *Palazzi di Roma* de Pietro Ferrerio (1600) y las *Opera del caval. Francesco Bor[r]omino* (1720). Otros importantes tratados italianos, como ediciones de Alberti (1565), Serlio (1566), Vignola (1644) o Lamberti (1781), debieron de añadirse más tarde.

Respecto a los tratados de arte españoles, hay que señalar una buena colección de obras de Arfe, orfebre e importante tratadista español del siglo XVI, con dos ediciones del *De varia commesuración* (1585 y 1773) y una del *Quilatador* (1678), y, sobre todo, un ejemplar del célebre *Principios para estudiar el nobilíssimo y real arte de la pintura* de García Hidalgo, con noventa y tres grabados, que, unido a los dos ejemplares procedentes de la biblioteca de Cervelló, convierten a la Biblioteca del Museo del Prado en lugar de referencia para el estudio de esta rara e importante obra [cat. 30].

Pero quizá sean los tratados europeos los que aportan más valor a nuestra Biblioteca. Entre los del siglo xvi destaca la primera edición latina de las *Institutionum Geometricarum* de Durero [cat. 4]. Más abundantes son los tratados italianos del xvii, como las *Paradossi* de Giulio Troili (1652), y del xviii, como *Dell'arte pittorica* de Chiusole di Roveredo (1768). Destacan por último algunos tratados franceses del siglo xviii como los *Essais sur la peinture* de Diderot, en la edición de 1795. Capítulo aparte merecen las vidas de artistas. Casi todas son italianas y proceden de la biblioteca de José de Madrazo. Las *Vite* de Carlo Dati (1667), de Giovan Pietro Bellori (1677), de Malvasia [cat. 6] y de Giovanni Baglione (1733) y las *Notizie* de Filippo Baldinucci (1767-73) forman un conjunto de elevado interés.

Un apartado específico de la biblioteca de José de Madrazo lo constituían los catálogos de museos y las colecciones de estampas. Unos cuantos han subsistido: *L'Etruria pittrice* (1791), *Il claustro di S. Michele in Bosco di Bologna* (1694) o la *Histoire des Provinces-Unies des Pays Bas* de Jean Le Clerc (1723).

Además de los libros de arte, la biblioteca es especialmente rica en obras literarias, libros de viajes y atlas. De las primeras, a menudo muy ilustradas, hay que señalar los cuatro tomos de las *Fables choisies* de La Fontaine, en la edición de Desaint & Saillant de 1755, una de las obras más exquisitamente editadas de todo el siglo xviii. Entre los libros de viajes se encuentran varios ejemplos destacados también del siglo xviii, como los *Voyages [...] dans plusieurs provinces de la Barbarie et du Levant* de Thomas Shaw (1743) o los *Travels through Spain* de Henry Swinburne (1779), con las primeras estampas de los monumentos islámicos andaluces. De gran interés son los *Voyages pittoresques et romantiques dans l'ancienne France* (1820-57) en ejemplar dedicado por el propio barón Taylor a Federico de Madrazo.

15

Del modo di adoprar gli Occhiali.

IN vero grand'obligo tenere douemo si à gli primi Inuentori de gli occhiali, come ancora à quelli che l'hanno poi ridotti à maggior perfettione, poiche col mezzo di questi viene ingegnosamente proueduto alle debolezze del più necessario, e stimato senso dell'huomo, mentre la vista ci fà distinguere, e conoscere la diferenza delle cose, senza la qual cognitione si viuerebbe come in vna tenebrosa confusione. E tanto più de gli altri sensi è amato dall'huomo quello della vista perche al dire del diuin Platone: *In eo præcipua vis amoris est constituta*. Onde con molta ragione l'Industria humana si è affatigata, e si affatiga ancora hoggi in lauorare con ingegnoso artificio li Cristalli per confortare, e conseruare vn senso tanto necessario, e stimabile, al quale mediante questo artificio somministrando forza di vedere perfettamente tutti li oggetti, che per la mancante facoltà visiua non sarebbono conoscibili. E perche con il grande vso, e la gran pratica si è arriuato à buon stato di perfettione in lauorare li Cristalli de gli occhiali, ci resta solo di dare alcuni auuertimenti toccante il modo di adoperarli.

Primieramente dunque deue sapersi, che quando li raggi visuali non passano rettamente per l'Occhiale verso l'oggetto, mà che si dilatano verso le parti laterali di esso che all'ora la vista riceue più tosto nocumento che giouamento, mentre al dire d'Aristotile: *Quando radij qui transeunt ad visum dispergintur ad latus, & non directæ procedunt ad rem visam, tunc visum debilitant*. Perciò nella sopra espressa figura alla lettera A. suppongo dimostrare che volendo leggere qualsisia scrittura è necessario auuertire che l'occhiale stia rettamente perpendicolare, e per assicurarsi di questo si viene in chiaro con chiudere vn occhio guardando con l'altro verso vn segno nella scrittura, e poi chiudendo questo, & aprendo quello che era chiuso, e guardando di nuouo verso il segno già

osser-

Fig. 5
Cornelius Meyer, *Nuoui ritrovamenti*. Roma: Gio. Giacomo Komarek, 1696, n.º 13. Madrid, Biblioteca del Museo Nacional del Prado [Mad/268(2)]

El fondo de manuscritos es pequeño y de carácter misceláneo. Hay ejemplares desde el siglo xv al siglo xix de distintos temas (religiosos, literarios, eruditos, artísticos, etc.). El más interesante es el manuscrito con el *Comentario de la pintura y los pintores antiguos* de Felipe de Guevara [cat. 9], que fue el ejemplar empleado por Antonio Ponz para su edición de la obra en 1788.

LA BIBLIOTECA CORREA

La tercera biblioteca particular que ha contribuido a la formación del fondo antiguo del Museo del Prado ha sido la de Antonio Correa, generosamente donada por su propietario en el año 2007, junto a un conjunto de cuatrocientas medallas y otras colecciones menores[20].

Antonio Correa [fig. 6] nació en 1923 en Manila, donde su padre trabajaba para la Compañía de Tabacos de Filipinas. En 1934 la familia regresó a España y se instaló en Barcelona, aunque la Guerra Civil motivó su traslado a Gran Bretaña entre 1936 y 1938. Su vida profesional transcurrió en diversas empresas

Fig. 6
Antonio Correa en su casa de Madrid

internacionales, lo que le llevó a vivir en Londres, Nueva York y Madrid, donde residió desde mediados de los años cincuenta y hasta su fallecimiento en 2008[21].

La actividad coleccionista de Correa fue variada, pero hay que destacar, sobre todo, su colección de estampas antiguas, la más importante formada en España en la segunda mitad del siglo xx, compuesta por quince mil obras y adquirida en 1999 por la Calcografía Nacional. La colección se formó en un momento en que la estampa era un arte poco apreciado y valorado, por lo que pudo hacerse con importantes ejemplares por poco dinero. Como además era un terreno casi virgen para los historiadores del arte, realizó numerosas investigaciones en este campo, fruto de las cuales fue la publicación de un *Repertorio de grabadores españoles*[22]. Además de las estampas, Correa fue coleccionista a menor escala de otros muchos objetos (medallas, álbumes de fotografías, textiles) que han acabado donados también a distintas instituciones madrileñas[23].

Un coleccionista tan interesado en el mundo de la estampa acabó, lógicamente, por formar una importante biblioteca. Una parte sustancial, cuatrocientos volúmenes de obras ilustradas, ingresó en la Calcografía Nacional con la colección de estampas. Son libros españoles, reunidos por el interés de sus ilustraciones, entre los que abundan las obras religiosas, históricas y literarias. Aunque la gran mayoría pertenecen a los siglos xviii y xix, no faltan algunas obras maestras del libro ilustrado español de épocas más tempranas.

Aparte de esos libros ilustrados, Correa poseía una biblioteca compuesta por unos mil quinientos volúmenes de monografías y publicaciones periódicas, que fue la que donó al Museo del Prado. La biblioteca se había formado en paralelo a las aficiones coleccionistas de su poseedor y por ello su temática es fundamentalmente la historia del arte. Consta, en números aproximados, de unos doscientos libros anteriores a 1900, quinientos tomos de publicaciones periódicas y ochocientos libros modernos. Está aún pendiente de catalogación, por lo que sólo podemos dar una visión aproximada de la misma.

Sobresalen, por un lado, unas cuantas obras ilustradas, la mayor parte extranjeras, de entre los siglos xvi y xix. La más importante es *Cremona fedelissima città* [cat. 32], obra dedicada a Felipe II por el pintor Antonio Campi, que contiene una extraordinaria serie de retratos grabados por Agostino Carracci. Otras obras destacadas son el *Rosario de N.ra Señora* de Domingo de Arteaga (1556), el *Essai sur la physiognomonie* de Lavater (1786) o la *Raccolta di trenta vedute degli obelischi, scelte fontane, e chiostri di Roma* de Domenico Amici (1839). Algunos títulos son muestra del interés de su poseedor por la estampa, como la *Instrucción para gravar en cobre* de Manuel Rueda (1761). También existen algunos manuscritos, entre los que se singulariza un inventario de alhajas del monasterio de Guadalupe (Cáceres) correspondiente al siglo xviii.

Pero el conjunto más interesante ingresado con la Biblioteca Correa está formado por revistas ilustradas, libros y álbumes relativos al arte y la arquitectura catalanes de finales del siglo xix y principios del xx (modernismo, Renaixença, noucentisme). Abundan entre ellos los álbumes de modelos decorativos (mobiliario, hierros, textiles, pavimentos), tan importantes en ese momento, a menudo con hermosas encuadernaciones modernistas y profusamente ilustrados. Cabe destacar el *Album artístich de la Renaixensa 1882-1888* (1888) o el álbum n.º 6 de los *Pavimentos artísticos de Escofet* [fig. 7]. Entre las publicaciones periódicas hay que señalar títulos como *La Ilustració Catalana*

(1880-1907), *Hispania* (1809-1902) o *La Renaixença*. Además, se encuentra un importante conjunto de revistas satíricas, ilustradas con numerosas caricaturas políticas y sociales, como *Cu-cut* o *La Esquella de la Torratxa* (1891-1901).

COMPRAS POSTERIORES

En paralelo a estas grandes adquisiciones, la Biblioteca ha ido comprando ejemplares sueltos para completar alguno de los conjuntos existentes. Así, poco después de la adquisición de la biblioteca de Cervelló se compró el libro que recoge el triunfal recibimiento que realizó la ciudad de Gante al cardenal-infante Fernando de Austria en 1634 (Guilielmus Becanus, *Serenissimi principis Ferdinandi Hispaniarum infantis [...] triumphalis introitus in Flandriæ metropolim Gandanum*, 1636), que complementa la *Pompa introitus* de Gevaerts que describe la entrada del mismo personaje en la ciudad de Amberes al año siguiente [cat. 25]. También entonces se adquirieron los *Ragionamenti* de Giorgio Vasari en la primera edición de 1588, que se sumaron a la importante colección vasariana de la Biblioteca.

En 2006 se compraron los dos tomos de la edición de 1796 del *Arte y uso de arquitectura* de fray Lorenzo de San Nicolás, con los que se completó la colección de ediciones que de esa obra posee la Biblioteca del Prado. También se obtuvo la *Cartilla de principios de dibuxo* de José López Enguídanos (1797), que tuvo gran importancia en la enseñanza artística de la primera mitad del siglo XIX, y *De urbis acromani* de Juan Bautista Casalio Romano (1650), que se añadía al notable conjunto de obras sobre la Antigüedad clásica editadas en los siglos XVI y XVII que atesora la Biblioteca. Posteriormente, se compró en Norteamérica *Notizie della vita, e delle opere del Cavaliere Gioan Francesco Barbieri detto il Guercino da Cento*, de Jacopo Alessandro Calvi (1808), una importante, temprana y rara monografía sobre un pintor bien representado en el Museo. La última gran adquisición, hecha en el mercado librario madrileño en 2008, ha sido *Le Cabinet des plus beaux portraits [...] faits par le fameux Antoine Van Dyck* [cat. 33], edición de hacia 1720 de la famosa *Iconografía* de Van Dyck.

Fig. 7
Pavimentos artísticos de Escofet: álbum n.º 6. Barcelona, 1900. Madrid, Biblioteca del Museo Nacional del Prado

1. Docampo 2010, pp. 20-25.
2. Velasco y Merlo 2000.
3. Archivo del Museo Nacional del Prado (AMP), caja 1341, exp. 6. Debo el conocimiento de esta documentación a la amabilidad de Gabriele Finaldi.
4. García Guatas 1994-95; Madrazo 1882, pp. 5-12 y 105-26.
5. Como testifica su correspondencia: Madrazo y Kuntz 1994, t. II, cartas núms. 519-47, pp. 972-1056.
6. Gaya Nuño 1976, p. 96.
7. Santiago 1992, pp. 115-50.
8. *Catálogo* 1883.
9. AMP, caja 362, legajo 11210, exp. 4. Debo esta referencia y otras del Archivo del Museo a la amabilidad de Ana Martín Bravo.
10. AMP, caja 1379, legajo 114.11, exp. 1-3.
11. AMP, caja 99, legajo 16.08, exp. 15.
12. AMP, caja 99, legajo 16.08, exp. 25.
13. Matilla 2004, pp. 34-36.
14. El manuscrito ha sido objeto de una edición crítica por parte de Elena Manrique Ara (2006).
15. Portús 2006.
16. Cervelló 2006.
17. Portús 2004.
18. Barón, Docampo y Matilla 2007.
19. Docampo 2007.
20. Docampo 2008.
21. Matilla 2007.
22. Publicado parcialmente como apéndice en *Estampas* 1981.
23. Existe un sitio web dedicado a Antonio Correa y sus colecciones: http://sites.google.com/site/coleccionantoniocorrea/

SYDEREVS MI
ALTA PETIT
QVEM IN DIE
CVLTVM
REGIS &c.
VICTORIS
P. T. F.
HISPALENSIS
P. M.
EREX
ERIS CORONA GLORIAE
FERDINANDO REGI
PIO FELICI
TRIVMPHATORI QVE
PERPETVO

Las amplias fronteras de la literatura sobre arte en el Siglo de Oro

JAVIER PORTÚS

La historia del uso y del estudio de la literatura artística producida en España durante el Siglo de Oro se remonta al siglo XVIII. Desde entonces la atención se ha concentrado en un grupo de textos que ya forman un corpus canónico, en torno a los cuales se ha planteado gran parte del discurso acerca del valor, la originalidad y la riqueza informativa de esas fuentes[1]. En las últimas décadas se ha producido un notable enriquecimiento de perspectivas, de manera que esa literatura ha dejado de utilizarse exclusivamente como manantial que surte de datos positivistas a los estudios histórico-artísticos y cada vez interesa más en sí misma y en lo que tiene de instrumento privilegiado para reconstruir un contexto intelectual, profesional y social amplio que sirva para enmarcar la producción artística de esa época[2]. De ese corpus forman parte unas veinte obras relacionadas con la pintura, otras tantas con la arquitectura y escritos sueltos sobre otras disciplinas artísticas. En su mayor parte toman la forma de «tratados», que es la principal fórmula en la que se articuló la discusión sobre las artes y otras disciplinas humanísticas desde el Renacimiento. También existen alegatos jurídicos, cartillas de dibujos, textos de carácter moral, topografías o descripciones de poblaciones y edificios, etc. Dentro de ese grupo se han señalado varias obras por su ambición doctrinal, su riqueza informativa o el interés de sus juicios críticos, y, en el caso de la pintura, los nombres de Vicente Carducho, Francisco Pacheco, Antonio Palomino o fray José de Sigüenza han servido para reivindicar la existencia de una tradición sólida de reflexión histórico-artística en España, y salen a colación en cualquier estudio sobre nuestro pasado artístico.

Ese camino de identificación, reivindicación y estudio de las fuentes literarias principales ha hecho mucho más rico y complejo nuestro conocimiento del arte español de la época, pero ha tenido otro efecto no tan positivo. Cualquier estudioso mínimamente familiarizado con la producción bibliográfica del Siglo de Oro sabe que el número de impresos publicados en esa época que tratan de forma directa, y de manera exclusiva o parcial, fenómenos que podríamos calificar como «artísticos» es considerablemente superior a los que generalmente integran el corpus habitual de la literatura artística.

Hay gran cantidad de obras que se han quedado al margen de la discusión historiográfica y que únicamente han sido utilizadas como fuente de noticias puntuales. Se trata de descripciones o comentarios en prosa o en verso a obras de arte y arquitectura, o relaciones de acontecimientos en los que la arquitectura o la figuración desempeñan un papel muy importante, como las fiestas y otras celebraciones públicas. Pero incluso algunas obras que son técnicamente «tratados sobre imágenes» han sido ignoradas, pues no se adaptan a las expectativas que habitualmente generan este tipo de escritos entre los historiadores del arte.

El fenómeno tiene que ver con la naturaleza de la información que proporcionan esas fuentes y con los intereses profesionales dominantes, que ha

Fig. 8
Lucas Valdés, «Monumento a san Fernando». Aguafuerte, 542 x 342 mm, en Fernando de la Torre Farfán, *Fiestas de la santa Iglesia metropolitana y patriarcal de Sevilla al [...] rey S. Fernando*. Sevilla: Viuda de Nicolás Rodríguez, 1671, estampa entre las pp. 120 y 121. Madrid, Biblioteca del Museo Nacional del Prado [Cerv/123]

derivado en que ciertos discursos se hayan adaptado mejor a las necesidades historiográficas que otros. Sólo en las últimas décadas, con la ampliación del horizonte metodológico, se ha producido una paulatina incorporación de ese material a los estudios histórico-artísticos, aunque hasta ahora de manera parcial, sin una reflexión sobre el género en sí mismo y sobre su valor global para conocer la naturaleza, la función y el estatus de las obras de arte en el Siglo de Oro. Aunque contamos con algunas recopilaciones generales sobre este tipo de obras, como *El libro de arte en España* (Granada, 1973), que recoge ciento cuatro entradas anteriores a 1700, lo cierto es que ni siquiera se ha llevado a cabo una labor bibliográfica de inventario de los libros del Siglo de Oro que tienen como tema la descripción y el comentario de obras y fenómenos artísticos.

Las causas hay que buscarlas en la segunda mitad del siglo XVIII, cuando se empezaron a poner las bases de las «ciencias históricas». Los intereses positivistas y filológicos dominaron el método histórico, y una de las primeras labores a las que se enfrentaron los primeros escritores sobre arte en España fue seleccionar, de entre el gran caudal de información que proporcionaban tratados, obras biográficas, descripciones de pinturas y edificios, etc., aquélla que podía considerarse veraz. En esa tarea advirtieron la abundancia de noticias falsas, exageradas o de carácter legendario y recelaron de buena parte de esa literatura. A los textos impresos opusieron la información de archivo, que se convirtió en instrumento principal para dar una apariencia de ciencia, solidez y veracidad a la disciplina. Paralelamente, pusieron las bases para construir la historia del desarrollo filológico de las distintas artes, y fueron creando categorías para definir globalmente la pintura que se hacía en España y para distinguir las diferentes variantes locales. Este proceso fue llevado a cabo por escritores como Antonio Ponz, Juan Agustín Ceán Bermúdez o Gaspar Melchor de Jovellanos, cuyas obras son muy interesantes para conocer tanto su confianza en la información de archivo y otras fuentes consideradas «históricas» como la ambigüedad de sus posturas hacia la literatura impresa. Ceán, que merece el título de «padre» de la historia del arte en España, recoge muy bien ese estado de cosas en el prólogo a su *Descripción artística de la catedral de Sevilla*, de 1804, donde se refiere a los historiadores que habían tratado del tema hasta entonces[3] y se lamenta de que pocos de ellos hubieran «acudido a indagar la verdad a la fuente de su antiguo y respetable archivo». Al hacer un repaso a esos historiadores valora aquellos que ofrecen datos útiles, como Pablo Espinosa de los Monteros o Ponz, y previene contra los poco fiables. Es interesante detenerse en estos últimos, porque sirve para explicar el mecanismo que ha llevado a postergar una parte importante de la literatura relacionada con el arte. De Zúñiga pondera su valor descriptivo, pero lamenta que «pocas veces ha tratado de averiguar los nombres ni el mérito de los profesores que las ejecutaron»; de Gabriel de Aranda afirma que «no entendía el idioma de las artes, ni conocía los defectos de las obras que él mismo celebraba»; de Juan de Ledesma dice que «aunque mide el templo y explica lo que representan las vidrieras, el retablo mayor y otras cosas, no da razón de las manos que las han trabajado, ni forma juicio recto del mérito de cada una». Es decir, se está pidiendo a esta literatura dos datos clave para la naciente historia del arte: dar nombres de autores y encuadrar los juicios en un marco normativo e «histórico», que en el caso de Ceán era similar al que potenciaba la Real Academia de San Fernando.

Uno de sus comentarios se refiere a la obra de Torre Farfán sobre las fiestas que celebró la catedral de Sevilla por la canonización de San Fernando [cat. 27 y fig. 8]. Le reconoce el mérito de no dejar «rincón en la iglesia que no escudriñase», pero le censura que «no entra en la materia artística, ni conoce el valor de las obras que siempre exagera». El libro, sin embargo, no es sólo uno de los hitos de la imprenta española del Siglo de Oro, sino también uno de los mejores instrumentos con que contamos para conocer, a través de su texto y sus estampas, un acontecimiento fundamental de la historia artística de Sevilla y para adentrarnos en el estudio de la vida ceremonial, de los usos litúrgicos, de los canales de expresión, del poder de la institución para involucrar a todo tipo de creadores, de la ambición artística de la catedral de Sevilla y de su capacidad para convertirse en vehículo de expresión del orgullo colectivo local.

Ceán, no obstante, trabajaba a la busca de datos objetivos que le permitieran construir una descripción ajustada a los parámetros del método histórico, y además participaba de una cultura que recelaba extraordinariamente de las informaciones no demostrables y de la retórica de la que se revestían muchas de las obras literarias anteriores relacionadas con el arte. Es el mismo recelo que había alimentado la Ilustración contra lo que consideraba excesos formales de lo que ahora llamamos barroco. El simple despliegue de las láminas del libro de Farfán, con sus exuberancias decorativas, debía de provocarle aversión, al igual que el florido estilo literario de su autor.

El juicio sobre la bibliografía artística que se estableció en España desde finales del siglo XVIII se basó en diferentes antinomias: lo verdadero frente a lo falso, lo fiable frente a lo recelable, lo comprobable frente a lo hipotético, lo enmarcable en un horizonte clasicista y normativo y lo que no entraba en el mismo. Es un juicio racionalista del que todos somos herederos y que ha servido para ir señalando, de entre una producción tan numerosa, aquellas obras «útiles», primero, para suministrar datos histórico-artísticos concretos y, más tarde, para articular los discursos sobre la teoría del arte.

Volver la mirada sobre el valor de esa otra literatura marginada puede ser útil por varios conceptos. En primer lugar porque la historia de su marginación es un capítulo importante de la historia del nacimiento y desarrollo de la disciplina de la historia del arte en España y ayuda a entender sus capacidades y limitaciones. También, por la importancia intrínseca de la misma y porque señala un marco muy amplio para encuadrar la producción artística del Siglo de Oro. Las relaciones de fiestas, las obras de descripción topográfica, los poemas dedicados a pinturas y otras obras de arte o las comedias que tienen entre sus personajes a artistas son la respuesta más directa y contemporánea a la mayoría de esos cuadros, esculturas, edificios o pintores, y no sólo nos ayudan en la tarea ilusoria de recuperar una perspectiva cercana a los mismos, sino que con frecuencia nos obligan a considerar las diferentes manifestaciones artísticas como parte de un fenómeno expresivo total, algo que el mundo contemporáneo, con su afición a compartimentar, a veces olvida. Las mismas características que desesperaban a Ceán y han desanimado a numerosos historiadores posteriores, como la frecuente omisión de nombres, la prodigalidad de fórmulas estereotipadas, la ambigüedad descriptiva, la exageración, el énfasis retórico, el uso de una perspectiva legendaria más que histórica, la fidelidad a un horizonte normativo múltiple o el supuesto (que no real) carácter repetitivo de buena parte de esta literatura, han de ser muy tenidas en cuenta a la hora de preguntarnos sobre la naturaleza de las obras artísticas sobre las que versan, pues nacieron en ese mismo medio. Además, la variedad es mucho mayor de lo que con frecuencia se dice y el valor informativo y crítico de fuentes tradicionalmente consideradas menores es a veces extraordinariamente alto y alcanza regiones a las que no siempre llegan los «tratados». Porque si es cierto que el valor informativo de una relación de fiestas, un poema o la descripción de un edificio está muy condicionado por las leyes de su propio género, también lo es que un tratado de arte, por esa misma razón, está sujeto a importantes restricciones. Sendos ejemplos relacionados con el Greco, Rubens y Velázquez pueden ayudarnos a comprobarlo.

Como es bien sabido, en 1628, cuando tenía 51 años, Rubens viajó por segunda vez a Madrid, en calidad de embajador. Se trata de una estancia bien conocida gracias a la documentación administrativa y epistolar que nos ha quedado y a varias obras literarias

Fig. 9
El Greco, *Fray Hortensio Félix Paravicino*.
Óleo sobre lienzo, 112,1 x 86,1 cm. Boston, Museum of Fine Arts, Isaac Sweetser Fund, 1904 [04.234]

contemporáneas. La más manejada es el *Arte de la pintura* de Pacheco [cat. 12], muy rica y precisa de información gracias a que su autor era suegro de Velázquez, quien fue testigo directo de las actividades del flamenco en la corte. El tratado alude a parte de su biografía anterior y a los honores que recibió, y permite identificar una proporción destacada de los cuadros que pintó en Madrid. Pacheco se esmeró en trazar el perfil social y profesional de Rubens, quien le resultaba muy útil en su argumentación sobre la nobleza a la que podía ser acreedor el buen pintor. Sin embargo, no aparece una postura crítica ante su pintura o siquiera un intento de caracterización estilística. Para hallar algo semejante durante el siglo XVII en España hay que acudir a obras que no pertenecen a la tratadística de arte. Hay que recurrir a la *Descripción [...] de El Escorial* del padre Francisco de los Santos, donde existen descripciones de gran valor crítico como la de *La Sagrada Familia con santa Ana* (Prado, P-1639), o a una silva.

Una de las obras más importantes que Rubens hizo en Madrid fue el retrato ecuestre de Felipe IV, que fue colocado en el Salón Nuevo del Alcázar, que se perdió en el incendio de 1734 y que conocemos gracias a una copia realizada por Juan Bautista Martínez del Mazo y Velázquez (Florencia, Galleria degli Uffizi). El cuadro dio lugar a una larga descripción en prosa incluida en una novela de Juan de Piña y a dos largos poemas de Francisco López de Zárate y Lope de Vega[4]. No era la primera vez que se dedicaba un poema a un retrato real o nobiliario, pues la poesía dedicada a los retratos constituía un importante género de adulación cortesana[5]. De hecho, la obra de López de Zárate participa plenamente de las leyes de ese género y está mucho más encaminada a alabar al retratado que a cantar los méritos del pintor o a describir la pintura. Lope de Vega, sin embargo, consigue a través de su silva crear una de las aproximaciones críticas más importantes y perceptivas que mereció Rubens en vida, a pesar de lo cual apenas ha sido tenida en cuenta por los historiadores del pintor, mucho más interesados en los datos concretos que aporta Pacheco. A través de ese poema o de un soneto dedicado a Rubens y a Marino, Lope de Vega identifica sin dudar la pintura del flamenco como la alternativa moderna al arte del pasado, encarnado por Tiziano, y lleva a cabo un logradísimo intento de caracterización estilística del retrato ecuestre mediante su propia técnica de enumeración poética. Leyendo a Pacheco nunca sabremos cuáles fueron las razones que explican el gran éxito de la pintura de Rubens en la corte de Felipe IV y entre los coleccionistas aristocráticos. Los versos de Lope de Vega, por el contrario, nos ayudan a reconstruir fielmente el marco que hizo posible esa recepción y a entender los valores de modernidad, genialidad, potencia narrativa y bravura que encarnaba su pintura para sus contemporáneos. Sin embargo, es inútil buscarlos en ninguna antología de la bibliografía artística del Siglo de Oro.

No todos los escritores que dedicaron sus poemas a una pintura o a un artista durante ese Siglo de Oro tenían la afición de Lope de Vega hacia el arte o les interesaba abordar con sus versos temas de carácter crítico. Pero eso no quiere decir que carezcan de valor. En muchos casos ese valor ha de buscarlo el propio historiador del arte, afinando sus instrumentos de análisis y estudiando los contextos. Quien lea los cuatro sonetos que escribió fray Hortensio Félix Paravicino [fig. 9] sobre el Greco o el que le dedicó Góngora[6] difícilmente encontrará una «opinión» sobre el valor de su obra, pues los juicios críticos están sustituidos por tópicos con una larga tradición literaria que podrían aplicarse a cualquier otro artista. Pero el análisis de esos sonetos ha de hacerse teniendo en cuenta también la identidad literaria de sus autores, es decir, que fueron creadores y defensores de una de las corrientes poéticas del Siglo de Oro en las que existe un mayor énfasis en el alarde formal e imaginativo y una menor atención a los aspectos naturalistas o meramente narrativos. El estudio de la pintura del Greco a la luz del fenómeno gongorista —que propician estos sonetos— por supuesto que no desvela la naturaleza de la misma, pero ayuda a entender algunas cuestiones relacionadas con sus características y su recepción. Así, por ejemplo, resulta útil para describir el marco de expectativas que hizo posible una acogida positiva de una pintura que para muchos era difícil y fuera del canon, pero que desde varios puntos de vista plantea problemas de lectura y de concepción paralelos a los de ese movimiento poético. No es casualidad que mientras que Góngora y Paravicino dedicaban sus principales elogios al Greco, Lope de Vega silenciaba la obra de éste y prefiriera centrar su atención en Rubens o Ribalta, Carducho, Maíno, Van der Hamen y otros pintores con una concepción clasicista o naturalista de la pintura.

En los casos anteriores, las obras literarias a través de las cuales se lleva a cabo la aproximación a Rubens y al Greco merecerían encuadrarse en lo que de manera general se llama «bibliografía artística», pues versan directamente sobre pinturas o pintores. Con frecuencia, sin embargo, encontramos referencias de gran valor a objetos o fenómenos artísticos desperdigadas en obras que pertenecen a otras categorías. Aunque su análisis no es objeto de este ensayo, quisiera mencionar un caso que muestra las posibilidades de este tipo de fuentes. Se refiere a Velázquez, el pintor al que el Siglo de Oro fue encumbrando como la referencia fundamental de la historia de la pintura española, en un proceso que comenzó con el tratado de su suegro Pacheco, que estuvo muy impulsado por Lázaro Díaz del Valle y culminó con el *Parnaso* de Palomino [cat. 15], y que fue estimulado por el hecho de que se trataba de un artista estrechamente vinculado a la corte. De ningún otro pintor español se escribió tanto y se transmitieron tantas noticias de primera mano como del sevillano. Pero a pesar de ese caudal, y de que abundan los juicios críticos, uno de los textos más inteligentes sobre su pintura y que en las últimas décadas está dando mayores frutos para entender la identidad artística de Velázquez no se incluye en ninguna de esas fuentes principales. Aparece en el *Obelisco histórico i honorario que la imperial ciudad de Zaragoza erigió a la inmortal memoria del Serenísimo Señor don Balthasar Carlos de Austria* (1646), del cronista de Aragón Francisco Andrés de Ustárroz. Los párrafos que dedica a la *Vista de Zaragoza* de Martínez del Mazo incluyen una reflexión de gran interés sobre las leyes del «juicio» artístico y una caracterización del estilo de Velázquez:

> El primor consiste en pocas pinceladas, obrar mucho, no porque las pocas, no cuesten, sino que se ejecuten, con liberalidad, que el estudio parezca acaso, y no afectación. Este modo galantísimo hace hoy famoso, Diego Velázquez [...], pues con sutil destreza, en pocos golpes, muestra cuanto puede el arte, el desahogo y la ejecución pronta.

Este texto, sobre cuya importancia advirtió Julián Gállego, es fundamental para conocer la manera en la que fue percibida la pintura de Velázquez entre sus contemporáneos más cultos y para vincular su estilo a conceptos importantes de la cultura cortesana del

Fig. 10
Martín de Roa, *Antigüedad, veneración i fruto de las sagradas imágenes, i reliquias. Historias i exenplos a este propósito*. Sevilla: Gabriel Ramos Vejarano, 1623. Colección particular

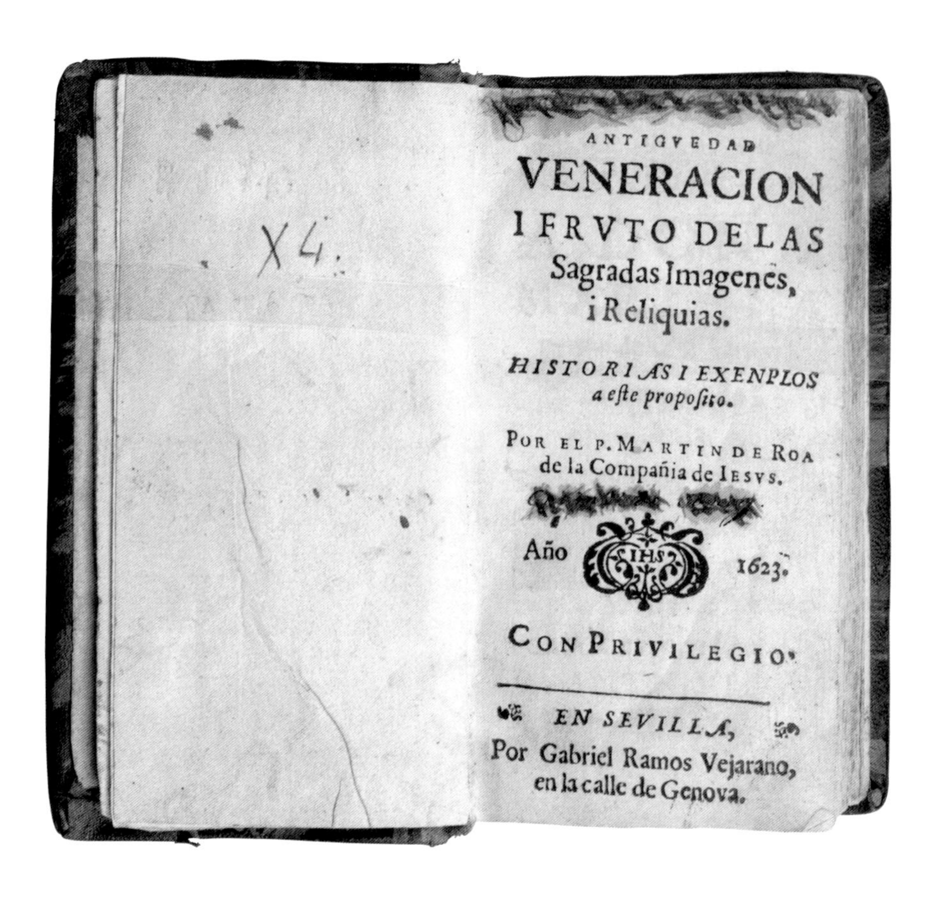

ANTIGVEDAD
VENERACION
I FRVTO DE LAS
Sagradas Imagenes,
i Reliquias.

HISTORIAS I EXENPLOS
a eſte propoſito.

POR EL P. MARTIN DE ROA
de la Compañia de IESVS.

Año 1623.

CON PRIVILEGIO.

EN SEVILLA,
Por Gabriel Ramos Vejarano,
en la calle de Genova.

Siglo de Oro, como el de *sprezattura*, y en efecto, ha sido instrumento notable para algunos de los historiadores que últimamente han abordado esta dimensión de la obra velazqueña, como Prater o Knox[7].

Uno de los efectos del método necesariamente selectivo y discriminatorio a través del cual se ha ido formando un corpus de literatura artística en España ha sido la marginación de algunas obras que podrían considerarse «tratados de arte», es decir, que nacieron con el propósito de discurrir sobre objetos y fenómenos que actualmente calificamos como «artísticos». El hecho es tanto más llamativo cuanto que la tratadística de arte española del Siglo de Oro no es precisamente numerosa. Se trata, en concreto, de *Historia de la adoración y uso de las santas imágenes, y de la imagen de la Fuente de la Salud*, de Jaime Prades (1596); *Antigüedad, veneración i fruto de las sagradas imágenes, i reliquias. Historias i exenplos a este propósito*, de Martín de Roa [fig. 10], y *Discurso de las efigies, y verdaderos retratos, non manufactos, del Santo Rostro, y cuerpo de Christo Nuestro Señor, desde el principio del mundo*, de Juan Acuña del Adarve (1637; Prado, Cerv/1384).

El común denominador de esos libros es que versan sobre la imagen religiosa, están escritos por eclesiásticos y muestran un gran interés por los aspectos devocionales y cultuales del arte. En ese sentido participan plenamente de algunos de los rasgos de buena parte de la literatura que sí está incorporada al canon, como el tratado de Pacheco, la *Copia de los pareceres [...] sobre pinturas lascivas* (Prado, Cerv/419-421) o *El pintor cristiano y erudito* de Juan Interián de Ayala (Prado, 21/51-52), sin olvidar que una de las características generales que mejor definen la bibliografía española del Siglo de Oro sobre pintura o escultura es el énfasis en los problemas de la imagen religiosa.

El hecho de que la mayor parte de la producción artística española de la época tuviera un carácter devocional era razón más que suficiente para incorporar estas obras escritas, además, por personajes que por su condición eclesiástica y su cultura podemos considerar representativos de una parte importante de los comitentes de la época. La lectura de estos libros revela claramente las razones por las que durante el siglo XIX y gran parte del XX estuvieron marginados, pues es tarea inútil tratar de encontrar informaciones que cumplan las expectativas de la investigación más estrictamente positivista, y en ellos la discusión sobre las pinturas, esculturas, etc., se organiza en función de su condición de imágenes sagradas y no de objetos artísticos vinculados a una personalidad creadora individual. Llama, sin embargo, la atención que la notable apertura de horizontes que ha vivido la historiografía de la pintura española del Siglo de Oro desde finales del siglo XX y la importantísima labor de estudio y recuperación de los textos de teoría del arte de la época no se haya traducido en un rescate de estos libros. El interés de los mismos para el historiador del arte es múltiple. En primer lugar, su propia abundancia demuestra hasta qué punto la discusión sobre la imagen se articuló tanto a través de tratados de «arte» como de tratados sobre iconografía religiosa. Además, su contenido permite reconstruir el marco doctrinal, histórico, utilitario y devocional en el que nació la mayor parte de la producción artística y precisar las definiciones de imagen y de «arte» de la época. El cambio de perspectiva respecto a los tratados de arte escritos por pintores (Carducho, Martínez, Pacheco, Palomino) resulta enriquecedor, pues refleja experiencias distintas y ayuda a ampliar nuestra visión de la recepción y del estatus de las obras de arte. Por ejemplo, son muy interesantes los comentarios de Martín de Roa acerca de la naturaleza y la recepción de los retratos reales[8], o sobre las diferentes maneras de percibir una misma obra según se encuentre en una iglesia, donde se subraya su naturaleza devocional, o en el taller de un pintor, en el que se admiran sus valores artísticos:

> De la misma manera, cuando un cristiano entra en una iglesia, y habiendo hecho oración a Dios, vuelve los ojos a diferentes partes, y en esta ve una cruz, que le representa el terrible combate, y gloriosa victoria que el Señor alcanzó del pecado, demonio, e Infierno; en otro el arcángel San Gabriel saludando a la Virgen, luego se acuerda de aquel inmenso beneficio de la Encarnación. Aquí a San Esteban acabado a tiros de piedras, allí a S. Lorenzo asado en parrillas; a San Pedro en la Cruz, degollado a San Pablo, en la rueda de navajas a Santa Caterina, etc. Allí se despierta, y enciende el amor e imitación de las personas y hechos que ve representados en las Imágenes. Y no le sucede así cuando las ve en la tienda del pintor, o escultor: donde con más curiosidad las mira que devoción[9].

El valor intrínseco de estas obras es similar o, en algunos aspectos, superior al del libro de Interián o los *Pareceres*, y sirven para hacer más rica la discusión acerca de la imagen sagrada. Sin embargo, su propia abundancia seguramente ha jugado en contra. Es lo que explica, por ejemplo, que la obra de Martín de Roa haya sido olvidada y en cambio la *Copia de los pareceres* haya recibido una notable atención crítica, pues aunque sea un texto de naturaleza moral, afecta a un asunto que tradicionalmente ha despertado el interés de los historiadores del arte español: la escasez de la pintura de desnudo.

En esta reflexión sobre la necesidad de ampliar las fronteras de la bibliografía artística quiero llamar la atención sobre un tipo de obras que en las últimas décadas están siendo objeto del análisis de numerosos especialistas. Se trata de las relaciones de fiestas y otras celebraciones públicas. El interés que suscitan está en relación directa con la incorporación de la cultura festiva y ceremonial a los estudios de historia, filología e historia del arte que se ha producido en las últimas décadas. En ese sentido, han sido manejadas primordialmente como fuentes que suministran información concreta y positiva sobre unos hechos a

Fig. 11
Juan Gómez de Mora, *Auto de la Fé celebrado en Madrid este año de* MDCXXXII *[...] por Iuan Gomez de Mora*. Madrid: Francisco Martínez, 1632. Madrid, Biblioteca del Museo Nacional del Prado

los que ya se reconoce categoría «artística» o «literaria». No abundan, sin embargo, los estudios que valoren esas obras en lo que tienen de género cuya principal función es la descripción de obras de arte, ni los comentarios sobre su función, su significado o su recepción. Es cierto que a primera vista estas relaciones muestran un carácter repetitivo[10]; pero también es verdad que el conjunto proporciona una cantidad de alusiones a obras arquitectónicas, pictóricas, escultóricas, etc., realmente asombrosa, y que su variedad es mayor de lo que con frecuencia se dice, pues variados fueron los actos a las que se vinculan, las obras de arte que describen, sus características editoriales o la cultura y los intereses de sus autores. En conjunto cubren parcelas a las que raramente llegan los tratados de arte y arquitectura u otras fuentes similares, aparte del hecho de que muchos fenómenos que refieren no entran dentro de la competencia de éstos. Son, por ejemplo, una fuente inagotable de descripciones de carácter arquitectónico, ya sea de los edificios que fueron escenario de las celebraciones o de las estructuras efímeras que se crearon para las mismas. En muchos casos se trata además de descripciones de gran valor y en ocasiones eran redactadas por los propios arquitectos o estaban basadas en los datos proporcionados por ellos mismos[11]. De hecho, uno de los arquitectos españoles más importantes de la época, Juan Gómez de Mora, firmó dos importantes relaciones: la del auto de fe de 1632 [fig. 11] y la de la jura de Baltasar Carlos como príncipe heredero. Entre todas forman un corpus muy interesante para conocer la variedad terminológica y las técnicas descriptivas relacionadas con la arquitectura, y para asomarnos a los intereses que guiaban a muchos de los constructores de esas arquitecturas efímeras y a las respuestas que se esperaban de las mismas.

La descripción arquitectónica que ofrecen las relaciones de celebraciones a veces se realizaba a través del grabado. Es el caso principalmente de las relaciones de exequias, en las que con frecuencia se incluye una imagen del túmulo, lo que permite conocer de manera más precisa una construcción destinada a desaparecer [fig. 12]. También aparecen estampas arquitectónicas en obras de otra naturaleza, como entradas de reyes, canonizaciones de santos, etc. Entre las primeras, es de gran interés el *Viaje* de Juan Bautista de Lavanha, que muestra los arcos que adornaron las calles de Lisboa en 1619 para recibir a Felipe III y su hijo [cat. 26]. Entre las segundas contamos con obras como *Solemnidad festiva [...] Valencia [...] canonización [...] Santo Tomás de Villanueva* de Marco Antonio de Ortí (1651), con imágenes de algunos de los altares, que también aparecen en el *Sacro y solemne novenario, públicas y luzidas fiestas, que hizo el Real Convento de N. S. del Remedio de la Ciudad de Valencia, a sus dos gloriosos Patriarcas, San Juan de Mata, y San Félix de Valois*, de José Rodríguez (1669); o en el *Auto glorioso, festejo sagrado con que el insigne colegio de la preclara arte de la notaría celebró la canonización de san Luis Beltrán*, de López de los Ríos (1674), en cuyas

Fig. 12
Juan de Vera Tassis y Villarroel, *Noticias historiales de la enfermedad, muerte, y exsequias de la esclarecida Reyna de las Españas Doña María Luisa de Orleans*. Madrid: Francisco Sanz, 1690, estampa entre las pp. 144 y 146. Madrid, Biblioteca del Museo Nacional del Prado [Cerv/127]

láminas intervinieron el pintor José Caudí y el grabador Mariano Gimeno. Por no hablar de la citada obra de Torre Farfán, cuyas estampas la convierten en uno de los principales ejercicios de descripción arquitectónica que se hicieron en la España del Siglo de Oro, superado sólo por el *Sumario* de Juan de Herrera.

El tema es especialmente reseñable si tenemos en cuenta que una de las quejas frecuentes entre los tratadistas españoles es la ausencia de una tradición de grabado que permitiera difundir las obras más importantes de la arquitectura y el arte españoles. Se refirieron a la cuestión Pedro de Herrera en 1617 o Jusepe Martínez hacia 1673[12], y perduró hasta ilustrados como Ponz, que lamentaba lo muy atrasado que estaba el país en este aspecto[13]. Son quejas que responden a una realidad fácilmente contrastable, pues a excepción del Escorial [fig. 13], ningún edificio español fue objeto de una campaña de difusión gráfica comparable a la de arquitecturas señeras de Italia y otros países, y eso a pesar de que abundaron las obras destinadas total o parcialmente a describir en prosa esos edificios. Las relaciones de celebraciones, junto con las estampas devocionales que reproducen altares o capillas son, pues, el principal reducto de un género que alcanzó bastante fortuna en Europa y muy escasa en España. En ese sentido, esa diferencia entre la presencia de imágenes de este tipo en esa clase de libros y su ausencia en las obras dedicadas a describir edificios resulta en sí misma muy reveladora y digna de estudio, como también lo es el hecho de que la mayor parte de los libros más suntuosamente editados en el Siglo de Oro sean relaciones de fiestas o exequias. Las relaciones de fiestas ilustradas ofrecen posibilidades únicas para el estudio del *ekphrasis* arquitectónico, pues permiten comparar los textos escritos con las imágenes y, en los casos en que describen edificios, con sus originales, y adentrarse en el estudio de las diferentes técnicas e intereses descriptivos. De nuevo, el libro de Torre Farfán, en el que no sólo se pormenorizan las estructuras efímeras sino también la propia catedral de Sevilla, constituye el documento más fructífero, pero no el único. Así, la comparación de la descripción que hizo Marco Antonio Ortí del altar de los agustinos en unas fiestas valencianas de 1651 con su estampa muestra un contraste frecuente en este tipo de obras entre el énfasis retórico del texto escrito y la visión mucho más clarificadora y simplificadora de la información gráfica[14].

Una de las razones por las que posiblemente las relaciones de celebraciones apenas han sido tenidas en cuenta a la hora de formar un corpus de bibliografía sobre arte es que otorgan un estatus a las obras de arte muy distinto al que le dan los «tratados» canónicos, en un proceso paralelo al que ha ocurrido con los tratados sobre imágenes sagradas. Aquéllos, que con frecuencia fueron escritos por artistas, incidían en el carácter autónomo de las diferentes disciplinas

Fig. 13
Pedro Perret según Juan de Herrera, *Vista del monasterio del Escorial (séptimo diseño)*. Madrid, Museo Nacional del Prado [G-2976]

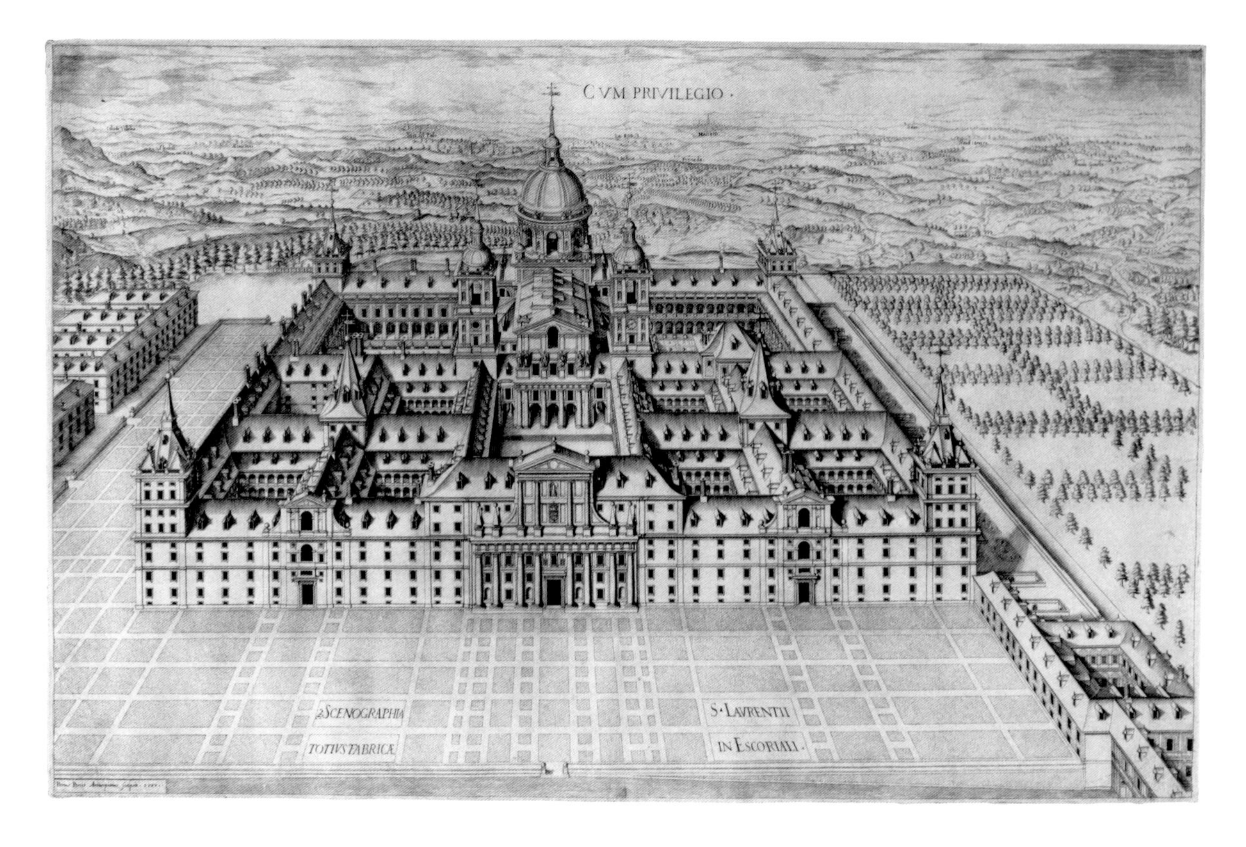

expresivas y en la naturaleza individual o personal de las obras de arte. Esa estrategia permitía reivindicar el papel del artista y construir discursos complejos y ennoblecedores sobre las distintas disciplinas creativas. En las relaciones de fiestas no faltan nombres de artistas, y de hecho constituyen una auténtica cantera[15]. Sin embargo, en este tipo de literatura hay un énfasis menor en la personalidad artística individual, y en el valor que se otorga a las obras de arte cuenta sobre todo su aportación al conjunto. Estas obras inscriben las pinturas, esculturas, obras de orfebrería o estructuras arquitectónicas (efímeras o perdurables) en un conjunto retórico del que también formaban parte la poesía, la música, el protocolo, la pirotecnia, el teatro, la oratoria, el arte floral, etc., encaminado a la celebración, exaltación o recuerdo de un hecho o un personaje. En ese sentido, describen un contexto de usos, significados y hábitos de percepción distinto al que ofrecen los tratados artísticos, y muy interesante para el historiador actual. Una de las consecuencias de ese cambio de marco es la aparición de un tipo de «creador» que nunca tiene cabida en los tratados de pintura o arquitectura, pero que tuvo cierta importancia en el horizonte artístico de la sociedad española del Siglo de Oro: se trata de las personas encargadas de programar y organizar total o parcialmente esas celebraciones, que constituyen uno de los hechos de naturaleza estética y literaria más importantes y definidores del momento. Las relaciones de fiestas permiten rescatar algunos de esos nombres, que en varios casos fueron también los escritores de las mismas. Así, el padre Chirino de Salazar, personaje muy ligado a la política económica del conde-duque de Olivares, fue responsable tanto de programar las celebraciones de los jesuitas madrileños por la canonización de los santos Ignacio y Francisco Javier como de describir y explicar los actos a través de un prolijo libro que firmó con el seudónimo de Monforte y Herrera[16]. Entre otros muchos nombres figuran también fray Luis de Lezama, trinitario del convento de Madrid, que se encargó del altar efímero del convento de la Trinidad en las fiestas de inauguración del sagrario de Toledo[17]; o el doctor Laureano Martínez de la Vega, oidor de la Chancillería de Valencia, que pintó varios jeroglíficos y dirigió la composición de varios altares, un jardín y una fuente en el convento del Remedio de Valencia durante las fiestas en honor de san Juan de la Mata y san Félix de Valois[18].

La literatura sobre celebraciones no sólo sirve para ampliar nuestra visión sobre los estatus y funciones de las obras de arte, pues permite asomarse al tema de los comportamientos y las expectativas del público y sobre su manera de «leer» los diferentes hechos artísticos o literarios que se desplegaban ante sus ojos. En ese sentido constituye también un complemento a los tratados «canónicos» de arte, aunque no ignoramos que esas referencias al público obedecen con frecuencia a fórmulas estereotipadas.

El número de relaciones de celebraciones del Siglo de Oro se eleva a varios centenares, lo que da lugar a una gran variedad en lo que se refiere a ambiciones editoriales, preparación intelectual e implicación de los escritores, técnicas descriptivas, intereses narrativos, etc. En su conjunto son fuente imprescindible para conocer la naturaleza de la actividad artística en el Siglo de Oro y, como tales, merecen su inclusión decidida entre la literatura artística y un estudio en profundidad sobre sus características como género. También lo merece una serie de obras a las que en estas páginas se ha hecho una mención episódica, pero que constituyen la respuesta contemporánea, y a veces inmediata, a fenómenos y objetos de naturaleza artística. Son las citadas descripciones de edificios; poemas o comentarios en prosa dedicados a pinturas, esculturas u objetos de orfebrería; elogios poéticos a artistas; comedias y otras obras dramáticas cuyos personajes son pintores o que tratan sobre problemas artísticos; escritos biográficos sobre personajes que, entre otras cosas, desarrollaron una labor creativa, como el devoto platero Lucas Sillero o el ensamblador jesuita Francisco Díaz del Ribero. Las posibilidades que ofrece este material se han puesto en evidencia en las últimas décadas, y una prueba de la existencia de una conciencia de su importancia es su destacada presencia en la biblioteca de José María Cervelló. Sin embargo, queda mucho por hacer, empezando por la labor básica de su identificación e inventario.

1. Sánchez Cantón 1923-41; Calvo Serraller 1981; Hellwig 1999.

2. Un lúcido análisis de este tema y de la movida historia de la reivindicación del valor de la literatura artística española, en Calvo Serraller 1981, pp. 15-43.

3. Ceán 1804, prólogo.

4. Los textos se reproducen y estudian en Portús 2003, pp. 457-71.

5. Beamud 1985.

6. Se reproducen en Álvarez Lopera 2005, pp. 404-6.

7. Gállego 1979, pp. 68-70; Prater 2007, p. 157; y Knox 2008.

8. Roa 1623, fols. 94-95.

9. Ibídem, fols. 179r-180v.

10. Bonet 1979, p. 57. Otro inteligente análisis de la información que proporcionan estas obras, en León 1989, pp. 376-81.

11. Algunos casos en Portús 1995, p. 260.

12. Herrera 1617, pp. 424-26; Martínez 1866, pp. 191-93.

13. Ponz 1988, pp. 291-93.

14. Ortí 1651, pp. 100-1.

15. Por ejemplo, en Jesús 1695 se cita a Alonso de Mena, el dorador Francisco Ruiz, fray Lorenzo de San Nicolás, Claudio Coello, fray José de la Concepción y Pedro Atanasio Bocanegra; y en Núñez de Sotomayor 1661 a Sebastián Martínez, Pedro de Mena, Andrés de Vandelvira y Juan de Aranda.

16. Monforte y Herrera 1622.

17. Herrera 1617, fol. 79r: «tuvo cierto mucho que ver, y admirar este recibimiento, por rico, y bien ordenado, como se puede entender, siendo obra del padre fray Luis de Lezama, sacristán del monasterio de Madrid».

18. Rodríguez 1669, p. 127.

Vita d' Antonio da Correggio Pittore

Hebbe nome Ant°. Lieto da Correggio

IO non voglio uscire del medesimo paese, doue la gran madre natura per non essere tenuta partiale, dette al mondo, di rarissimi huomini della sorte, che hauea gia molti, & molti anni adornata la Toscana infra è quali fu di eccellente, & bellissimo ingegno dotato Antonio da correggio pittore singularissimo. Ilquale attese alla maniera moderna tanto perfettamente, che in pochi anni dotato dalla natura, & esercitato dall'arte diuenne raro, & marauiglioso artefice. Fu molto d'animo timido, & con incommodità di se stesso in continoue fatiche esercitò l'arte, per la famiglia, che lo aggrauaua: & ancora che e' fusse tirato da vna bontà naturale, si affliggeua niente di manco piu del douere, nel portare i pesi di quelle passioni, che ordinariamente opprimono gli huomini

Brevísima apología de la anécdota, o sobre Vasari y la tradición literaria

JOSÉ RIELLO

«Vasari, es decir la leyenda...»
Pierre Michon, «Con este signo vencerás», en *Señores y sirvientes* (1990)

No parece casual que haya sido un escritor de la calidad y la hondura de Michon quien mejor haya resumido, y que lo haya hecho de una forma tan lapidaria, lo que caracteriza a las célebres *Vite* de Giorgio Vasari pero que a su vez ha sido lo que tradicionalmente ha pasado más desapercibido o ha interesado menos de ellas: su carácter legendario, que es tanto como decir su raigambre literaria. Al fin y al cabo siempre se ha afirmado con rotundidad que con Vasari comenzó todo, al menos en lo que a la historia del arte se refiere, cuando en verdad lo que sucedió con su obra fue que todo acabó o, por no ser tan drástico, culminó, ya que de alguna manera institucionalizar algo es domeñarlo o restringirlo en unos límites cómodos y maleables y eso es lo que él hizo al publicar en 1550, por vez primera, su elenco de biografías de artistas: dar carta de naturaleza a la leyenda, y por tanto también a la anécdota, como la forma más cabal de hacer historia del arte[1].

Siempre que se ha querido identificar las fuentes que formaron el acervo cultural del que partió Vasari se ha recurrido a la tradición historiográfica anterior que se inspiraba, a su vez, en los antiguos relatos de Cornelio Nepote, Plinio el Viejo, Valerio Máximo, Plutarco o Suetonio, además de en las hagiografías —el subgénero biográfico más extendido entonces— y los elogios de ciudades. En todos ellos se manifiesta esa necesidad, al parecer muy natural y humana, de admirar e incluso reverenciar a las personas que sobresalen física o intelectualmente o a aquéllas cuyas conductas podían llegar a convertirse en paradigma moral para el resto de ciudadanos. Una diferencia esencial, en todo caso, entre las antiguas biografías y las que comenzaron a escribirse en el siglo XIV estriba en el hecho de que las modernas se convirtieron en instrumentos indispensables para celebrar a las distintas ciudades a través de las hazañas de sus ciudadanos más singulares[2], circunstancia que se entiende por la competencia política y cultural que existía entre los pequeños estados italianos —pues fue en Italia donde antes aconteció— y que favoreció, a su vez, la valoración de ese panteón civil de *uomini illustri* entre los que también se contaban los artistas ya que, como escribió el celebrado autor de *novelle* Franco Sacchetti (h. 1335-1400), «siempre ocurrió que entre los pintores se descubrieron hombres insólitos»[3]. La preeminencia de Florencia en este ámbito fue tan destacada como en cualquier otro. Ya Filippo Villani introdujo en su *Liber de civitatis Florentiæ famosis civibus* (1381-82) las primeras semblanzas dedicadas a Cimabue, Giotto y Maso da Panicale, entre otros, y comenzó a establecer algunos tópicos que se repitieron después hasta la saciedad, como el paralelismo, muy revelador, entre artistas y literatos tal que Giotto y Dante o Simone Martini y Petrarca. A Villani siguieron otros cronistas como Bartolomeo Fazio, Lorenzo Ghiberti, Cristoforo Landino, Ugolino Verino, Vespasiano da Bisticci, quienes escribieron los llamados *Anónimo Magliabechiano* o el *Libro de Antonio Billi*, Giovanni Battista Gelli o Paolo Giovio[4]. Si bien se trataba de obras breves y parciales, lo que a

Fig. 14
Retrato de Antonio Allegri, llamado Correggio, en Giorgio Vasari, *Le vite de' piu eccellenti pittori, scultori et architettori*, vol. 2, p. 16. Florencia: I Giunti, 1568. Roma, Biblioteca dell'Accademia Nazionale dei Lincei e Corsiniana [Esemplare Palatino 29.E.4.5-6]

su vez subraya el logro de Vasari en lo que atañe a la capacidad de síntesis y orden que desarrolló en sus *Vite*, todas ellas comparten una inquebrantable voluntad literaria, por supuesto más destacada en unos que en otros, que puede y debe explicarse por la estrecha alianza que se dio entre literatos y artistas no sólo por la tácita intención patriótica que concurre en los panegíricos que se prodigaban entre ellos y en las influencias recíprocas[5], sino también por el deseo compartido de alcanzar el reconocimiento social y, a poder ser, la fama incluso más allá de la muerte. Esta unión se promovió en aquella época más que en ninguna otra, pero es lógico que se mantuviera en otros tiempos y lugares tal y como muestra esta exposición.

Muchos de los autores citados llegaron a elogiar a los artistas a través de sus lecturas —o de los escolios, en el caso de Landino[6]— de la *Divina Comedia* de Dante, en cuyos versos consagrados a Cimabue y Giotto[7] ya estaba planteada, *in nuce*, la idea de la progresión artística hacia la perfección que muchos de ellos, y en particular Vasari [cat. 5][8], explotaron aferrados a un principio de autoridad que les permitió justificar su atención a los artistas por la que previamente les habían prodigado los antiguos e incluso el propio Dante. Vasari llega a afirmar que no había mejor premio para los artistas que ser celebrados por los cálamos de los poetas ilustres[9] y son innumerables los ejemplos en que protagonizan las *novelle* de la época, desde las que Boccaccio dedica en el *Decamerón* a Calandrino, Giotto y Buffalmaco a las de Sacchetti o, más tarde, Matteo Bandello, de modo que los artistas se convirtieron en personajes muy cualificados e identificables de esta tradición literaria y, además, en héroes o pícaros muy caros a los florentinos[10]. En cierto modo, la influencia que esa otra tradición, la literaria, tuvo en la confección de la obra de Vasari fue ilimitada, y si su obra fue fruto de «los esfuerzos, las incomodidades y los dineros»[11], no lo fue menos gracias a una tradición historiográfica que lo respaldaba, la de Villani y los que lo siguieron, pero también y sobre todo porque fue en Italia y particularmente en Florencia donde existió una extraordinaria cultura literaria que eclosionó, por lo que a la historia del arte concierne, en las *Vite* vasarianas, lo cual significa casi tanto como reconocer el fundamento literario de la disciplina al menos en sus inicios, cuando todavía no era tal[12].

Entre los antecedentes de Vasari destaca el matemático y arquitecto florentino Antonio Manetti, a quien se atribuye una estupenda *Vita di Filippo Brunelleschi* que, según parece, escribió entre 1482 y 1489 por petición de su amigo Girolamo Benivieni, que quería conocer «quién fue este Filippo que hizo esta chanza del Grasso», como Manetti declara al comienzo del opúsculo refiriéndose a la muy difundida entonces *Novella del Grasso legnaiolo*[13]. El cuento narra la trama que Brunelleschi preparó hacia 1409 para mofarse de un tal Manetto di Jacopo Ammannatini con la colaboración de algunos amigos, entre los que destaca Donatello, porque no había acudido a la cena dominical organizada por el gremio de artistas florentinos. Según el tópico transmitido por Plauto en *Anfitrión*, los burladores hacen creer a Manetto que se ha convertido en otra persona que, por lo demás, debe dinero por doquier en un enredo cuyo cometido es resaltar el ingenio de Brunelleschi[14]. Manetti indica al amigo Girolamo que la *novella* es «storia vera» y lo anima a que la lea «come vera e non come una favola» de manera que «lo penetri tutto». Dejando a un lado el alcance literario y metafórico de la *novella*, y por tanto las discusiones hermenéuticas sobre si expone más una verdad retórica que histórica, lo más relevante desde mi punto de vista es que Manetti advierte a Girolamo justo antes de pasar a narrar la *vita* de Brunelleschi, es decir, le previene —y con él al lector— de que es probable que en la *vita* vaya a encontrar historietas parecidas a la del Grasso a las que, por tanto, también tiene que concederles su propio valor como «storia vera» pues del mismo modo son manifestaciones de la agudeza de Brunelleschi[15]. Es muy significativo, en este sentido, que Manetti escribiera entre 1494 y 1497 un repertorio de *XIV uomini singhularii in Firenze dal MCCCC° innanzi* que continuaba la crónica de Villani y en el que, no obstante, está descartado cualquier rasgo anecdótico aunque también se acopien algunas semblanzas de artistas cardinales como, por ejemplo, Donatello, Ghiberti y Masaccio[16]. Por su parte, y aunque no se publicó hasta 1812, la de Brunelleschi fue la primera *vita* individual dedicada a un artista que, para más señas, era casi contemporáneo de su autor y en ella ya quedaron marcadas algunas de las características esenciales de las «vidas» de artistas como la vocación anecdótica, así que podemos concluir que crónicas civiles y vidas de artistas fueron dos géneros independientes y cada uno con sus propias reglas; en el segundo caso la anécdota tuvo siempre mucho que aportar.

Una de las más destacadas de todas las que cuenta Manetti es aquélla en que narra cómo los habitantes de Roma conocían a Brunelleschi y Donatello como «quelli del tesoro» porque pensaban que era eso lo que ellos buscaban durante sus excavaciones y no el secreto de la arquitectura antigua. Como muestran algunos de los libros de esta exposición, fueron la lectura del tratado de Vitruvio y las ruinas de los edificios antiguos las que espolearon la teoría y la práctica arquitectónicas durante la Edad Moderna, el primero porque era el único testimonio escrito de ese tipo que se conservaba de la Antigüedad romana y las últimas puesto que eran testimonio de las «más bellas formas de los antiguos»[17] y «ejemplo de la grandeza y la magnificencia de los romanos»[18], tan maravillosas «que si no estuviesen hoy parte de ellas sobre la tierra, no se daría tanta creencia a las escrituras antiguas que de ello tratan»[19]. ¿Qué habrían de ser, entonces, los vestigios arquitectónicos que Filippo y Donato medían minuciosamente sino *mirabilia* como las medallas de plata y oro, piedras talladas, calcedonias o cornalinas que también abarrotaban el subsuelo romano y que de vez en cuando emergían a la superficie?[20].

El objetivo de Manetti y de todos los biógrafos de artistas era convertir al biografiado en modelo de virtudes y, por tanto, en héroe —entendido como precursor del genio—, pues al fin y al cabo escribir biografías era entonces el modo de hacer historiografía y la historia era, antes que nada, *magistra vitæ*[21]. Que Brunelleschi fuera ejemplar para Manetti se debió, sobre todo, a su versatilidad profesional y a sus dotes naturales, y también a que sus obras «hacían maravillar a todos los hombres entendedores y de buen gusto natural»[22], como dice a propósito de la capilla Barbadori que Brunelleschi construyó en la iglesia florentina de Santa Felicita, que sería decorada entre 1525 y 1528 por Jacopo Pontormo con Dios Padre y los cuatro Patriarcas de Occidente en la cúpula hoy perdida, cuatro tondos con los Evangelistas —uno atribuido a Bronzino—, un fresco con *La Anunciación* y, finalmente, una gran pala de altar con *La Deposición de la cruz* que, si no gustó demasiado a Vasari, pasa por ser uno de los vértices del Cinquecento [fig. 15].

Las anécdotas servían, por consiguiente, para cumplir con el precepto horaciano de enseñar deleitando, pues se caracterizan precisamente por su carácter gracioso, y a la vez interesaban como expresión de paradigmas ya fuera en las *novelle* o en las biografías de artistas. Pero también, de algún modo, las anécdotas podían añadir cierta causalidad en ese reino de la casualidad que es la vida; al ser esa causalidad primera la infatigablemente buscada siempre por el historiador, éste a su vez podía vislumbrar en las anécdotas una serie de causas forzadas que le servían para explicar algo: si, como advirtió Panofsky, «por una parte se sentía la necesidad de una exposición de los fenómenos en función de sus relaciones tangibles en el tiempo y en el espacio, y por otra, la de interpretarlos en función de su valor y significación»[23], las anécdotas nada o muy poco contaban para lo primero pero se tornaban de veras significativas

Fig. 15
Jacopo Pontormo,
La Deposición de la cruz,
h. 1525-28. Óleo sobre
tabla, 313 x 192 cm.
Florencia, iglesia de
Santa Felicita, capilla
Barbadori-Capponi

para lo segundo. Por ello se convirtieron en un instrumento óptimo para los biógrafos ya que a través de esas historias, algunas reales y la mayoría inventadas, se podían explicitar aquellos aspectos de la personalidad del artista más difíciles de aprehender de una forma racional —por decirlo así— o, dicho de otro modo, aquellas rarezas donde estribaba su genialidad[24]. De hecho, se produjo un desplazamiento paulatino del interés por la obra del artista hacia el propio artista y, por tanto, también hacia su vida[25]. Uno de los más famosos ejemplos de este cambio, quizá por ser de los primeros, fue el protagonizado por Isabella d'Este al solicitar a Fra Pietro Novellara, su contacto en Florencia, que requiriera a Leonardo un cuadro para su célebre *studiolo* dejando al arbitrio del pintor «tanto la elección del asunto como la fecha de entrega», es decir, que lo principal era quién haría la obra y no lo que ésta terminara siendo. Es muy significativo que la marquesa de Mantua no lograra de Leonardo más que evasivas, quizá porque la vida del artista, a decir de Novellara, «era tan variable e irregular que se diría que vive al día»[26].

De todos modos es obvio que el caso de Leonardo era excepcional y que, en general, la existencia de los artistas fue harto diferente. En el fragmento más ideológico de las *Vite*, el proemio a la tercera parte, Vasari se lamenta con un atinado juego de palabras de que «a causa de que estos infelices ingenios tienen que luchar más con el hambre que con la fama, se les tiene soterrados y no se les da a conocer, culpa y vergüenza de quien podría aliviarlos y no se preocupa de ello»[27]. A qué se reducía la vida cotidiana de los artistas de entonces lo sabemos gracias al mal llamado «diario» que dejó escrito Pontormo[28]; menos mal que él se caracterizaba, a decir de Vasari, por una cierta «bizarra stravaganza»[29], porque los apenas dieciséis folios manuscritos de los que se compone son un registro minucioso de su dieta entre el 7 de enero de 1554 y el 23 de octubre de 1556, algunos esbozos que reproducen los trabajos que diariamente hacía en la decoración del coro de la iglesia de San Lorenzo en Florencia y, tal vez sobre todo, la frecuencia y la calidad de los movimientos de su vientre, cuestión escatológica que se relacionaba con toda una costumbre ligada a la anotación privada de las alteraciones del clima y del cuerpo y a las prescripciones médicas[30] y que además no era nada anómala en un hipocondríaco que sufría hidropesía, pero que también revela algo esencial para entender el alcance de las anécdotas como recurso literario en las vidas de artistas: que éstos, entonces y ahora salvo muy contadas excepciones, se limitaban a trabajar, comer y dormir con mejor o peor fortuna como cualquier otro coetáneo. Quien haya leído el cuaderno de notas de Pontormo habrá quedado a merced de una apatía taciturna que, si bien aburrida, le habrá permitido comprender entre otras cosas la necesidad de la anécdota o de la leyenda para poder hacer de la biografía de un artista un relato interesante, y no hay nada más revelador, en este sentido, que comparar la relación de huevos, higos secos u onzas de pan —por no decir otra cosa— que refiere Pontormo en su cuaderno con el fragmento en que Vasari describe la rara morada del pintor, a la que tenía que subir por una escalera de madera que después recogía para que nadie subiera a la casa sin que él quisiera o lo supiera. ¿Dónde sino en anécdotas como ésta podría residir el carácter extraordinario de Pontormo? Su *taccuino* sirve también, sin embargo, para avisar de los excesos interpretativos en los que puede incurrir quien se deje llevar por tales sugerencias literarias, pues durante mucho tiempo fue interpretado como un diario en que el pintor, paradigma de artista excéntrico, dio rienda suelta a sus rarezas y dejó fluir su temor a la muerte; sugerente pero excesivamente algunos especialistas han llegado a interpretar las cuencas hundidas y casi vacías de los ojos de los personajes de sus obras como metáforas que «proyectan al exterior las tinieblas de una corporalidad trastornada y castigada»[31], cuando acaso lo que expresan es la convulsión religiosa de aquella época y ante todo de Pontormo, cuyos contactos con «persone dotte e letterate»[32], o sea reformistas que frisaban con la herejía en ese contexto, le valieron el encargo de los frescos del coro de San Lorenzo.

Es cierto que a veces las cosas venían tan mal dadas que incluso los propios protagonistas contaban el relato —nunca mejor dicho— de sus vidas, o al menos parte de él, de manera que proyectara una imagen que nada o muy poco tenía que ver con la realidad; en ese sentido, las biografías inspiradas en lo que los biografiados contaban a los biógrafos o las mismas autobiografías son pruebas de la conquista progresiva de la autoconsciencia artística, pues los artistas podían situarse a sí mismos en una perspectiva legendaria de manera que lo que exhibieran o silenciaran de sus biografías condicionara, con el tiempo, la consideración de sus obras[33]. Resulta muy interesante observar cómo en algunos de esos relatos el progresivo extrañamiento del artista respecto a su entorno y sus dificultades para relacionarse con él sirven para expresar lo que lo diferenciaba del resto, es decir su «genio», que a la par justificaba su rebelión[34]. La *Vita* de Benvenuto Cellini es ejemplar por ese insolente narcisismo que sólo le permite reconocer, más allá de su propia labor y sólo hasta cierto punto, la primacía del divino Miguel Ángel[35], pero este fenómeno también ocurre en la imagen que artistas de «afable y gentil carácter que lo hace considerar por todos amabilísimo», como Andrea Palladio, construyeron de sí mismos[36]. En los últimos tiempos *I quattro libri dell'architettura* [cat. 20] han sido interpretados como el más fidedigno retrato, tal vez el único, que conservamos del arquitecto vicentino, aunque es una efigie peculiar: su nacimiento en Padua, su prolongadísima formación artesanal, los sinsabores de la vida despreocupada o trágica de algunos de sus hijos o la persistente penuria económica son escamoteados a favor del relato sobre su temprana inclinación por la arquitectura antigua y por los tratados de Vitruvio [véanse cat. 16 y 17] y Leon Battista Alberti, sobre las deudas de gratitud con sus protectores o la privilegiada relación con sus comitentes. Esta particular historia privada coincide con la historia de su labor arquitectónica, que es expuesta en el libro y representada a su vez en las entalladuras que lo ilustran, y por eso la biografía real de Andrea, hijo del molinero Pietro della Gondola, se transforma en la «vida» literaria de Andrea Palladio según un deslizamiento semántico que puede apreciarse de la misma manera en autobiografías en principio tan alejadas del contexto europeo como las de Sinán, arquitecto del imperio otomano entre 1539 y 1588[37].

Incluso el mismo Vasari expone tendenciosamente las circunstancias que dieron origen a su célebre obra fundacional durante una de las veladas que el cardenal Alessandro Farnesio celebró en su residencia de Roma allá por el año 1546, cuando, según dice, fue animado por Paolo Giovio a escribir un «tratado en el que se tratara de los hombres ilustres en el arte del dibujo desde Cimabue a nuestros tiempos»[38]. No han sido pocos los lectores que han señalado incongruencias notables en el relato vasariano y todo parece apuntar a que es una invención más en la que la elaboración de las *Vite* se presenta como si fuera una labor providencial, pues según ella Vasari recopilaba notas sobre vidas de artistas «infin da giovanetto» para pasar el rato pero también por su devoción a la memoria de esos artistas[39]. Por otra parte, con los datos recogidos en la anécdota reducía el tiempo de composición de su obra a menos de cuatro años para vanagloriarse de la rapidez con que la había escrito de un modo análogo a como lo hacía de su celeridad pictórica. Según Vasari, en aquella reunión se encontraban, entre otros y además de Giovio, el poeta Francesco Maria Molza, a la sazón fallecido desde hacía dos años; Annibal Caro, traductor de Virgilio, Aristóteles y Séneca; y Claudio Tolomei, que había impulsado la creación de la Accademia della Virtù con el ánimo de que en sus reuniones semanales se debatieran los contenidos del tratado de Vitruvio para publicar una edición de referencia en toscano. Precisamente la Accademia contaba con la protección del cardenal Farnesio y a ella pertenecían también Molza y Caro, con lo que al construir esta supuesta fábula Vasari se situaba en el vórtice del debate intelectual que sobre las artes y la herencia de la Antigüedad se estaba produciendo en la Roma agitada de mediados del siglo XVI. Con todo, lo más interesante es que Vasari acentuara la relación directa entre él mismo, su proyecto y Giovio, pues si bien era real y se fundamentaba en una intensa relación epistolar que ambos mantuvieron entre 1546 y 1547 con motivo de la escritura de las *Vite*, a la par subrayaba ciertos vínculos menos explícitos. Sin ir más lejos, aquel año de 1546 Giovio había publicado en Venecia los *Elogia veris clarorum virorum imaginibus apposita* que, dedicados a los hombres de letras ya fallecidos, era el libro con semblanzas biográficas más importante editado hasta la fecha [véase cat. 31]. Además, Giovio poseía retratos de muchos de esos hombres ilustres en el Museo que se había hecho construir a orillas del lago Como y algunos se los había procurado el mismo Vasari, quien a su vez en algún momento pensó en recurrir a ellos para ilustrar la primera edición de las *Vite*, aunque Giovio le convenció de publicarla «sin figuras para no perder tiempo y dineros»[40]. Sin embargo, si Vasari enfatizó su trato con él no fue por el asunto más o menos primordial de los retratos sino por una cuestión de mayor calado referida también a los *Elogia*. Para Giovio la historia era un compendio de actitudes y comportamientos encarnados por los *viri illustres* a los que consagró el primer volumen de sus *Elogia* y otros que preveía publicar más adelante[41], y quizás, aunque común a toda la tradición biográfica desde la Antigüedad, de su influencia directa proceda la gravedad moral de las *Vite* de Vasari. Además, entre 1523 y 1527 Giovio había escrito breves biografías de Leonardo, Rafael y Miguel Ángel que, aunque inéditas hasta 1781, es probable que Vasari conociera. En ellas desplegaba una agudeza crítica en sus comentarios que, fundada en un latín que derivaba de la *Historia Natural* de Plinio, no tenía parangón en otras biografías de artistas anteriores[42]. Lo más relevante en este razonamiento es que tanto en los *Elogia* como en estas tres biografías Giovio también daba rienda suelta a la anécdota como argucia literaria: como escribió Burckhardt, «cuenta su historieta, añade que no cree en ella, y finalmente en una observación de carácter general deja traslucir que debe de haber algo de verdad en el cuento»[43]. Algunas de sus historias tuvieron buena fortuna posterior, como la que da la noticia de que Miguel Ángel sepultó un pequeño Cupido de mármol tallado por él para que «la herrumbre y otros pequeños daños expresamente infligidos aparentaran su antigüedad»; lo significativo no es que lo vendiera después al cardenal Raffaelle Riario como una pieza antigua, sino que con su destreza Miguel Ángel se había situado a la misma altura que los míticos escultores

Fig. 16
Rafael y taller, decoración parietal del séptimo tramo de la «Loggia Bella», 1517-19. Fresco y estuco. Ciudad del Vaticano

de la Antigüedad, y por ello Vasari y Ascanio Condivi, los más acérrimos biógrafos de Buonarroti, replicaron la anécdota en sus obras respectivas[44].

Así que no debería sorprendernos que un día se descubriera que la «vaga e spiritosa femmina» que al parecer asistía a Vasari en un cuadro perdido que Livio Mehus pintó para que el cardenal Leopoldo de Toscana pudiera cubrir una mesa, y en el que aparecían retratadas todas las pinturas de su galería[45] —de un modo similar a como lo están en el cuadro de Teniers que se expone en esta muestra [fig. 40.1]—, fuera una alegoría de la Anécdota, pues no se me ocurren otras características más afinadas para ella que las de la vaguedad y la gracia. Por mucho que puedan importarnos las noticias que Vasari recopila sobre la decoración de la llamada «Loggia Bella» de los palacios vaticanos [fig. 16] u otras de las obras en las que colaboró Giovanni da Udine (1487-1564), ninguna puede superar en interés, creo, a lo que narra sobre la costumbre que éste tenía de divertirse dibujando pájaros de toda suerte, acaso esos mismos que también según Vasari se entretenía en cazar los días de fiesta, de manera que en poco tiempo acabó un libro bellísimo que hacía las delicias de su maestro Rafael[46]. No me cuesta nada imaginar a ambos jovialmente distraídos al final de la jornada pasando las hojas del cuaderno y decidiendo lo que reproducirían al día siguiente en los muros de la logia vaticana: paisajes amenos, caballos, perros y leones, víboras, lagartos, mariposas y abejorros, melones y granadas e incluso elefantes como el que Manuel de Portugal regaló al papa León X, aquel famoso Annone. A la postre, la anécdota revela mucho más de lo que debió de ser ese alegre redescubrimiento de la naturaleza que se produjo en Italia desde Dante y, sobre todo, desde que Petrarca ascendiera al Mont Ventoux y que afloró en el siglo XVI, pero más aún de lo que de gozoso había en las arcadas de la Loggia, que se abrían al mundo como debían hacerlo las del antiguo Tabulario hacia los foros o como lo hacían desde hacía muy poco tiempo las de la Logia de Psique en el *viridarium* Chigi hacia el jardín, también pintadas por varios integrantes del taller de Rafael: como una membrana por la que el mundo brotaba y entraba y salía a uno y otro lado...

Un argumento muy significativo de la importancia que la tradición literaria tuvo sobre el plan de Vasari radica en que, si existieron vidas de artistas en otros estados italianos o en otros países de Europa, fue ante todo como respuesta a las tesis férreamente campanilistas —es decir, florentinas— de Vasari, y no porque en ellos no hubiera una tradición artística o una pretensión de que los artistas alcanzaran un mejor estatus en la escala social, sino porque no existía el cúmulo literario que sí hubo en Florencia. El propio Miguel Ángel, héroe indiscutible de las *Vite* al menos en su primera edición[47], no había quedado satisfecho con el resultado y tal vez sugirió a Condivi la redacción de una vida que enmendara los errores de la escrita por Vasari[48], luego es fácilmente comprensible que se produjera una oleada de rechazo a la toscanización propuesta por el aretino que, en ocasiones, focalizó sus iras en el mismo Miguel Ángel a través de las críticas al *Juicio Final* de la Capilla Sixtina que expresaron entre otros Pietro Aretino o Lodovico Dolce[49], pero que también aprovechó para resarcir a aquellos artistas locales que habían sido relegados en la historia triunfal de Vasari. Carlo Ridolfi celebró las glorias de Venecia en *Le maraviglie dell'arte* (1648), Malvasia hizo lo propio con las boloñesas en la *Felsina Pittrice* [cat. 6] y más tarde Bernardo de' Dominici exaltaría a los más afamados pintores napolitanos (1742; Prado, 21/811 y 812). En el norte de Europa los tratados adoptaron un sesgo más pedagógico como en *Het schilder-boeck* de Carel van Mander (1604), la *Teutsche Academie* de Sandrart [cat. 7] o la *Groote schouburg* de Arnold Houbraken (1718-20), aunque bien es verdad que tampoco en ellos faltaron las reivindicaciones nacionalistas[50], y en España, pese a sus peculiaridades, el género también adoptó finalidades muy parecidas en la reivindicación del ascenso social o el ennoblecimiento de los artistas y, si bien en menor medida, en la defensa patriótica, tanto en los pequeños fragmentos biográficos que se incluyeron en tratados de más larga ambición como los de Hernando de Ávila, Guevara [cat. 9], Gutiérrez de los Ríos [cat. 10], Juan de Butrón (Prado, Cerv/415), Pacheco [cat. 12] o Jusepe Martínez [cat. 14], como en las biografías recopiladas en el manuscrito inacabado de Lázaro Díaz del Valle o las publicadas en *El Parnaso español pintoresco laureado* de Antonio Palomino [cat. 15], única verdadera aportación hispánica y muy tardía a un género literario tan singular. Lo más curioso es que todos ellos siguieron recurriendo a esas formas de la contradicción que son las anécdotas para explicar aquellas cuestiones a las que no se podía llegar a través de los meros datos documentales, lo que no deja de ser una constatación más de lo que he expuesto hasta ahora.

Los hallazgos de ejemplares de las *Vite* vasarianas con apostillas manuscritas han permitido acceder a una fuente de información muy valiosa para atisbar el grado de aceptación que la obra tuvo en cada época y, en algunas ocasiones, la concepción del arte que tuvo su poseedor y que se manifiesta a través del diálogo mudo que estableció con Vasari en los márgenes del libro. Es paradigmático el caso del ejemplar que perteneció al Greco[51], pero se conoce también el que fue de Francisco de Holanda[52] y se conserva asimismo el volumen del pintor romano Gaspare Celio [fig. 14], que materializa el pronóstico que Vincenzo Borghini hizo a Vasari el 14 de agosto de 1564: si faltaba algún retrato por añadir en la segunda edición de las *Vite* «podrá cada cual incluirlo él mismo», lo cual era una forma muy especial de anotar a Vasari[53]. Es indiscutible, así las cosas, que las *Vite* constituyeron la piedra de toque para todos los que durante las dos centurias siguientes, y hasta el vuelco historiográfico propiciado por Johann Joachim Winckelmann (1763) o Luigi Lanzi (1789), pretendieron ahondar en la senda abierta por él. En sus inicios, la historia del arte fue, pues, historia de los artistas[54].

Quizá el ejemplar anotado más interesante es el que se custodia en la Biblioteca Comunale de Bolonia por la virulencia con la que el escoliasta mostró su animadversión por Vasari, a quien califica de «sfacciato», «bestia» o «avarissimo», o por sus ideas, alguna de ellas «coglionesca», y porque las notas han sido atribuidas por muchos a Annibale Carracci (1560-1609)[55], quien en alguna ocasión había aseverado que «otros pintores tenemos que hablar con las manos»[56]. De ser cierta la afirmación de Annibale, las desavenencias con las teorías de Vasari haría tiempo que habrían perdido acritud entre los artistas —no tanto entre los teóricos—, y también a tenor de los cuadros que Livio Mehus pintó hacia 1650 quizá formando pareja: *El Genio de la escultura* [fig. 17] y *El Genio de la pintura* [fig. 28.1]. Según Baldinucci, los hizo para manifestar sus propias ideas a propósito de la enseñanza del arte[57]: mientras el primero demostraba su devoción por la escultura antigua que estudió y dibujó profusamente en Roma, en el segundo confesaba su fervor por la pintura «del secolo di Tiziano» que había asimilado y copiado durante su estancia veneciana; de hecho, en el primero el Genio de la escultura dibuja algunas obras entre las que cabe identificar la columna Trajana y el *Hércules Farnesio*, mientras en el segundo el Genio de la pintura copia *El martirio de san Pedro* de Tiziano[58]. Las dos concepciones antitéticas de la cultura artística del Cinquecento a cuya formación tanto había contribuido Vasari, la romano-toscana en la que «si disegna» y la veneciana en la que «si dipigne», parecían reconciliarse a ojos de los artistas, con lo que parece que las diferencias entre una y otra que los teóricos se empeñaban en mantener y ampliar a otras polémicas eran sólo estratagemas para, fundamentalmente, hacer historia patria y no para escribir de las cosas del arte.

Sin embargo, otros autores como Giovanni Baglione no se preocuparon por refutar las tesis de Vasari sino que sencillamente pretendieron continuar su labor y eso pasaba por seguir dando pábulo al acervo anecdótico. Cuenta, por ejemplo, que su malquisto Caravaggio pintó a un joven que tocaba el laúd junto a un jarro de flores que reflejaba el brillo de una ventana y otras reverberaciones de la estancia en que se encontraba, y sobre esas flores unas gotas de rocío que eran, para el propio Caravaggio, «el más bello fragmento que jamás pintara»[59]. Muchos han identificado el cuadro con el *Tañedor de laúd* del Ermitage; si me interesa ahora es por las concomitancias que los reflejos en el jarrón pudieran tener con ese otro que está a los pies de su *Magdalena penitente* [fig. 18], y no tanto porque ambos cacharros manifiestan la obsesión que tuvieron siempre los pintores del norte de Italia, especialmente, por la luz y sus refracciones, sino porque esa Magdalena había sido en origen, según Giovanni Pietro Bellori —quien, por cierto, repite lo de la rociada—, «una muchacha sentada en una silla con las manos en el regazo en actitud de secarse el pelo; [Caravaggio] la retrató en una habitación y, añadiéndole un frasco de ungüentos con adornos y joyas, la hizo pasar por Magdalena»[60]. Baglione y Bellori eran buenos amigos e íntimos enemigos los dos de ese «Anticristo» de la pintura que era Caravaggio[61], y no me extraña nada el hecho de que a través de este par de anécdotas ambos quisieran indicar «li suoi modi naturali e l'imitazione in

Fig. 17
Livio Mehus, *El Genio de la escultura*, h. 1650. Óleo sobre lienzo, 70 x 79 cm. Florencia, Galleria Palatina [inv. 1890/5337]

Fig. 18
Caravaggio, *Magdalena penitente*, 1597.
Óleo sobre lienzo, 122,5 x 98,5 cm. Roma, Galleria Doria Pamphilj [FC 357]

poche tinte», como dice Bellori, es decir demostrar esa atención al natural que les parecía la más peligrosa agresión que había sufrido el ideal clásico representado por Rafael y Annibale Carracci mejor que por ningún otro pintor o quizá sólo por Nicolas Poussin, para quien Caravaggio habría venido al mundo a destruir la pintura[62].

Inventados o no, sospecho que estos relatos no tenían nada de inocentes y, bien entendidos y no extrapolados o sobreinterpretados, son inestimables herramientas hermenéuticas que oponen escollos problemáticos a las cómodas interpretaciones unilaterales de costumbre. A través de ellos se puede desvelar esa «*hybris* disimulada» que «se oculta bajo las vestiduras pacificadoras del humanismo»[63], entendiendo que tal humanismo despliega sus alas más allá de los parcos e insuficientes límites impuestos por la inercia historiográfica. Por otro lado, llaman la atención sobre aspectos que, en general, la Historia no considera siquiera dignos de mención, como las piedras preciosas que surgen del suelo de los foros romanos, los pájaros que revolotean por el Vaticano o las pequeñas gotas de rocío de los bodegones, que si bien pudieran parecer banales en una primera y rápida lectura, lo cierto es que desvelan aspectos sobradamente elocuentes de la intrahistoria artística y, por ende, de la Historia misma. En efecto, «la historia que nos interesa no está hecha de ideas abstractas y descarnadas, sino de hombres de carne y hueso»[64]... Tan humanos como el bueno de Vasari, quien esperaba el advenimiento de un nuevo «ingenio afortunado que, dotado de las raras excelencias que caracterizan a los escritores»[65], escribiera un volumen postrero de su tratado, justo el que narrara los triunfos de esa *quarta età* entre cuyos maestros él mismo se encontraba por cronología y por derecho propio, esforzándose en el estudio para no quedar entre los últimos[66]. Que esta confesión se reducía a una mera cuestión de retórica, preceptiva en toda dedicatoria, lo demuestra el hecho de que dieciocho años después culminara la segunda edición de las *Vite* con su autobiografía, pues a buen seguro se consideraba el más destacado de los artífices de la Florencia granducal, no fuera a ser que no llegara ese cronista que debía hacer justicia a sus denuedos historiográficos y a su carrera artística convirtiéndolo en un afamado —pero inerte— objeto de la Historia. De lo que se trata, sin embargo, es de no dar nada por pasado[67].

1. Todo ello si pudiera hablarse de un comienzo o de un final de la historia del arte, cuyo estado natural parece ser el de estar perpetuamente justificando su supervivencia y, por tanto, su continua y rítmica vuelta al comienzo; véase Didi-Huberman 2009, p. 10.

2. Chastel 1991, p. 110.

3. Sacchetti 1970, novela CLXI: «Sempre fu che tra' dipintori si sono trovati di nuovi uomeni».

4. Schlosser 1993, pp. 105-20; y Tanturli 1976.

5. Baxandall 1996.

6. Morisani 1953.

7. Dante, *Divina Comedia*, Purgatorio, canto X, versos 94-96: «Credette Cimabue nella pittura tener lo campo, e ora ha Giotto il grido, sì che la fama di colui oscura». Véase Schlosser 1993, pp. 65-66. Sobre la influencia de Dante en la creación del culto al artista, véase Barolsky 2004.

8. Panofsky 1980, pp. 195-233; Jacobs 1984; y Rubin 1995, pp. 148-86.

9. Vasari 1568, vol. I, 2.ª parte, pp. 435-36: «& che maggior premio possono gl'artefici nostri disiderare delle lor fatiche, che essere dalle penne de' poeti illustri celebrati?».

10. Curiosamente, o quizá no tanto, la vida que Vasari dedica a Buffalmaco es la más cuajada de todas las *Vite* en lo que a anécdotas se refiere; véase Capucci 1974, pp. 315-17.

11. Vasari 1568, vol. III, 3.ª parte, p. 1003: «E ben so io quante sieno le fatiche, i disagi e i danari che ho speso in molti anni dietro a quest'opera».

12. Barolsky 1996.

13. Manetti 1992, p. 45: «Tu desideri, Girolamo, d'intendere chi fu questo Filippo che fece questa natta del Grasso». Es probable que Vasari se sirviera de la *vita* de Brunelleschi aun sin citarla; véase Schlosser 1993, pp. 115 y 118.

14. Manetti 1976.

15. No es azaroso que Manetti se refiera en varias ocasiones, implícita o explícitamente, a la tradición literaria y que la estructura *novella-vita* que caracteriza a la vida de Brunelleschi pueda adivinarse en la sexta jornada del *Decamerón*, en el divertido cuento que Boccaccio dedica a Giotto, como señala Tanturli (1976, p. 283).

16. Murray 1957.

17. Barbaro 1556, libro I, cap. 6, p. 40 [cat. 17]: «come da quello [Palladio] che di tutta Italia con giudici ha scielto le più belle maniere de gli antichi».

18. Palladio 1570, libro I, proemio [cat. 20]: «conciosia che non solo in Venetia, ove tutte le buone arti fioriscono, & che sola n'è come esempio rimasa della grandeza, & magnificenza de' Romani».

19. Serlio/Villalpando 1552, fol. 3v (Prado, Cerv/16).

20. Manetti 1992, p. 68.

21. Para la biografía como género literario e historiográfico, véase Dosse 2007; para la época que nos interesa, pp. 123-94. Sobre las biografías de mujeres, De Maio 1988, pp. 157-93.

22. Manetti 1992, p. 107: «che tutto, e della capella e della pila, furono cose nuove e pellegrine, che facevano maravigliare tutti gli huomini intendenti e di buono gusto naturale».

23. Panofsky 1980, p. 220.

24. Kris y Kurz 2007; Wittkower 2006; y Caro Baroja 1991, p. 22. Desde este punto de vista es evidente que una anécdota verdadera puede revelar muchas menos cosas que una inventada; por ejemplo, que ciertamente sepamos que Pietro Torrigiano esculpió la cara de Miguel Ángel con un puñetazo apenas añade algo a nuestro conocimiento del ambiente que se respiraba en el Jardín de San Marcos en Florencia; véase Vasari 1568, vol. III, 3.ª parte, p. 718. Sin embargo, otras fábulas ficticias como las que vendrán sí desvelan aspectos primordiales de la época.

25. Zilsel 2008.

26. Cartas del 27 de marzo y del 3 de abril de 1501; véase Villata 1999, pp. 133-35, núms. 149 y 150.

27. Vasari 1550, vol. II, 3.ª parte, proemio, p. 561 (Prado, Cerv/90-91) y Vasari 1568, vol. II, 3.ª parte, proemio, [s. p.]: «Ma lo avere a combattere più con la fame che con la Fama tien sotterrati i miseri ingegni, né gli lascia (colpa e vergogna di chi sollevare gli potrebbe e non se ne cura) farsi conoscere».

28. Clapp 1916, apéndice III, pp. 310-16; Pontormo 1956; Berti 1966, pp. 71-90; Lebensztejn 1979.

29. Vasari 1568, vol. III, 3.ª parte, p. 487.

30. Trento 1984 y Trento 1988.

31. Salvatore S. Nigro en Pontormo 2005, p. 95.

32. Vasari 1568, vol. III, 3.ª parte, p. 494.

33. En ocasiones no fueron los biografiados los que quisieron exponer una determinada imagen propia, sino sus familiares más cercanos; véase Pon 2009. Agradezco a la autora que me pusiera sobre la pista de su trabajo.

34. Guido Davico Bonino en Cellini 1973.

35. Hasta cierto punto porque en la parte final de los *Due trattati vno intorno alle otto principali arti dell'oreficeria, l'altro in materia dell'Arte della Scultura* (1568; Prado, Cerv/607, [S III]) se incluyó, entre otros poemas, uno donde Cellini pasa por ser «Angelus secundus» de la escultura tras Miguel Ángel; con todo, implícitamente él es el primero, porque Miguel Ángel ya difunto tendría que descender del cielo para ocupar el puesto de Cellini —«Angelus nisi alto e cœlo veniens locum occupasset»—. La sutileza fue advertida en la edición de los tratados publicada en Milán en 1811 (p. 285).

36. Vasari 1568, vol. III, 3.ª parte, p. 839: «Non tacerò che a tanta virtù [Palladio] ha congiunta una sì affabile e gentil natura, che lo rende appresso d'ognuno amabilissimo».

37. Sobre la biografía de Palladio y sus contrastes con la «vida» reflejada en *I quattro libri*, véanse Beltramini 2008 y Puppi 2008. Sobre Sinán, véase Crane, Akin y Necipoğlu 2006; agradezco a Howard Burns esta referencia bibliográfica.

38. Vasari 1568, vol. III, 3.ª parte, p. 996: «disse monsignor Giovio avere avuto sempre gran voglia, ed averla ancora, d'aggiugnere al Museo ed al suo libro degli *Elogi* un Trattato nel quale si ragionasse degli uomini illustri nell'arte del disegno, stati da Cimabue insino a' tempi nostri».

39. Pozzi y Mattioda 2006, pp. 1-3.

40. Simonetti 2005, p. 67: «et se stamperete l'opera senza figure per non perdere tempo et denari». Para los retratos del Museo de Giovio, Klinger 2007.

41. Zimmermann 1995.

42. Barocchi 1977, pp. 3-23.

43. Burckhardt 1997, p. 129.

44. Barocchi 1977, p. 11: «[Miguel Ángel] Conseguì d'altro canto alta fama nella scultura quando fece un Cupido di marmo e, dopo averlo tenuto sepolto per un certo tempo e poi riportato alla luce, in modo che la ruggine ed altre piccole offese appositamente inflittegli ne simulassero l'antichità, lo vendé per un gran prezzo, attraverso un intermediario, al cardinale Riario». La anécdota se recoge con escasísimos cambios en Vasari 1550, vol. II, 3.ª parte, p. 952, y se repite en Condivi 1998, p. 17, y Vasari 1568, vol. III, 3.ª parte, p. 719, que corrige el desliz de la primera edición.

45. Baldinucci 1974, vol. V, p. 535: «Per la gloriosa memoria del serenissimo cardinal Leopoldo di Toscana dipinse [Mehus] un quadro, che doveva servire per coprire una tavola, fatta con bello spartimento, dove devono esser notate tutte le pitture della sua real galleria. In questo fece vedere quest'artefice Giorgio Vasari in atto di scriver le *Vite de' pittori*, e una vaga e spiritosa femmina, che gli assiste con bella grazia, con aggiunta di varie cose per spiegazione del concetto, tocche maravigliosamente».

46. Vasari 1568, vol. III, 3.ª parte, p. 577.

47. Barocchi 1968.

48. A la que quizá respondió el aretino publicando en 1568 la vida de Miguel Ángel que incluiría en la segunda edición de las *Vite* pero «sola, e separata dall'altre»; véase Vasari 1568b y Pon 1996.

49. De Maio 1978.

50. Heck 2010.

51. Salas y Marías 1992.

52. Dos Santos 1952.

53. Simonetti 2005, pp. 151 y ss.: «Ora, questo non mi piace in modo alcuno, e più presto vorrei lasciare in bianco, cioè mettere l'ornamento senza l'anima; che forse trovandosi poi, si potrà ognuno meterlo da sé».

54. Bazin 1986.

55. Benati 2006.

56. Según Giovanni Battista Agucchi (h. 1615), Annibale habría dicho: «Noi altri dipintori habbiamo da parlare con le mani». Bellori (1672, p. 31; Prado, Mad/186 y Cerv/240) recoge: «Li poeti dipingono con le parole, li pittori parlano con l'opere». Malvasia 1678, vol. I, p. 480 [cat. 6], repite las palabras de Agucchi. Véase Mahon 1947, pp. 253-54.

57. Baldinucci 1974, vol. V, pp. 537-38.

58. Gregori 2000, pp. 19-21; y Barbolani Montauto 2000.

59. Baglione 1642, p. 136 (Prado, 21/652): «& anche un giovane che sonava il lauto, che vivo e vero il tutto parea con una caraffa di fiori piena d'acqua, che dentro il reflesso d'una finestra eccellentemente si scorgeva con altri ripercortimenti di quella camera dentro l'acqua, e sopra quei fiori eravi una viva rugiada con ogni esquisita diligenza finta. E questo (disse) [Caravaggio] che fu il più bel pezzo che facesse mai».

60. Bellori 1672, p. 203. (Prado, Cerv/240 y Mad/186): «Dipinse una fanciulla a sedere sopra una seggiola con le mani in seno in atto di asciugarsi li capelli, la ritrasse in una camera, ed aggiungendovi in terra un vasello d'unguenti, con monili e gemme, la finse per Madalena».

61. Carducho 1633, fol. 89v [cat. 13]. Un poema de Bellori fue incluido entre las primeras páginas de las *Vite* de Baglione.

62. Félibien 1679, p. 205: «M. Poussin, luy repartis-je, ne pouvoit rien souffrir du Caravage, & disoit qu'il estoit venu au monde pour destruire la Peinture».

63. Tafuri 1995, p. 38.

64. Pinelli 1993, p. 16. Precisamente Pinelli demostró magistralmente, en su ensayo sobre Vasari y Pontormo, cómo las anécdotas pueden desenmascarar la *hybris* de esa época gloriosa que después dimos en llamar Renacimiento. Barolsky (1990, 1991 y 1992) ha demostrado lo fructífero que puede ser el estudio del anecdotario vasariano, cuya importancia para la fortuna crítica de Botticelli, por ejemplo, también ha resaltado últimamente Rehm (2009).

65. Vasari 1550, vol. II, conclusión, p. [993]: «a qualunque felice ingegno, che ornato di quelle rare eccelenzie chi si appartengono agli scrittori, vorrà con maggior suono, & più alto stile celebrare & fare immortali questi artefici gloriosi».

66. Vasari 1550, vol. I, dedicatoria a Cosme de Médicis, duque de Florencia, p. 6: «spero che vi verrà doppo noi arà da scrivere la quarta età del mio volume; dotato d'altri maestrei, d'altri magisteri che non sono i descritti da me; nella compagnia de' quali io mi vò preparando con ogni Studio di non esser degli ultimi».

67. Tafuri 1995, p. 39. Nada me gustaría más que mis colegas Lola Gómez de Aranda y Raquel González Escribano consideraran esto como un pequeño reconocimiento a su trabajo cotidiano.

Bibliotheca Artis

La teoría artística occidental nace en Italia en los fecundos años del Quattrocento. Dos hechos marcan su desarrollo: por un lado, la expansión de la imprenta por toda Europa y, por otro, la eclosión del pensamiento humanista, que dotó por primera vez a las manifestaciones artísticas de un sustrato teórico. Sin embargo, las obras más significativas tanto por la novedad y profundidad de sus planteamientos como por la importancia de sus autores, artistas de primera fila además de teóricos, tuvieron una historia editorial azarosa. Circularon mucho tiempo como manuscritos y sólo se publicaron años más tarde, lo que retrasó obviamente su difusión. Es el caso de los dos tratados de pintura más importantes de ese momento, los de Leon Battista Alberti y Leonardo da Vinci, publicados un siglo y un siglo y medio, respectivamente, después de haber sido escritos y cuyas primeras ediciones italianas se presentan aquí [cat. 1 y 2]. En ellos aparecen ya plenamente desarrollados los principales asuntos que van a marcar la teoría clasicista de las artes hasta finales del siglo XVIII: la imitación de la naturaleza, la proporción, el parangón entre las artes, los géneros pictóricos, la consideración del artista, etc. Junto con ellos, otros tratados desarrollaron temas más específicos pero no menos importantes. Es el caso de la perspectiva, concebida como el único método científico de representación y por tanto como elemento básico de la cultura figurativa del Renacimiento. Varios autores se ocuparon de ella (Alberti, Piero della Francesca, Leonardo), pero el primero en publicar un tratado sistemático fue Daniele Barbaro [cat. 3]. Los postulados italianos sobre la perspectiva y sobre el resto de aspectos teóricos del arte renacentista fueron difundidos por Europa septentrional gracias a los escritos teóricos de Alberto Durero [cat. 4].

Esta primera sección presenta también el arranque de la historiografía artística a través de su género fundacional: las «vidas» de artistas. Giorgio Vasari abrió el fuego con sus celebérrimas *Vite* [cat. 5]. Aparte de las numerosas noticias que proporciona sobre el arte italiano, plantea por primera vez una interpretación valorativa del desarrollo de las artes desde una perspectiva radicalmente patriota y evolutiva: las artes alcanzaron un primer apogeo en Grecia y Roma, decayeron durante la Edad Media e iniciaron su inexorable progreso a través de una serie de jalones, todos toscanos: Cimabue, Giotto, Masaccio..., hasta llegar al segundo cénit: Miguel Ángel. El género hará fortuna en el resto de Italia, provocando una especie de competencia entre las distintas ciudades que, a través de la publicación de sucesivas *Vite*, darían a conocer las respectivas glorias locales. Se muestran aquí la *Felsina pittrice* de Malvasia [cat. 6], así como el ejemplo más destacado del norte de Europa: la *Teutsche Academie* de Sandrart [cat. 7].

En España la teoría artística tuvo escaso desarrollo durante el siglo XVI, siendo quizá el *Comentario de la pintura y pintores antiguos* de Felipe de Guevara y el *De varia commensuración* de Juan de Arfe [cat. 8] los ejemplos más destacados. Del primero, que no fue publicado hasta 1788, se expone el manuscrito que sirvió para su publicación, recientemente descubierto entre los fondos de la Biblioteca Madrazo [cat. 9]. En cambio, la teoría artística del Siglo de Oro ha sido reivindicada en los últimos treinta años, desde el pionero estudio de Francisco Calvo Serraller. Presentamos en esta exposición sus hitos principales con novedades de notable interés. Así, además de las primeras ediciones de Gaspar Gutiérrez de los Ríos y de Vicente Carducho [cat. 10 y 13], pueden verse el rarísimo folleto con el capítulo XII de la segunda parte del *Arte de la pintura* que publicó Francisco Pacheco hacia 1619 con intención de dar a conocer y buscar financiación para la publicación de su libro [cat. 11 y 12], el manuscrito de los *Discursos practicables del nobilísimo arte de la pintura* de Jusepe Martínez [cat. 14] o el *El museo pictórico y escala óptica* de Antonio Palomino [cat. 15] acompañado de una de las planchas calcográficas que sirvieron para estampar sus ilustraciones y que, procedentes de la colección Cervelló, se conservan en el Museo del Prado [fig. 15.1]. J. D. C.

LA PITTVRA
DI LEONBATTISTA
ALBERTI TRADOTTA
PER M. LODOVICO
DOMENICHI.

Con Gratia & Priuilegio.

ETERNA

DE LA MIA MORTE

VITA I VIVO.

In Vinegia Appresso Gabriel
Giolito de Ferrari.
MDXLVII.

PORTADA

I

LEON BATTISTA ALBERTI (1404-1472)

La pittura

In Vinegia: appresso Gabriel Giolito
de Ferrari, 1547
Sign. Cerv/470

BIBLIOGRAFÍA: Grassi 1970-79, pp. 138-44; Borsi 1977, pp. 292-304; Blunt 1980, pp. 13-35; Alberti 1999; Maraschio 2005; Sinisgalli 2006; Acidini y Morolli 2006, pp. 19-25; Alberti 2007; Castro 2008

El primer tratado teórico de la historia de la pintura occidental fue escrito entre 1435 y 1436 por Leon Battista Alberti, el representante más característico del humanismo del primer Renacimiento. Nacido en 1404 en Génova, aunque de familia florentina, se educó en Padua y Bolonia y desde 1434 se instaló en Florencia, ciudad en la que vivió la mayor parte de su vida. Su producción escrita fue amplia: obras literarias, políticas, gramaticales, artísticas, etc. Entre estas últimas destacan, además de su tratado pictórico, *De re aedificatoria*, sobre arquitectura, y *De statua*, sobre la escultura. A partir de 1454 comenzó también una importante carrera como arquitecto en Rímini, Mantua y, sobre todo, Florencia. Murió en Roma en 1472.

Tradicionalmente se ha considerado que Alberti redactó una primera versión en latín en 1435 con el título *De pictura* dedicada a Giovan Francesco Gonzaga, duque de Mantua. Al año siguiente realizaría una versión italiana, con dedicatoria al arquitecto Filippo Brunelleschi y variantes respecto a la anterior, titulada *Della pittura*. Sin embargo, recientemente se ha demostrado la primacía cronológica del texto italiano. Más de un siglo después apareció la primera edición latina (Basilea, 1540), a la que seguiría siete años más tarde esta traducción italiana, primera edición en una lengua vernácula. La traducción del *De pictura* fue llevada a cabo por Lodovico Domenichi (1515-1564), que no tuvo en cuenta la existencia del original italiano del propio Alberti, redescubierto en el siglo XIX.

El tratado se divide en tres libros. En el primero Alberti establece las bases teóricas y prácticas de la perspectiva geométrica aplicada a la pintura. El segundo libro comienza con consideraciones sobre la importancia y la nobleza de la pintura, que se divide en tres partes: la circunscripción o el diseño de los contornos, la composición o la disposición de las partes que la forman y, por último, la recepción de la luz. El tercer libro se dedica a la formación y al estilo de vida del artista, considerado como un intelectual más allá de sus habilidades prácticas. J. D. C.

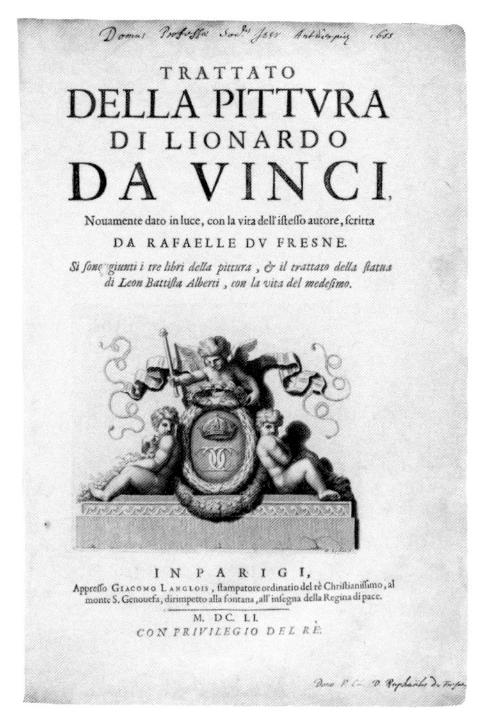

Domus Professae Soc.tis Jesu Antverpiae 1655

TRATTATO
DELLA PITTVRA
DI LIONARDO
DA VINCI,

Nouamente dato in luce, con la vita dell'iſteſſo autore, ſcritta
DA RAFAELLE DV FRESNE.

Si ſono giunti i tre libri della pittura, & il trattato della ſtatua di Leon Battiſta Alberti, con la vita del medeſimo.

IN PARIGI,
Appreſſo GIACOMO LANGLOIS, ſtampatore ordinario del rè Chriſtianiſſimo, al monte S. Genoueſa, dirimpetto alla fontana, all'inſegna della Regina di pace.
M. DC. LI.
CON PRIVILEGIO DEL RÈ.

PORTADA

56 TRATTATO DELLA PITTVRA

Dell' huomo che porta vn peſo ſopra le ſue ſpalle. CAP. CC.

SEMPRE la ſpalla dell' huomo che ſoſtiene il peſo è più alta che la ſpalla ſenza peſo, e queſto ſi moſtra nella figura poſta à baſſo, per la quale paſſa la linea centrale di tutto il peſo dell' huomo, e del peſo da lui portato: il qual peſo compoſto ſe non fuſſe diuiſo con egual ſoma ſopra il centro della gamba che poſa, ſarebbe neceſſità che tutto il compoſto rouinaſſe: mà la neceſſità prouede che tanta parte del peſo naturale del huomo ſi getta da vn de lati, quanto è la quantità del peſo accidentale che ſi aggiunge dall' oppoſito lato: e queſto far non ſi può ſe l'huomo non ſi piega e non s'abbaſſa dal lato ſuo più lieue con tanto piegamento che partecipi del peſo accidentale da lui portato: e queſto far non ſi può ſe la ſpalla del peſo non ſi alza, e la ſpalla lieue non s'abbaſſa. E queſto è il mezzo che l'artifitioſa neceſſità hà trouato in tale attione.

Della ponderatione dell' huomo ſopra li ſuoi piedi. CAP. CCI.

SEMPRE il peſo dell' huomo che poſa ſopra vna ſol gamba ſarà diuiſo con egual parte oppoſita ſopra il centro della grauità che ſoſtiene.

Dell'huomo

DI LIONARDO DA VINCI. 57

Dell' huomo che ſi moue. CAP. CCII.

L'HVOMO che ſi moue harà il centro della ſua grauità ſopra il centro della gamba che poſa in terra.

H

PP. 56-57

2

LEONARDO DA VINCI (1452-1519)

Trattato della pittura

In Parigi: appresso Giacomo Langlois, 1651
Sign. Cerv/754

BIBLIOGRAFÍA: Friedlander y Blunt 1939-74, t. IV, pp. 26-30; Steinitz 1958, n.º 1, pp. 145-50; Bialostocki 1960; Leonardo 1964; Blunt 1980, pp. 35-51; Cropper 1980, pp. 570-83; Leonardo 1983; Leonardo 1985; Barone 2003, pp. 23-51; Kemp y Barone 2009, pp. 39-60; Soussloff 2009, pp. 175-96

El prólogo que escribió Kenneth Clark a la edición de Carlo Pedretti del perdido Libro A de Leonardo comenzaba con una frase que se ha hecho célebre: «No es exagerado afirmar que el *Tratado de la pintura* de Leonardo es el documento más valioso de toda la historia del arte». En efecto, a pesar de que Leonardo no publicase su tratado en vida y de que la dispersión de sus manuscritos haya dificultado enormemente el conocimiento cabal de su pensamiento, se trata de uno de los escasos textos teóricos que hemos conservado de un gran pintor del Renacimiento italiano. En él Leonardo concibe la pintura como una ciencia, fundada en la perspectiva matemática y en la observación de la naturaleza, que el artista no debe intentar mejorar. Considera que la variedad de pintura más elevada es la de historia y por ello se preocupa por la representación del ser humano, tanto en su exterior (las proporciones) como en su interior (la expresión de los afectos). Ambos aspectos confluyen en el decoro o su adecuación a la edad y al rango de la figura representada.

La historia del texto es larga y compleja. Existen noticias de que Leonardo realizó un tratado ilustrado sobre el asunto, hoy perdido. A su muerte en 1519 dejó sus manuscritos y dibujos a su discípulo Francesco Melzi, que elaboró una recopilación de 944 fragmentos sobre pintura extraídos de esos manuscritos, el *Codex Urbinas latinus 1270* (Biblioteca Vaticana). Circularon varias copias del mismo y, pese a su carácter incompleto, confuso y desorganizado, se trata de la fuente fundamental para conocer el pensamiento de Leonardo.

El primer proyecto de imprimir el *Tratado* se debe al cardenal Francesco Barberini y a su secretario y amigo Cassiano dal Pozzo, que encargaron dibujos a Nicolas Poussin para ilustrarlo. La edición no se llevó a cabo pero Dal Pozzo entregó texto e ilustraciones a Paul Fréart de Chantelou, que los llevó a París, donde por fin vio la luz la edición príncipe del *Tratado* en 1651 en la imprenta de Jacques Langlois y en dos versiones, francesa e italiana, ambas presentes en la Biblioteca del Museo (Cerv/754 y Cerv/755). La traducción francesa corrió a cargo de Roland Fréart, señor de Chambray, mientras que la edición italiana fue realizada por Rafael Trichet du Fresne y dedicada a la reina Cristina de Suecia. Contenía también los tratados de pintura y escultura de Leon Battista Alberti. Du Fresne, que era coleccionista y bibliófilo, añadió además unas cortas biografías de los autores y una lista de treinta y cinco libros sobre arte.

Blunt ha señalado que esta primera edición es incompleta e inexacta y que su mayor interés reside en las ilustraciones. Poussin sólo realizó los dibujos de las figuras humanas, en un estilo más clasicista que el que se deriva de las descripciones de Leonardo, que fueron retocados añadiendo en torno a las figuras paisajes dibujados por Charles Errard y grabados por René Lochon. Las demás ilustraciones son de Pierfrancesco Alberti, mientras que Errard realizó los frontispicios y los retratos de Leonardo y Alberti. El resultado es un libro de cuidado diseño y notable atractivo visual, fruto del trabajo conjunto de una élite francoitaliana que, a caballo entre Roma y París, estableció en buena medida la fama y la reputación de la que iba a gozar Leonardo en la cultura europea hasta el siglo XIX. Una anotación en la portada de este ejemplar indica que fue donado por el propio Rafael du Fresne a los jesuitas de Amberes en 1655.
J. D. C.

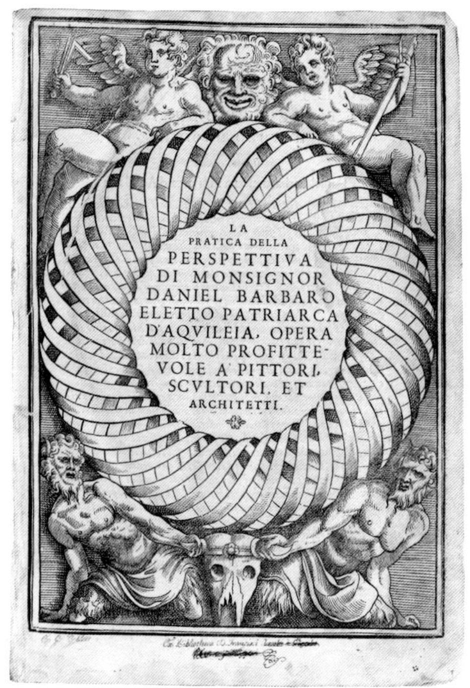

FRONTISPICIO

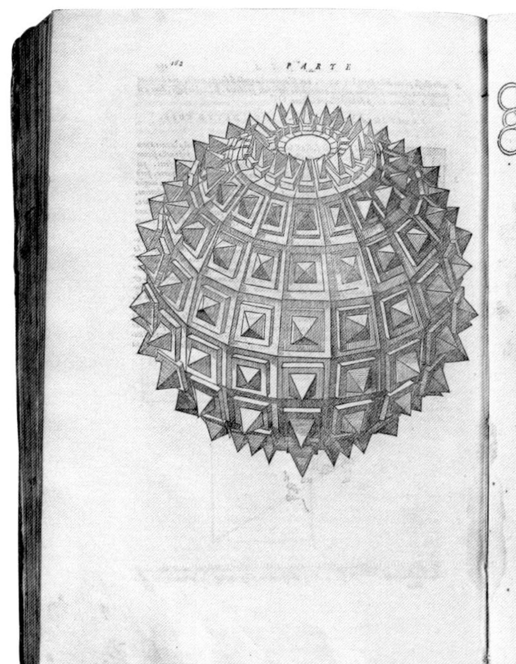
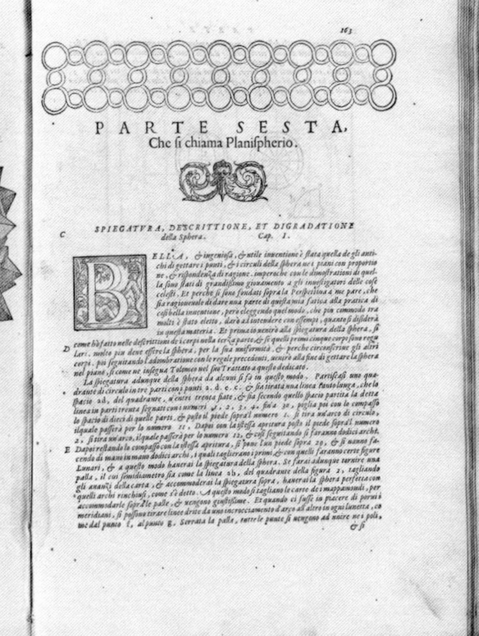

PP. 162-163

3

DANIELE BARBARO (1514-1570)

La pratica della perspettiva

In Venetia: appresso Camillo & Rutilio Borgominieri fratelli, 1569
Sign. Mad/566

BIBLIOGRAFÍA: Wiebenson 1988, III-B-7, p. 207; Millard 1993-2000, vol. 4, n.º 12, pp. 38-40; Chueca 2001, pp. 236-39; Falomir 2003, pp. 198-99; Camerota 2006, pp. 147-59

Humanista y hombre de variados saberes, Daniele Barbaro nació en Venecia y se educó en Verona y Padua. Trabajó al servicio de la República de Venecia como embajador ante Eduardo VI de Inglaterra y a su vuelta, en 1551, fue nombrado patriarca de Aquileia. Fue mecenas de Andrea Palladio y al parecer también arquitecto. Entre sus obras destacan las ediciones del tratado de arquitectura de Vitruvio de 1556 [cat. 17] y de éste. Como hombre de letras y sosteniendo una de sus obras fue retratado por Veronés (Amsterdam, Rijksmuseum) y Tiziano [fig. 3.1].

El primer tratado sistemático de perspectiva apareció en dos tiradas, virtualmente iguales, fechadas en 1568 y 1569. Este ejemplar conserva el espectacular frontispicio que poseen algunas copias, decorado con el *mazzochio*, una compleja figura geométrica de forma circular.

Como afirma el propio Barbaro en el prólogo, escribió esta obra ante las insuficiencias de las de sus antecesores, aunque lo cierto es que se inspiró en fuentes previas, especialmente en el tratado inédito de Piero della Francesca, lo que le valió las críticas de sus contemporáneos. La obra se divide en nueve capítulos. Los cuatro primeros están dedicados a los principios de la perspectiva, los fundamentos de la representación arquitectónica a partir de la planta de los edificios y la escenografía. Del quinto al sexto capítulo Barbaro trata algunos aspectos particulares como la anamorfosis, las sombras, las proporciones del cuerpo humano y los instrumentos de perspectiva. En esta última parte destaca la primera descripción científica de la cámara oscura, que permite obtener una proyección plana de una imagen externa en su interior y que se considera un precedente de las técnicas fotográficas.

A caballo entre la cultura artística a la que pertenecía su autor y el tratamiento científico que pronto se haría dominante en los estudios sobre perspectiva, la mayor aportación del tratado fue eliminar la representación en perspectiva de los tratados arquitectónicos, ya que se falseaba la imagen correcta de los edificios. Su influencia pasó rápidamente a los *Quattro libri* de Palladio [cat. 20].

J. D. C.

Fig. 3. 1
Tiziano, *Daniele Barbaro*, h. 1545.
Óleo sobre lienzo, 81 x 69 cm.
Madrid, Museo Nacional del Prado
[P-414]

182 ALBERTI DVRERI

QVemadmodum cubum pictura deſignaui,ita poſſumus omnia corpora que in planum fundamentum deprimi atque in erectũ eleuari queunt,liniamentis repræſentare: ſed nunc quo pacto quod per vitrũ conſpicitur deliniandum ſit monſtrabo.

Poſthac docebo qua via res quælibet quę videtur & non multum à viſu remota eſt per tria fila ſit metienda atque ita in picturam tranſferenda.

Si ergo per vitrũ rem quampiam viſam deſignare volueris,para prius huiuſmodi inſtrumentum, Comprehende vitrum pellucidum ac planum impage, in modum feneſtræ cõpactæ,deinde confice aſſerem eius amplitudinis,qua eſt impago, ſed lõgiorem,ac impagi quidem affige circa extremitatem vnius lateris interne duos quaſi cardines,quos cum aſſere duobus clauis ſic coniunge,vt impago in ipſis facile eleuari ac deprimi queat ad inſtar tabulæ luſoriæ quo vitrum ſi opus ſit in aſſerem demitti & recondi poſſit. Cæterum circa medium aſſeris in vtraque parte figantur duo claui qui pro capitellis annulos habeant, in quos bini bacilli ferrei ad catenæ ſimilitudinem ingrediantur atque in ipſis moueãtur, at baculi tantæ ſint longitudinis, vt ſi feneſtra ad angulum rectum ab aſſere erigatur,eam mediam in vtraque parte contingant, & in anteriore parte,baculi fiant plani ac foramen in eis,poſt quod vncus figatur mobilis. Poſtea fige quoque in impagis vtraque parte vbi planæ bacillorum extremitates eam attingunt,clauos ferreos capitibus perforatis,quibus ſi applicentur foramina in planis baculorum terminis, atque vnci obdantur,impago cum vitro ſtet firmiter. His perfectis ſume lignum quadrangulũ lõgius paulo quàm aſſer ſit amplus,cuius vnum latus pro aſſeris excindito latitudine ,vt tamen eius ligni duæ extremitates maneant integræ, ac aſſeris latitudinem excedant, & applica exemptum ligni latus tranſuerſe ſuper aſſerem ſiue tabulam ita quod facile ſi opus ſit ſuper ea verſus vitrũ vel ab eodẽ dimoueri queat: id lignũ rurſus ſuperne excauato ſecundum longitudinem quadratè, non tamen ad extremitates vſque laterum. Iam duo latera extrema perforato rotũde , ac per foramina illa immitte cochleam longam quæ tamen in rotundis foraminibus circuitus non habeat,ſed inter ea ſolum: deinde aliud lignum parato lõgum ex dimidia impagis parte quod erectum intret pręciſe cum parte inferiore in quadrangulam tranſuerſi ligni concauitatem ac impleat eam ſecundum latitudinem , ſupra quam etiam parum in vtraque parte producatur , & productio illa tranſuerſo ligno iuſte incumbat, vt lignum illud ſtans ad angulos rectos ſic commode in concauitate iacentis vltro citroq́ tranſuerſe agi poſſit. Hoc facto per eam erecti partem quæ in concauitate tranſuerſi cõtinetur,foramen terebrato ex quo matricem cochleę prędictę conficito. Nũc cochleam anteriori parte inſerito foramini rotũdo ligni tranſuerſi , deinceps & matrici quæ in ligno eſt erecto, donec per alterum foramen tandem exeat. Sic licebit cochlea erectũ lignum, facile ac firmiter in vtramuis partem agere . Porrò foramen facito rotundum per medium ligni erecti ſecundum longitudinem & vnum ligni latus parum excinde ad foramen vſque, atque in eius exciſionis vna parte multas ſecato crenas. Poſtea baculum ad tornum rotundato qui pręciſe introẽat foramen erecti ligni , habeatq́ inferne denticulum: eum baculum cum denticulo

GEOMETRIAE LIB. IIII. 183

denticulo affixo foramini immitte ligni perpendicularis , ita quòd denticulus per ipſam inciſionem deſcendat. Quando hunc baculum per vnum gradum ſiue crenam eleuas ac firmiter ſic manere cupis, tunc pone denticulũ in crenam. Sic baculus iſte in altum tolli aut deprimi pro arbitrio facile poteſt,in eius ſummitate tabellam affige paruam atque aptam,in cuius medio foramen ſit arctum admodum,vt altero ſolum oculo per id atque vitrum in impage perſpicere certius queas. Quod ergo ſic vides penicillo protrahe in vitro,quod cum factum erit, ex vitro tranſfer hoc ipſum in materiã ſuper quam pingere ſtatuiſti. Hæc valde ſunt vtilia illis qui aliquem ad viuum delineare volunt, cum tamen in arte pingendi minus ſint periti. Quocirca ſi aliquem hoc pacto depingere voles,ſuffulcito caput eius quo teneat firmiter donec præcipũa quęq́ duxeris liniamenta,quibus deſignatis,coloribus vti licebit,at lumen adhibendum eſt clarum .

Poſtremo ſi aſſeri prædicto cui adhæret impago duæ affigantur infernè ſubſcudes per tranſuerſum, atque bina in ſingulis terebrentur foramina, quibus pedes inſerantur inferne, ferreis cuſpidibus muniti . His omnibus apte compactis pro menſa ad hos vſus commodiſſima vti poteris,ea etiam ſi placuerit diſſoluitur vt aptior quo volueris fiat ad portandum , quæ ſuprà præcepimus hic oculis ſunt ſubiecta.

Q ii

PP. 182-183

4

ALBERTO DURERO (1471-1528)

Institutionum geometricarum libris, lineas, superficies & solida corpora tractavit

Lutetiæ [París]: apud Christianum Wechelum, 1532 y 1535

Sign. Mad / 141

BIBLIOGRAFÍA: Hollstein vol. 7, p. 258; Durero 1995; Huidobro 1997, vol. 1, n.º 601, p. 358; Durero 2000; Camerota 2006, pp. 123-38; *Retrato* 2008, n.º 91, pp. 334-35

A partir de noviembre de 1520 y hasta su muerte, Durero anduvo mal de salud, lo que motivó que disminuyera su actividad como pintor y grabador y se centrase en su labor como teórico, que había comenzado a gestarse al menos desde su retorno de Venecia en 1507 cuando proyectó escribir un tratado de pintura. Pero no fue hasta sus años finales cuando se publicaron sus tres obras fundamentales: *Unterweysung der Messung mit dem Zirckel und Richtscheyt in Linien Ebnen und gantzen Corporen* (Instrucción para la medida con el compás y la regla de líneas, planos y todo tipo de cuerpos) en 1525; *Etliche Underricht, zu Befestigung der Stett, Schlosz, und Flecken* (Varia lección sobre la fortificación de ciudades, fortalezas y burgos) en 1527; y *Hierin sind begriffen vier Bücher von menschlicher Proportion* (Cuatro libros sobre la proporción humana) en 1528, que se publicó unos meses después de su muerte. Presentamos aquí un ejemplar, procedente de la biblioteca de José de Madrazo, que contiene las primeras ediciones latinas de las dos primeras obras, traducidas por el humanista Joachim Camerarius y publicadas en París en 1532 y 1535, respectivamente. La Biblioteca del Museo cuenta también con las primeras ediciones alemana (Núremberg, 1528) e italiana (Venecia, 1591) de los *Cuatro libros sobre la proporción humana* (Cerv / 1498 y Cerv / 1499).

El propósito de Durero era fundamentalmente didáctico: enseñar a los jóvenes aprendices la

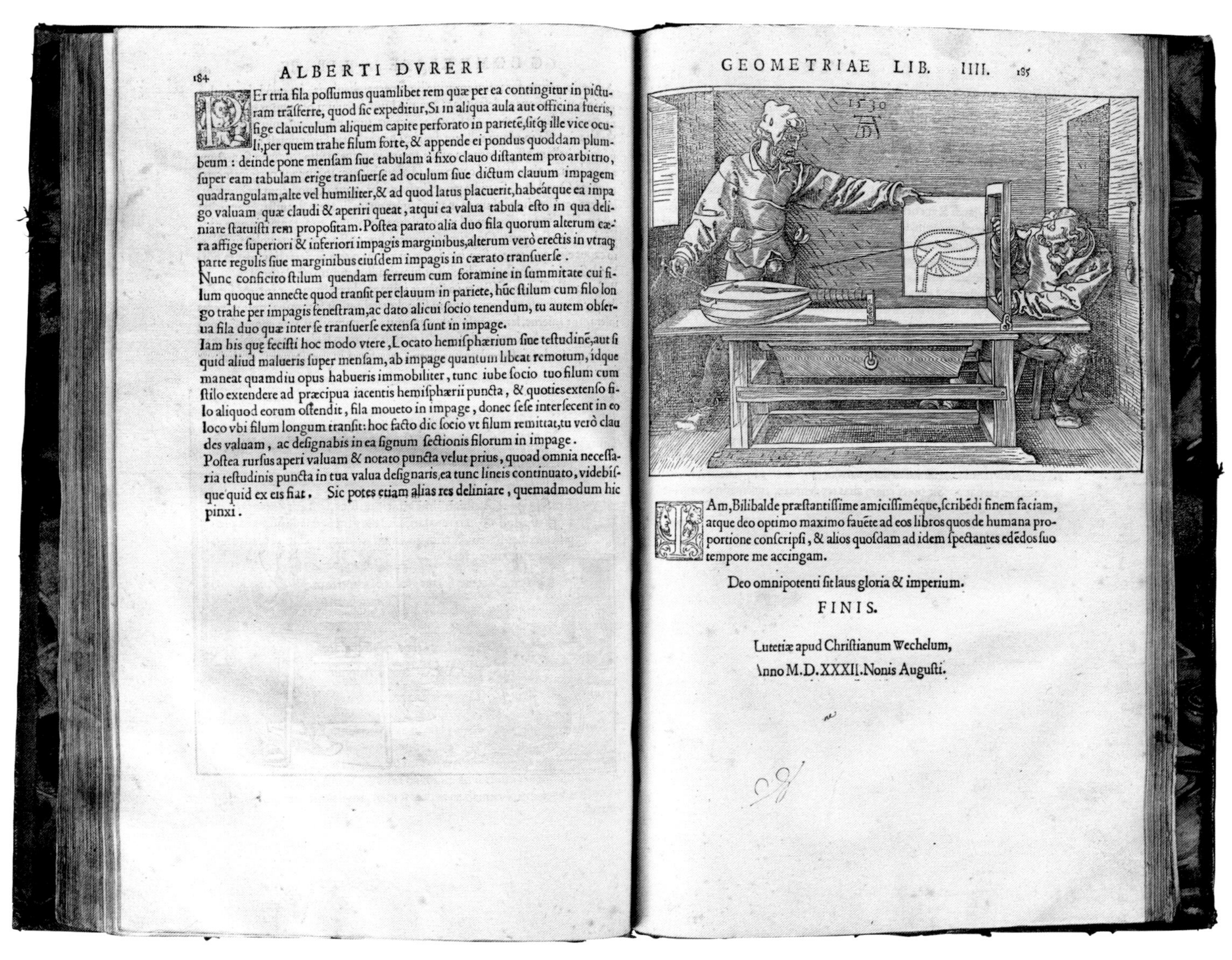

184 ALBERTI DVRERI

PEr tria fila poſſumus quamlibet rem quæ per ea contingitur in picturam trāſferre, quod ſic expeditur, Si in aliqua aula aut officina fueris,
fige clauiculum aliquem capite perforato in pariete, ſitq; ille vice ocu-
li, per quem trahe filum forte, & appende ei pondus quoddam plum-
beum : deinde pone menſam ſiue tabulam à fixo clauo diſtantem pro arbitrio,
ſuper eam tabulam erige tranſuerſe ad oculum ſiue dictum clauum impagem
quadrangulam, alte vel humiliter, & ad quod latus placuerit, habeátque ea impa
go valuam quæ claudi & aperiri queat, atqui ea valua tabula eſto in qua deliniare ſtatuiſti rem propoſitam. Poſtea parato alia duo fila quorum alterum cæ-
ra affige ſuperiori & inferiori impagis marginibus, alterum verò erectis in vtraq;
parte regulis ſiue marginibus eiuſdem impagis in cærato tranſuerſe.
Nunc conficito ſtilum quendam ferreum cum foramine in ſummitate cui filum quoque annecte quod tranſit per clauum in pariete, hūc ſtilum cum filo lon
go trahe per impagis feneſtram, ac dato alicui ſocio tenendum, tu autem obſer-
ua fila duo quæ inter ſe tranſuerſe extenſa ſunt in impage.
Iam his quę feciſti hoc modo vtere, Locato hemiſphærium ſiue teſtudinē, aut ſi
quid aliud malueris ſuper menſam, ab impage quantum libeat remotum, idque
maneat quamdiu opus habueris immobiliter, tunc iube ſocio tuo filum cum
ſtilo extendere ad præcipua iacentis hemiſphærii puncta, & quoties extenſo filo aliquod eorum oſtendit, fila moueto in impage, donec ſeſe interſecent in eo
loco vbi filum longum tranſit: hoc facto dic ſocio vt filum remittat, tu verò clau
des valuam, ac deſignabis in ea ſignum ſectionis filorum in impage.
Poſtea rurſus aperi valuam & notato puncta velut prius, quoad omnia neceſſa-
ria teſtudinis puncta in tua valua deſignaris, ea tunc lineis continuato, videbiſ-
que quid ex eis fiat. Sic potes etiam alias res deliniare, quemadmodum hic
pinxi.

GEOMETRIAE LIB. IIII. 185

IAm, Bilibalde præſtantiſſime amiciſſiméque, ſcribēdi finem faciam,
atque deo optimo maximo fauēte ad eos libros quos de humana proportione conſcripſi, & alios quoſdam ad idem ſpectantes edēdos ſuo
tempore me accingam.

Deo omnipotenti ſit laus gloria & imperium.

FINIS.

Lutetiæ apud Chriſtianum Wechelum,
Anno M.D.XXXII. Nonis Auguſti.

PP. 184-185

aplicación de la geometría al dibujo, así como los principios de la perspectiva. Lo explica en la dedicatoria a Willibald Pirckheimer: «Al ser éste [el arte de la medida] la recta razón de toda pintura, me he propuesto iniciar y dar razón del mismo a todos los jóvenes con inquietudes artísticas para que se instruyan en las medidas del compás y de la regla». Por otro lado, al basar la pintura en la geometría Durero pretendía elevarla al rango de arte liberal, acudiendo además al ejemplo de la Antigüedad clásica: «De lo honorable y digno que fue este arte entre los griegos y los romanos, los libros antiguos dan muestras suficientes».

La obra se divide en cuatro libros. El primero se dedica a la geometría lineal y en él se explica la construcción de curvas planas, hélices y secciones cónicas, siendo estas últimas su aportación más sustancial a las matemáticas. El segundo libro trata de la construcción de figuras bidimensionales y su uso, mientras que el tercero estudia la aplicación de la geometría a tareas prácticas de arquitectura, ingeniería y decoración, incluyendo la creación de alfabetos en letra romana y gótica. Por último, el libro cuarto, inspirado por los *Elementos* de Euclides, está dedicado a las propiedades de los poliedros y se remata con un análisis de la perspectiva lineal. Este análisis parte de las obras de Piero della Francesca y Luca Pacioli y supone la primera exposición en el norte de Europa de las reglas de la perspectiva central tal y como se habían desarrollado en el *Quattrocento* italiano. Durero incluye también la explicación y la representación de dos aparatos, uno para ayudar al artista a hacer retratos y otro para determinar la perspectiva.

Las numerosas entalladuras que ilustran la obra fueron dibujadas por Durero y talladas en madera por Hyeronimus Andreae († 1556) para la primera edición en alemán. Las ilustraciones de la edición latina son copias de estas primeras. Se intercalan dentro del texto y son indispensables para entender los, a veces, complicados razonamientos del artista.
J. D. C.

5

GIORGIO VASARI (1511-1574)

Le vite de' piu eccellenti pittori, scultori, e architettori

In Fiorenza: apresso i Giunti, 1568, 2 vols.
Sign. Cerv/92 y Cerv/93

BIBLIOGRAFÍA: Schlosser 1993, pp. 257-303; Rubin 1995; Simonetti 2005; Pozzi y Mattioda 2006

Es el propio Vasari quien narra, en su autobiografía, la génesis de su célebre obra durante una de las veladas que el cardenal Alejandro Farnesio celebró en su residencia de Roma en 1546, cuando fue animado por Paolo Giovio [véase cat. 31] a escribir un «trattato nel quale si ragionasse degli uomini illustri nell'arte del disegno, stati da Cimabue insino a' tempi nostri». Aunque la historiografía moderna ha expresado sus dudas sobre la autenticidad de la anécdota, parece que el aretino recopilaba —«per un certo mio passatempo»— datos y curiosidades sobre artistas italianos desde, al menos, 1540; noticias que, ordenadas y precedidas por una introducción sobre la arquitectura, la escultura y la pintura, fueron publicadas en Florencia en 1550 por Lorenzo Torrentino (Cerv/90 y Cerv/91). Años después y acaso debido al éxito que la obra cosechó en territorio italiano e incluso más allá de los Alpes, Vasari publicó esta segunda edición. Pese a que son numerosas aún las incógnitas sobre las circunstancias que le impelieron a escribir una nueva versión ampliada y revisada, el tiempo de redacción y las fuentes que empleó, lo cierto es que las diferencias entre una y otra son notables pues, entre otras cuestiones, mientras que en la primera edición Vasari se limitó a escribir sobre artistas muertos salvo en el caso excepcional de Miguel Ángel, en ésta añadió biografías de artistas que todavía estaban vivos e incluso la suya propia cerrando el compendio. La inclusión de nuevas «vidas» y la voluntad de Vasari de mejorar su estilo se unieron a la privilegiada situación de la que gozaba en 1568 como escritor reconocido y factótum artístico de la corte medicea para dar al traste con la naturalidad y la unidad interna de la edición de 1550.

En todo caso, tanto en una como en otra, aunque aún más en la primera, Vasari muestra su concepción de la historia como *magistra vitæ* o *lux veritatis* y, como pretendía desentrañar los

980 TERZA PARTE

DESCRIZIONE DELL'OPERE DI
GIORGIO VASARI
Pittore, & Architetto Aretino.

HAVENDO io in fin qui ragionato dell'opere altrui, cõ quella maggior diligenza, e sincerità, che ha saputo, e potuto l'ingegno mio, voglio ancho nel fine di queste mie fatiche raccorre insieme, e far note al mondo l'opere che la diuina bontà mi ha fatto gratia di condurre. percioche se bene elle non sono di quella perfezzione, che io uorrei, si uedra nondimeno da chi uorrà con sano occhio riguardarle, che elle sono state da me con istudio, diligẽza, & amoreuole fatica lauo-
te, e

PP. 980-981

GIORGIO VASARI 981

e percio;ſe non degne di lode,almeno di ſcuſa: ſanza che eſſendo pur ſuo
e veggendoſi,non le poſſo naſcondere. Et pero che potrebbono,per auē
a eſſere ſcritte da qualcun'altro,ê pur meglio,che io confeſſi il vero,& ac-
ſi da me ſteſſo la mia imperfezzione,laquale conoſco da uantaggio. sicu-
di queſto,che ſe come ho detto,in loro non ſi uedra eccellenza, e perfez-
ne,ui ſi ſcorgerà per lo meno,un'ardente diſiderio di bene operare,& vna
ande,& indefeſſa fatica;& l'amore grandiſſimo,che io porto alle noſtre ar
. Onde auerrà ſecondo le leggi,confeſſando io apertamente il mio difetto
e me ne ſarà una gran parte perdonato.
Per cominciarmi dunque da i miei principij,dico, che hauendo a baſtan
fauellato dell'origine della mia famiglia;della mia naſcita,e fanciullezza;e
uanto io fuſſi da Antonio mio padre con ogni ſorte d'amoreuolezza incamminato
inato nella uia delle virtu,& in particolare del diſegno,alquale mi uedeua
olto inclinato;nella uita di Luca Signorelli da Cortona,mio parente,in ql
di Franceſco Saluiati,e in molti altri luoghi della preſente opera, con buo
occaſioni non ſtarò a replicar le medeſime coſe. Diro bene,che dopo ha
ere io ne' miei primi anni diſegnato quante buone pitture ſono per le chie
d'Arezzo,mi furono inſegnato i primi principij,con qualche ordine da Gu
ielmo da Marzilla Franzeſe,di cui hauemo diſopra raccontato l'opere, e la
ita. Condotto poi l'anno 1524. a Fiorenza da Siluio Paſſerini Cardinale
i Cortona;atteſi qualche poco al Diſegno ſotto Michelagnolo, Andrea del
arto,& altri. Ma eſſendo l'anno 1527. ſtati cacciati i Medici di Firenze,&
n particolare Aleſſandro,& Hippolito,co i quali haueua coſi fanciullo gran
eruitu,per mezo di detto Cardinale:mi fece tornare in Arezzo don Anto-
io mio zio paterno,eſſendo di poco auanti morto mio padre di peſte, ilqua
e don Antonio tenendomi lontano dalla città,perche io non appeſtaſſi, fu
agione,che per fuggire l'otio,mi andai eſercitando pel contado d'Arezzo,
icino a i noſtri luoghi,in dipignere alcune coſe a freſco a i contadini del pae
e,ancor che io non haueſſi quaſi ancor mai toccho colori, nel che fare m'au
iddi,che il prouarſi, & fare da ſe aiuta, inſegna, e fa che altri fa boniſſima
ratica. L'anno poi 1528. finita la peſte,la prima opera,che io feci fu una ta-
oletta nella Chieſa di san Piero d'Arezo de'frati de serui. nella quale, che è
ppoggiata a un pilaſtro,ſono tre mezze figure,sant'Agata,san Roccho, e sā
Baſtiano. La qual pittura;uedēdola il Roſſo,pittore famoſiſſimo,che di que
giorni uenne in Arezzo,fu cagione,che conoſcendoui qualche coſa di buono,cauata dal naturale,mi uolle conoſcere;e che poi m'aiuto di diſegni,e di
conſiglio. Ne paſsò molto,che per ſuo mezo,mi diede M.Lorenzo Gamur
rini a fare una tauola,della quale mi fece il Roſſo il diſegno;& io poi la con
duſſi con quanto piu ſtudio,fatica,e diligenza mi fu poſſibile, per imparare,
& acquiſtarmi un poco di nome. E ſe il potere haueſſe agguagliato il vole
re ſarei toſto diuenuto pittore ragioneuole,cotanto mi affaticaua, e ſtudiaua
le coſe dell'arte. ma io trouaua le difficultà molto maggiori di quello, che a
principio haueua ſtimato.
Tuttauia,nō pdēdomi d'animo,tornai a Fiorēza;doue ueggēdo nō poter
ſe nō cō lūghezza di tēpo diuenir tale che io aiutaſſi tre ſorelle, e due fratelli
minori di me,ſtatimi laſciati da mio padre; mi poſi all'Orefice, ma ui ſtetti
DDDddd 2

motivos que estimulan al artista en su vida creativa, otorga el mismo valor a la tradición anecdótica que a la documental, asunto que no siempre ha sido bien entendido por la historiografía posterior.

La biografía era entonces la forma más cabal de escribir historia y Vasari recurrió a esa forma literaria para, desarrollando su concepción teleológica y orgánica de la historia, dividir la historia del arte en tres edades (*età*) que, *grosso modo*, coinciden con Trecento, Quattrocento y Cinquecento, y con tres estilos (*maniere*) bien diferenciados que se suceden en el tiempo cada vez más perfectos en su perpetua búsqueda del dominio espacial —y en este punto la perspectiva se revela como elemento esencial— y en la representación del natural a través de esa poderosa herramienta que es el *disegno*, «commune padre delle tre arti nostre, architettura, scultura et pittura» (prólogo). En ese sentido, Vasari se erige en espectador privilegiado y cronista del renacer artístico italiano desde sus primeras luces, Cimabue y Giotto, convirtiéndose en heredero directo de, entre otros precursores, Dante, Petrarca, Lorenzo Ghiberti y Leon Battista Alberti. Sin embargo, y a diferencia de ellos, con la publicación de su obra sancionaba ese renacimiento artístico que culminaba con la figura meteórica, y «divina», de Miguel Ángel, en quien, a juicio de Vasari, se había encarnado la perfección arquitectónica, pictórica y escultórica. Por otro lado, en ese recorrido deliberado de la historia Vasari dio una importancia fundamental a los artistas florentinos —manipulación que ha recibido los términos de «toscanización» o «campanilismo»—, lo que provocó una decidida reacción antivasariana que tuvo sus más fervientes representantes en Karel van Mander, Carlo Ridolfi y Malvasia [cat. 6].

Hoy la importancia de la obra no sólo radica en el hecho de que sea considerada un texto fundacional en tanto que Vasari supo condensar en ella toda la tradición historiográfica y literaria italiana que lo precedía, dando carta de naturaleza a la historia del arte, o por la gran cantidad de datos y sugerencias que da sobre artistas italianos cardinales, sino fundamentalmente por lo que puede desvelar sobre la especificidad de esa historia del arte respecto a otras disciplinas humanísticas.

J. R.

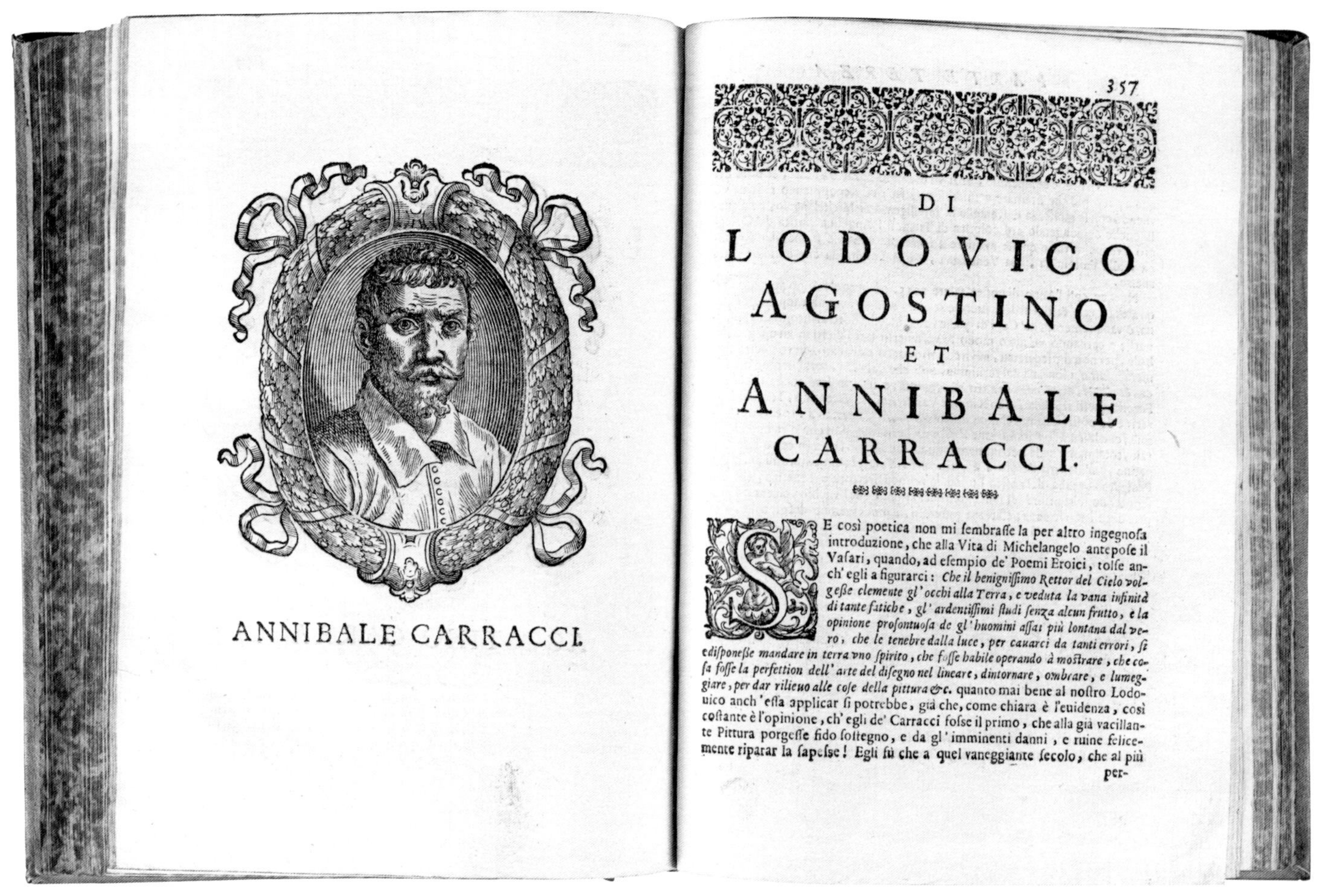

ANNIBALE CARRACCI.

357

DI
LODOVICO
AGOSTINO
ET
ANNIBALE
CARRACCI.

SE così poetica non mi sembrasse la per altro ingegnosa introduzione, che alla Vita di Michelangelo antepose il Vasari, quando, ad esempio de' Poemi Eroici, tolse anch'egli a figurarci: *Che il benignissimo Rettor del Cielo volgesse clemente gl'occhi alla Terra, e veduta la vana infinità di tante fatiche, gl'ardentissimi studi senza alcun frutto, e la opinione prosontuosa de gl'huomini assai più lontana dal vero, che le tenebre dalla luce, per cauarci da tanti errori, si edisponesse mandare in terra vno spirito, che fosse habile operando à mostrare, che cosa fosse la perfettion dell'arte del disegno nel lineare, dintornare, ombrare, e lumeggiare, per dar rilieuo alle cose della pittura &c.* quanto mai bene al nostro Lodouico anch'essa applicar si potrebbe, già che, come chiara è l'euidenza, così costante è l'opinione, ch'egli de' Carracci fosse il primo, che alla già vacillante Pittura porgesse fido sostegno, e da gl'imminenti danni, e ruine felicemente riparar la sapesse! Egli fù che a quel vaneggiante secolo, che al più per-

PP. 356-357

6

CARLO CESARE MALVASIA (1616-1693)

Felsina Pittrice: vite de pittori bolognesi

In Bologna: per l'Erede di Domenico Barbieri: ad instanza di Gio. Francesco Davico, 1678, 2 vols.
Sign. 21/648 y 21/649

BIBLIOGRAFÍA: Mahon 1947; Perini 1981a; Perini 1981b; Dempsey 1986; Mahon 1986; Summerscale 2000

Dedicada a Luis XIV con una clara intención propagandística, tanto de sí mismo como de la pintura boloñesa y de la propia Bolonia, la *Felsina Pittrice* del conde Carlo Cesare Malvasia es una de las más notorias andanadas que recibió la «toscanización» de la neonata historia del arte preconizada por Giorgio Vasari en sus *Vite* [cat. 5]. El objetivo de la obra era demostrar la preeminencia de la pintura boloñesa sobre la toscana y la romana que, si bien al comienzo había sido más cronológica que cualitativa, había alcanzado su cénit con Ludovico, Agostino y Annibale Carracci y además había tenido su continuidad en pintores tan importantes como Guido Reni, Domenichino, Francesco Albani y Guercino. Al fin y al cabo, Malvasia era boloñés y, por lo demás, aunque dedicado a la carrera jurídica, había tomado algunas lecciones de pintura con Giacinto Campana y Giacomo Cavedone, dos seguidores de los Carracci.

Malvasia dividió la historia de la pintura boloñesa en cuatro partes: la primera está dedicada a los primeros pintores boloñeses, la segunda se consagra a la pintura de los siglos XV y XVI con una particular atención a la vida y la obra de Francesco Francia, la tercera a los Carracci y la cuarta, ya en el segundo volumen, a sus discípulos y epígonos más destacados. El carácter del libro es fundamentalmente informativo y por ello abundan las referencias a cartas, noticias de mercado, citas de otras obras o comunicaciones orales; este recurso documental modifica en parte el modelo vasariano, pero Malvasia ahonda también en la veta literaria y, de hecho, en ocasiones fuerza y falsifica el relato en pro de sus intereses. Aun así sigue siendo la fuente esencial para conocer a los artistas boloñeses de la Edad Moderna.

La obra está escrita con un estilo sintético que complica la lectura pero que, a veces, revela las pasiones del autor. De hecho, otro ejemplar de la Biblioteca (Cerv/661 y Cerv/662) es una de las escasas copias en que se recoge el exabrupto que dedicó a Rafael, a quien llama «boccalaio urbinate» o, literalmente, «cacharrero de Urbino» (vol. I, p. 471). En versiones posteriores, y debido al revuelo que causaron, esas palabras fueron cambiadas por un halagüeño «gran Rafaelle».
J. R.

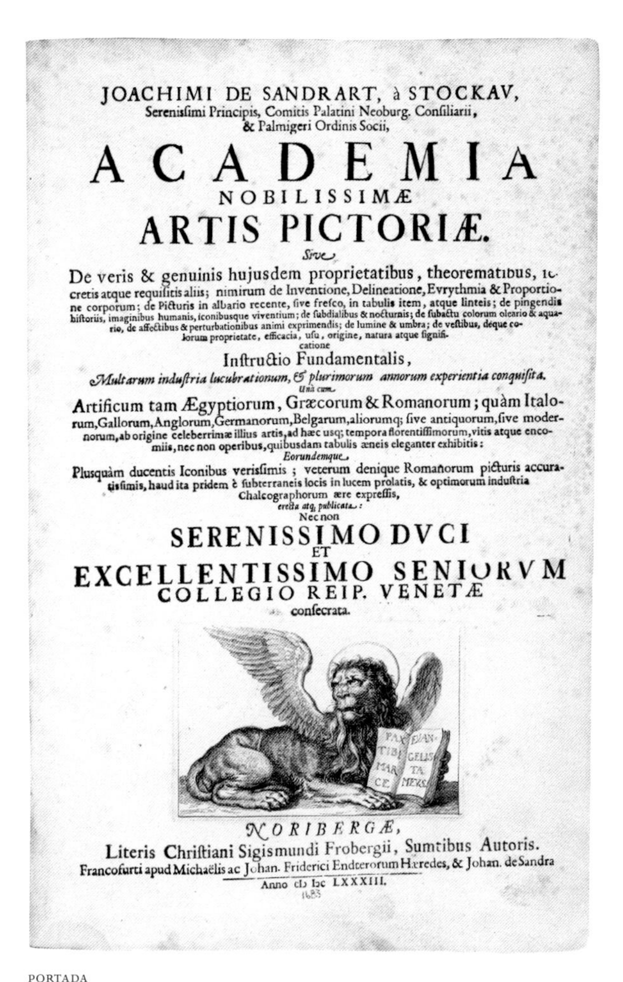

JOACHIMI DE SANDRART, à STOCKAV,
Sereniſſimi Principis, Comitis Palatini Neoburg. Conſiliarii,
& Palmigeri Ordinis Socii,

ACADEMIA
NOBILISSIMÆ
ARTIS PICTORIÆ.

Sive

De veris & genuinis hujusdem proprietatibus, theorematibus, ſecretis atque requiſitis aliis; nimirum de Inventione, Delineatione, Evrythmia & Proportione corporum; de Picturis in albario recente, ſive freſco, in tabulis item, atque linteis; de pingendis hiſtoriis, imaginibus humanis, iconibusque viventium; de ſubdialibus & nocturnis; de ſubactu colorum oleario & aquario, de affectibus & perturbationibus animi exprimendis; de lumine & umbra; de veſtibus, déque colorum proprietate, efficacia, uſu, origine, natura atque ſignificatione

Inſtructio Fundamentalis,

Multarum induſtria lucubrationum, & plurimorum annorum experientia conquiſita.

Unà cum

Artificum tam Ægyptiorum, Græcorum & Romanorum; quàm Italorum, Gallorum, Anglorum, Germanorum, Belgarum, aliorumq; ſive antiquorum, ſive modernorum, ab origine celeberrimæ illius artis, ad hæc usq; tempora florentiſſimorum, vitis atque encomiis, nec non operibus, quibusdam tabulis æneis eleganter exhibitis:

Eorundemque

Plusquàm ducentis Iconibus veriſſimis; veterum denique Romanorum picturis accuratiſſimis, haud ita pridem è ſubterraneis locis in lucem prolatis, & optimorum induſtria Chalcographorum ære expreſſis,

erecta atq; publicata:

Nec non

SERENISSIMO DVCI
ET
EXCELLENTISSIMO SENIORVM
COLLEGIO REIP. VENETÆ
conſecrata.

NORIBERGÆ,
Literis Chriſtiani Sigismundi Frobergii, Sumtibus Autoris.
Francofurti apud Michaëlis ac Johan. Friderici Endterorum Hæredes, & Johan. de Sandra
Anno ctɔ Iↄc LXXXIII.

PORTADA

ENTRE PP. 56 Y 57

7

JOACHIM VON SANDRART (1606-1688)

Academia nobilissimæ artis pictoriæ

Noribergæ [Núremberg]: Literis Christiani Sigismundi Frobergii, sumtibus autoris, 1683
Sign. Cerv/1495

BIBLIOGRAFÍA: Klemm 1986; Heck 2006

Es probable que Sandrart concibiera la idea de escribir un libro sobre arte hacia 1670, después de establecerse definitivamente en Alemania tras prolongadas estancias en Praga, Utrecht, Londres, Roma y Ámsterdam. Su intención era recopilar, con intención pedagógica, un compendio de conocimientos dispersos sobre el arte y su historia para facilitar la consulta a aquellos que no pudieran trasladarse a los países donde él había vivido y, sobre todo, a Italia. Fundamentando su libro en la literatura artística italiana y, asimismo, en la cultura pedagógica y visual septentrional, Sandrart publicó en 1675 la primera parte de *L'Academia Tudesca* [...] *oder Teutsche Academie* y la segunda en 1679. La obra es una de las más suntuosas de toda la literatura artística europea tanto por su tamaño como por la calidad de los numerosos grabados que la ilustran, y Sandrart es más conocido por ella y por la información que proporciona sobre artistas alemanes que por su obra pictórica.

A diferencia de Vasari [cat. 5], que circunscribe el progreso artístico a los hallazgos de los artistas toscanos, Sandrart entiende la historia del arte como la búsqueda de un ideal de perfección al que todos los artistas contribuyen con sus estilos peculiares. Según él no hay preponderancia de un país respecto a otro pues todos comparten un acervo común: la Antigüedad. Por otro lado, su intención es legitimar la nobleza de la pintura, oficio al que él se dedicaba: los conocimientos que debe poseer un pintor, que son los que recoge en su «academia de papel» (Heck 2006), complementan la práctica del arte; teoría y práctica están perfectamente imbricadas y no constituyen una norma sino una invitación a la reflexión que, en ese sentido, sirve también al diletante. Por ello la redacción de su obra se ha relacionado con la creación de las primeras academias artísticas en Augsburgo y Núremberg, en la que tanta participación tuvo, y además con el intento de restaurar el arte tras la cesura de la Guerra de los Treinta Años (1618-48).

En 1683 Sandrart publicó esta traducción al latín realizada por Christian Detlev Rhode (1653-1717), parcial puesto que sólo contiene las partes dedicadas a la pintura de la *Teutsche Academie*, pero con nuevas noticias sobre las vidas de algunos pintores.

J. R.

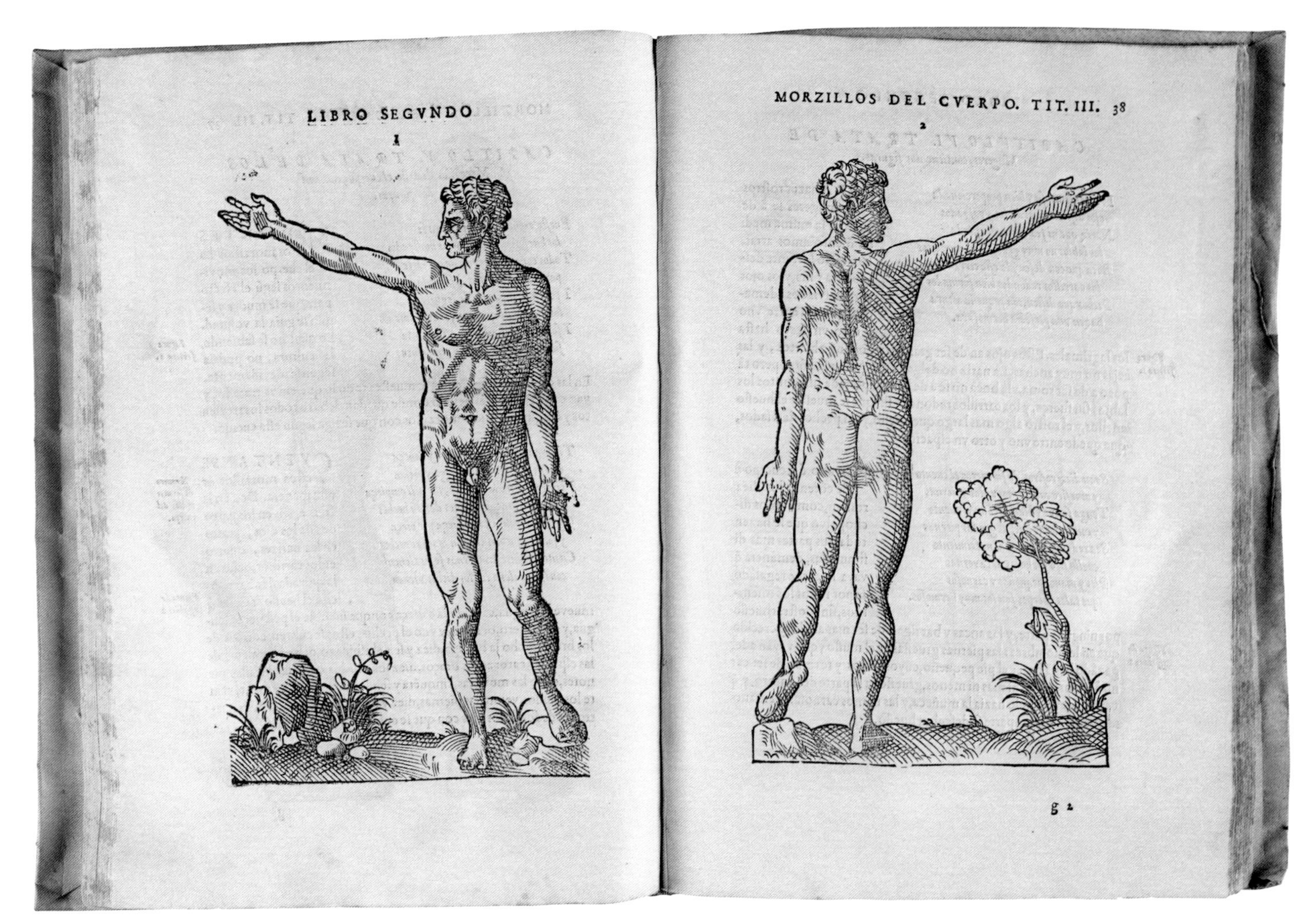

FOLS. 37V-38R

8

JUAN DE ARFE Y VILLAFAÑE (H. 1535-1595)

De varia commensuración para la esculptura y architectura

En Sevila [*sic*]: en la imprenta de Andrea Pescioni y Juan de León, 1585 (i. e. 1587)
Sign. Cerv/306

BIBLIOGRAFÍA: Sanz 1978; Bonet 1993, pp. 37-94; Heredia 2003; Heredia 2006

Como indica su título, *De varia commensuración* es un tratado sobre la medida, es decir, sobre las relaciones numéricas y las proporciones que gobiernan tanto la naturaleza como la arquitectura y otras artes. Incluye «libros» sobre geometría, animales, anatomía, órdenes arquitectónicos, etc. La fe en la medida está en el origen mismo del arte del Renacimiento y fue básica para la catalogación de esas actividades como «artes liberales», pues relaciona directamente la idea de arte con el concepto de ciencia. Con su libro, el platero Juan de Arfe trataba de poner al alcance de los artistas un instrumento útil que les permitiera resolver cuestiones prácticas, pero sin renunciar a los datos de carácter histórico o teórico. Para ese empeño se valió de ilustraciones en madera, que aparecen en número superior al de cualquier otro tratado artístico publicado en España. La voluntad pedagógica, la amplia variedad de cuestiones que plantea y la abundancia de ilustraciones lo convirtieron en el libro antiguo español sobre arte que ha conocido un mayor número de ediciones: ocho hasta 1806.

El ejemplar que se expone aquí procede de la Biblioteca Cervelló y destaca por la limpieza de su impresión y su excelente estado de conservación. En la portada lleva la firma y la rúbrica manuscritas de Arfe, como es habitual en los ejemplares de la primera edición. Esa presencia tan personalizada del autor tenía como objetivo controlar la edición. Tiene por complemento una estampa en los preliminares en la que vemos el retrato del escritor en un óvalo, con una inscripción que lo identifica. Lleva gorguera, sombrero alto y gafas, y se presenta de perfil, a la manera de las medallas clasicistas. La acompaña un soneto de Luis de Torquemada dedicado a Arfe, y todo ello crea un interesantísimo marco retórico de autoexaltación del escritor que se complementa con un largo poema en latín de Andrés Gómez de Arze dedicado a León, patria del autor.

J. P. P.

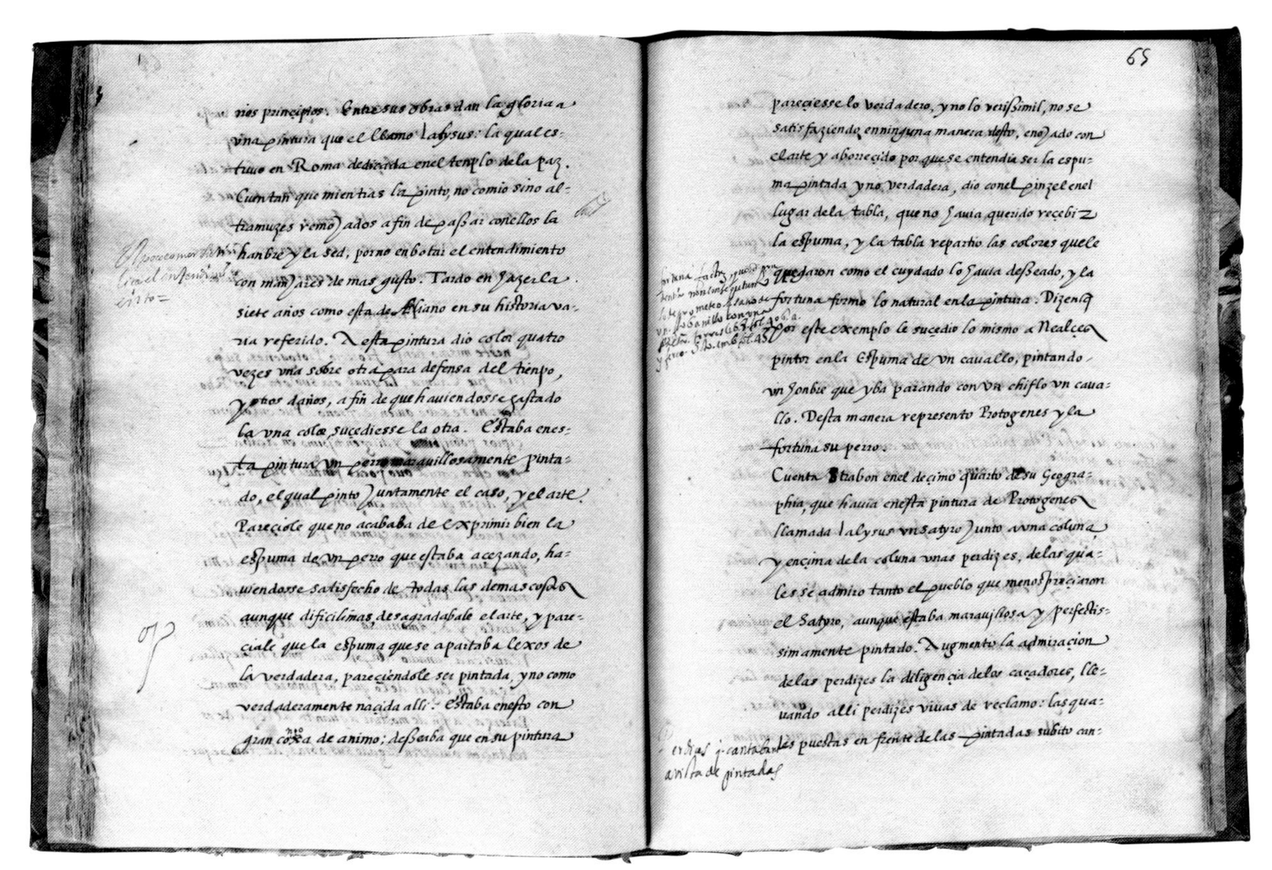

65

nios principios. Entre sus obras dan la gloria a vna pintura que el llamo Ialysus: la qual estuuo en Roma dedicada enel templo dela paz. Cuentan que mientras la pinto, no comio sino altramuzes remojados a fin de passar conellos la hanbre y la sed, por no enbotar el entendimiento con manjares de mas gusto. Tardo en hazerla siete años como esta de Eliano en su historia varia referido. A esta pintura dio color quatro vezes vna sobre otra para defensa del tienpo, y otros daños, a fin de que hauiendosse gastado la vna color sucediesse la otra. Estaba enesta pintura vn perro marauillosamente pintado, el qual pinto juntamente el caso, y el arte. Pareciole que no acababa de exprimir bien la espuma de vn perro que estaba acezando, hauiendosse satisfecho de todas las demas cosas aunque dificilimas, desagradabale el arte, y pareciale que la espuma que se apartaba lexos de la verdadera, pareciendole ser pintada, y no como verdaderamente nacida alli. Estaba enesto con gran congoxa de animo; desseaba que en su pintura

pareciesse lo verdadero, y no lo verissimil, no se satisfaziendo en ninguna manera desto, enojado con el arte y aborrecido porque se entendia ser la espuma pintada y no verdadera, dio con el pinzel enel lugar dela tabla, que no hauia querido recebir la espuma, y la tabla repartio las colores que le quedaron como el cuydado lo hauia desseado, y la fortuna formo lo natural enla pintura. Dizen que por este exemplo le sucedio lo mismo a Nealces pintor enla espuma de vn cauallo, pintando vn honbre que yba parando con vn chiflo vn cauallo. Desta manera represento Protogenes y la fortuna su perro.

Cuenta Strabon enel decimo quarto de su Geographia, que hauia enesta pintura de Protogenes llamada Ialysus vn satyro junto a vna coluna, y encima dela coluna vnas perdizes, delas quales se admiro tanto el pueblo que menospreciaron el Satyro, aunque estaba marauillosa y perfectissimamente pintado. Augmento la admiracion delas perdizes la diligencia delos caçadores, lleuando alli perdizes viuas de reclamo: las quales puestas en frente delas pintadas subito can-

FOLS. 64V-65R

9

FELIPE DE GUEVARA (H. 1500-1563)

Comentario de la pintura y pintores antiguos

Manuscrito, 1787

BIBLIOGRAFÍA: Allende Salazar 1925, pp. 184-92; Collantes Terán 2000, pp. 55-70; Barón, Docampo y Matilla 2007, pp. 51-60; Vázquez Dueñas 2008, pp. 95-110; Vázquez Dueñas 2009

Entre los fondos ingresados en 2006 procedentes de la Biblioteca Madrazo se encuentra este valioso ejemplar, copia manuscrita de los *Comentarios de la pintura* de Felipe de Guevara que había enviado en 1787 el deán de Plasencia José Alfonso de Roa a su amigo Antonio Ponz (1725-1792), publicándolo éste al año siguiente. Se desconoce el paradero del manuscrito original, pero este hallazgo nos permite conocer hasta qué punto fue Ponz fiel al manuscrito que recibía, así como acercarnos a la redacción original. En primer lugar, no recibe el nombre de *Comentarios de la pintura* —como tantas veces se ha citado—, sino *Comentario de la pintura y pintores antiguos*. Es de este modo como habría que nombrarlo a partir de ahora.

Felipe de Guevara fue cortesano de Carlos V y Felipe II y destacó como anticuario y numismático, coleccionista de pinturas flamencas (en particular del Bosco y Patinir), pero también como tratadista de arte. Hacia 1560 escribió este *Comentario*, dedicado al rey Felipe II.

Con su tratado, escrito en castellano, Felipe de Guevara se propone dar a conocer a los artistas españoles toda una serie de noticias acerca del arte y los pintores de la Antigüedad para que los tomen como modelo y lleguen a superarlos en perfección como ya había ocurrido en Italia y Flandes. Dice Felipe de Guevara: «No quiero que piensen los pintores modernos, que a competençia suya he sacado a luz los antiguos, pero querría que creyessen que se los he puesto delante, por la grande afiçión que a ellos y al arte tengo, para que inçitados los buenos ingenios y abilidades, no se duerman ni contenten hasta llegar a ygualarse con los antiguos, y para que los que en el arte están muy auentajados, se glorien, teniendo tan exçelentes exemplos, como los que les hauemos puesto delante, con que conpararse» (fol. 100).

Ya en 1526 Diego de Sagredo, consciente de los errores de proporción que se cometían en la arquitectura, había escrito sus *Medidas del romano*, donde plasmaba toda una serie de reglas y medidas, basadas fundamentalmente en Vitruvio, que debían seguir todos aquellos que se propusieran trazar sus obras al romano. El propósito de Felipe de Guevara es similar pero aplicándolo al campo de la pintura. Ofrece una descripción de las distintas técnicas y géneros de la Antigüedad junto a una lista de pintores antiguos. Su fuente principal es la *Historia natural* de Plinio el Viejo, que no se publicó en castellano hasta 1624-29. Por lo tanto, la obra de Guevara debe considerarse como el primer intento de dar a conocer en castellano los pasajes plinianos dedicados al arte.

Recurre también a otras fuentes clásicas como Vitruvio, Marcial o Luciano, y contemporáneas como Giorgio Vasari [cat. 5] y Guillaume Budé. Pero además introduce comentarios acerca del arte de su tiempo, entre los que destacan sus opiniones sobre la obra del Bosco, que compara con la del pintor griego Antífilos. Se trata de uno de los primeros testimonios de los que disponemos sobre la interpretación de la obra de este pintor en España en pleno siglo XVI.

Sin embargo, pese a las pretensiones de su autor la obra no tuvo repercusión alguna en el panorama artístico español, ya que no llegó a imprimirse. Pese a todo, hoy en día se le considera uno de los tratados más importantes del siglo XVI y uno de los primeros escritos sobre pintura.

E. V. D.

10

GASPAR GUTIÉRREZ DE LOS RÍOS (1567-1606)

Noticia general para la estimación de las artes

En Madrid: por Pedro Madrigal, 1600
Sign. Cerv/1508

BIBLIOGRAFÍA: Calvo Serraller 1981, pp. 61-65; Cruz Yábar 1997, pp. 383-422; Cervelló 2006

Gaspar Gutiérrez de los Ríos fue un jurista hijo de Pedro Gutiérrez, maestro de tapicería, que en su tiempo se consideraba una actividad relacionada con el dibujo. En 1600 concluyó este libro, el primero publicado en España sobre las artes del diseño. Estaba interesado en demostrar el carácter «noble» de estas materias mediante su comparación con cada una de las «artes liberales», lo que le llevó a proclamar la necesidad de que el dibujo y las disciplinas afines fueran catalogados entre las mismas. Dada la formación de su autor, predominan los razonamientos jurídicos, apoyados por noticias históricas, argumentaciones teológicas, referencias a los honores recibidos por los artistas, etc. Con ello, introdujo un tema central de la literatura sobre arte en España, que dio lugar a tratados específicos como el de Juan de Butrón (1626, Cerv/415) o a memoriales escritos por intelectuales como Lope de Vega o Calderón. Ese carácter reivindicativo pervive hasta el tratado de Palomino [cat. 15], constituye una de las señas de identidad de la tratadística española y es reflejo de una realidad social y económica. Fiscalmente, la pintura y otras actividades afines no siempre fueron consideradas artes liberales y estuvieron sujetas a los impuestos que gravaban la transmisión de mercancías. Desde un punto de vista social, el pintor era frecuentemente catalogado como artesano y estaba sujeto a las servidumbres y limitaciones que afectaban a éstos. Eso hace que, durante casi dos siglos, la historia social e intelectual de la pintura en España pueda escribirse como el proceso a través del cual los artistas fueron reivindicando un estatus que con frecuencia se les negaba. En ese sentido, la *Noticia* de Gutiérrez de los Ríos tiene un carácter doblemente pionero.

El Museo del Prado custodia cuatro ejemplares del tratado, de los cuales dos pertenecieron a José María Cervelló, un jurista que se doctoró en Historia del Arte con una tesis sobre Gutiérrez de los Ríos. Este ejemplar es uno de ellos y lleva el ex libris de Francisco Eusebio, conde de Petting, diplomático del Sacro Imperio que fue caballero del Toisón de Oro y que poseía el libro en 1670.
J. P. P.

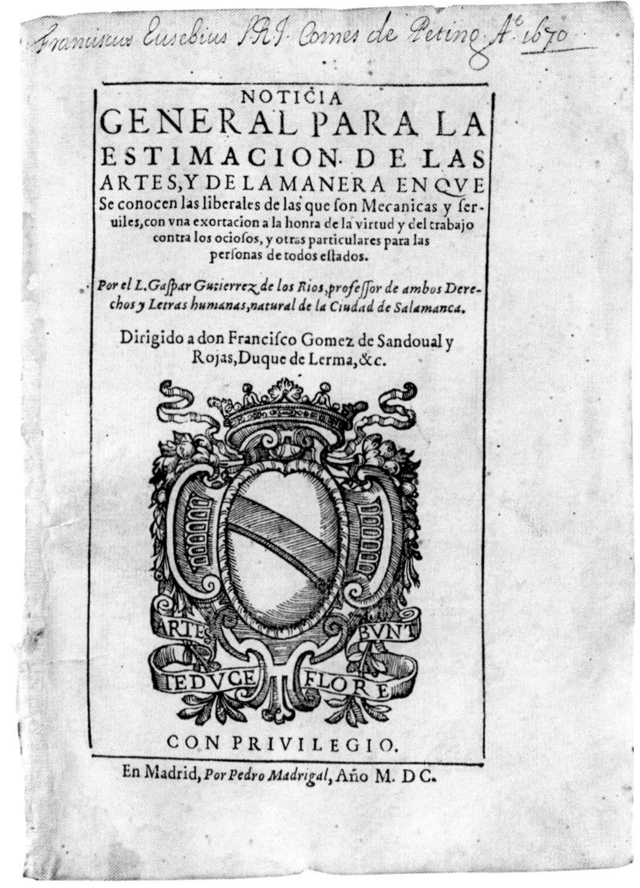
Franciscus Eusebius S.R.I. Comes de Petting A° 1670

NOTICIA
GENERAL PARA LA
ESTIMACION DE LAS
ARTES, Y DE LA MANERA EN QVE
Se conocen las liberales de las que ſon Mecanicas y ſeruiles, con vna exortacion a la honra de la virtud y del trabajo contra los ocioſos, y otras particulares para las perſonas de todos eſtados.

Por el L. Gaſpar Gutierrez de los Rios, profeſſor de ambos Derechos y Letras humanas, natural de la Ciudad de Salamanca.

Dirigido a don Franciſco Gomez de Sandoual y Rojas, Duque de Lerma, &c.

CON PRIVILEGIO.
En Madrid, *Por Pedro Madrigal*, Año M. DC.

PORTADA

11

FRANCISCO PACHECO (1564-1644)

Determiné comunicar a algunos curiosos de la arte de la pintura, este capítulo de mi libro

[¿Sevilla?: el autor, h. 1619]
Sign. Cerv/422

12

FRANCISCO PACHECO (1564-1644)

Arte de la pintura, su antigüedad y grandezas

En Sevilla: por Simón Faxardo, 1649
Sign. Cerv/423

BIBLIOGRAFÍA: Sánchez Cantón 1956; Calvo Serraller 1981, pp. 369-73; Bassegoda 1989, pp. 185-96; Bassegoda 1990; Rodríguez Ortega 2005

Durante las últimas décadas de su vida, el pintor Francisco Pacheco [fig. 11.1] trabajó en la redacción del *Arte de la pintura*, que vio la luz póstumamente. Es, junto con el de Carducho [cat. 13], el gran tratado español del siglo XVII tanto por su ambición como por la variedad de temas que aborda, su riqueza informativa, la importancia de su autor o el concurso de nombres muy destacados de la cultura española de la época. Ambos fueron escritos de manera simultánea y sus autores compartían un ideario estético y unas preocupaciones profesionales parecidos, que hacen que predomine un tono reivindicativo y un deseo de demostrar el carácter normativo de la actividad artística. Les diferencia la estructura, que en Carducho es muy compleja debido al papel fundamental que desempeñan imágenes y poemas, ausentes aquéllas y dispersos éstos en la obra de Pacheco, la cual, a cambio, es rica en referencias personales.

Una de las cosas que singularizan el tratado es la gran presencia de las cuestiones relacionadas con la iconografía sagrada. Ocupan de manera monográfica la tercera parte del mismo y, junto con el peso que se concede en el resto del libro a las argumentaciones de carácter

(******************) 226

FRANCISCO
PACHECO
al Letor.

DETERMINE COMVNICAR a algunos curiosos de la Arte de la Pintura, este Capitulo de mi Libro, antes de sacarlo a luz; porque el intento q̃ trata no depēde de otro; i por calificar por esta pequeña muestra todo lo restante que escrivo desta Profession.

CAP. XII. Porque aciertan sin cuidado muchos Pintores, i poniendolo no consiguen su intento.

NO Por perder el tiempo i las palabras con el vulgo; antes por satisfazer a los Doctos (que avezes llevados de la comun opinion, fatigan los animos de los Artifices) determiné dedicar un Capitulo, a solo apurar este punto. Hallase dos maneras de obrar en la Pintura, la una por Arte i exercicio, que es cientificamente, la otra por uso solo, desnudo de precetos, donde a los comprehendidos, debaxo destos dos modos de obrar, les sucede diferentemente en la execucion. i procediendo de menor a mayor; clara cosa es, que los Pintores que exercitan casualmente el pintar, con inferior conocimiento, i son solamente praticos, cuando pongan mucha diligencia por hazer alguna cosa con cuidado, no todas vezes le sucederà bien, por falta de la certeza de los precetos, i otras, no poniēdolo acertaran,

A

P.I CAT. 11

ARTE
DE LA PINTVRA,
SV ANTIGVEDAD,
Y GRANDEZAS.

DESCRIVENSE LOS HOMBRES EMINENTES que ha auido en ella, assi antiguos como modernos; del dibujo, y colorido; del pintar al temple, al olio, de la iluminacion, y estofado; del pintar al fresco; de las encarnaciones, de polimento, y de mate; del dorado, bruñido, y mate. Y enseña el modo de pintar todas las pinturas sagradas.

POR FRANCISCO PACHECO vezino de Seuilla.

Año 1649.

CON PRIVILEGIO.

En Seuilla, por Simon Faxardo, impressor de libros, a la Cerrajeria.

PORTADA CAT. 12

teológico, recuerdan no sólo el cargo de su autor como veedor del Santo Oficio, sino también la extraordinaria importancia que tenía la religión en la práctica y en la teoría de la pintura española de la Edad Moderna. Otro de los rasgos distintivos del volumen es la participación de otros escritores. Sus páginas están repletas de referencias a teólogos, poetas, historiadores, etc., que en muchos casos fueron amigos del autor y de los que con frecuencia se reproducen poemas y otros escritos. Todo ello convierte el *Arte de la pintura* en un reflejo de la sofisticada cultura literaria y artística de Sevilla a finales del siglo XVI y principios del XVII, y da al libro cierto tono de obra colectiva. El propio Pacheco desarrolló notables inquietudes literarias, que le llevaron a ser un cuidadoso editor de la poesía de Fernando de Herrera (1534-1597).

Antes de dar por terminada su obra, Pacheco publicó algunos fragmentos, de los que nos han llegado dos. Uno de ellos salió en Sevilla en 1622 y trata sobre el parangón entre pintura y escultura. El otro es el que aquí se expone, y del que se conoce sólo otro ejemplar en la Biblioteca Nacional de Lisboa. Son ocho páginas en las que se reproduce el capítulo XII del *Arte*, titulado «Por qué aciertan sin cuidado muchos pintores, i poniéndolo no consiguen su intento». Se ha datado (Bassegoda 1990) en torno a 1619-20 y se ha vinculado con el deseo de Pacheco de interesar al conde-duque de Olivares en el proyecto de publicación del tratado, lo que explicaría la presencia al final del capítulo de una poesía de Francisco de Rioja, protegido de Olivares. El capítulo versa sobre cuestiones relacionadas con el carácter normativo y codificable de la actividad pictórica, y es uno de los centrales de su libro.

El ejemplar del Museo del Prado, que procede de la Biblioteca Cervelló, añade al interés de su extraordinaria rareza la presencia de varias anotaciones manuscritas. El cotejo de las mismas con las versiones manuscrita e impresa del *Arte de la pintura* muestra que su función es corregir pequeñas erratas e imprecisiones. La comparación de la letra de esas anotaciones —muy precisa y cuidada— con la que usó Pacheco en dibujos como *San Juan Evangelista* (Londres, British Museum) o en el *Libro de retratos* sugiere que son autógrafas.
J. P. P.

Fig. 11.1
Diego Velázquez, *Francisco Pacheco*, h. 1619-22. Óleo sobre lienzo, 40 x 36 cm. Madrid, Museo Nacional del Prado [P-1209]

SEGVNDO. 37

DEL MAESTRO IOSEF DE Valdiuielso, Capellan de Honor del Sereníssimo Infante, y Cardenal de España.

CON desvelo estudioso,
Con pincel ingenioso,
O Iouen, que subiste
Al lugar arduo que te merecíste;
Executa constante
Sabios conceptos que la Fama cante,
Pues que te aspira luzes
La verdad, admirada
De verse quando al lino la traduces
En el rasgo menor executada.
La paciencia te aliente,
Que te administra infatigablemente,
Que de paciencia y de verdad armado
Se deberà el Laurel a tu obediencia;
Que a la santa Verdad, y à la Paciencia
Buscò el Laurel por verse laureado.
El esquadron no temas susurrante,
Que malicioso intenta
Con estrepitu errante
La luz anochecerte, que te alienta,
Pues quando mas afectan sus desmayos,
Y con sus alas juzgan que la ofenden,
La crecen fuerças, la acrecientan rayos,
Y en lugar de apagarla, mas la encienden.
No ai zumbido ignorante
Del que mas embidioso te desama,
Que clarin de la Fama,

I 2 Quan-

pp. 36-37

13

VICENTE CARDUCHO (H. 1578-1638)

Diálogos de la pintura: su defensa, origen, essencia, definición, modos y diferencias

En Madrid: impresso [...] por Frco. Martínez, 1633 (i. e. 1634)

Sign. Cerv/417

BIBLIOGRAFÍA: Kubler 1965, pp. 439-45; Calvo Serraller 1979; Wazbinski 1990, pp. 435-48; Rodríguez Ortega 2005

Vicente Carducho fue un pintor de origen florentino que en su niñez se trasladó a España, donde desarrolló una fructífera carrera que le convirtió en uno de los principales artistas de la corte durante las primeras décadas del siglo XVII. Pocos años antes de cumplir los sesenta, publicó *Diálogos de la pintura*, en los que expone los argumentos doctrinales, teológicos, científicos e históricos que permitían afirmar el carácter intelectual y el prestigio social de esa actividad. El libro defiende un horizonte clasicista para el que la pintura es una materia sujeta a un sistema de reglas.

Se trata del primer tratado complejo y comprehensivo sobre la pintura publicado en España, e inauguró una tradición que se prolongó hasta entrado el siglo XVIII. Es una obra notable, incluso desde una perspectiva internacional, debido a la complejidad de su estructura, que a su vez revela el peculiar contexto intelectual en el que fue escrita. Se compone de ocho capítulos que constan de un texto con estructura dialogada, un largo poema al final y una estampa de carácter alegórico. Con ello se alude a tres niveles de reflexión: el razonamiento lógico e histórico, la aproximación poética y el pensamiento alegórico. Todo ello forma una unidad de significación y tiene también un efecto mnemotécnico que sirve para transmitir de manera eficaz los distintos mensajes. Los poemas fueron escritos por algunos de los mejores poetas activos en la corte, como José de Valdivielso, Diego Niseno, Miguel de Silveira, Antonio Herrera, Francisco López de Zárate, Juan Pérez de Montalbán o Lope de Vega; y además de su misión principal de coadyuvar a la transmisión del contenido de cada «diálogo», cumplen otra función. La presencia de composiciones de literatos prestigiosos es un medio sutil de reafirmar la naturaleza intelectual de la actividad pictórica y, por extensión, los honores que merecen los artistas. Una de las cosas que caracterizaban el medio literario madrileño de la época era la estrecha relación que mantuvieron muchos de sus representantes con los pintores, lo que se advierte en los *Diálogos* no sólo a través de esos poemas escritos expresamente para el tratado, sino también mediante referencias dispersas.

Por si no bastara una estructura tan rica en niveles de significación, la parte final del tratado, como anuncia su título, contiene siete escritos que se habían publicado conjuntamente en 1629, redactados respectivamente por José de Valdivielso, Antonio de León, Lorenzo van der Hamen, Juan de Jáuregui, Juan de Butrón, Juan Rodríguez de León y Lope de Vega. En ellos argumentan a favor de la nobleza de la pintura y de la necesidad de considerarla como arte liberal. Esa iniciativa conducía a un fin práctico: liberar a los pintores del pago de alcabalas, un impuesto que gravaba la transmisión de mercancías. En realidad, los argumentos principales y muchos de los casos históricos que se utilizaban en esos alegatos fueron usados por Carducho, por lo que su inclusión ha de verse sobre todo como un deseo de reforzar su tesis demostrando que era compartida por prestigiosos juristas e importantes hombres de letras. En ese sentido, los *Diálogos*, además de un sólido tratado doctrinal, constituyen un documento precioso para conocer el medio intelectual en el que se movían los pintores cortesanos y algunas de sus inquietudes principales.

La Biblioteca del Prado cuenta con cuatro ejemplares, tres de ellos procedentes de la Biblioteca Cervelló. El que ahora se expone destaca por su excelente estado de conservación y la limpieza de su impresión.

J. P. P.

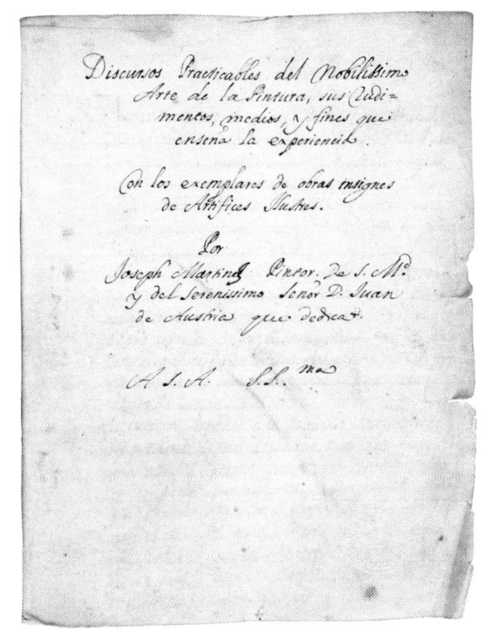
Discursos Practicables del Nobilissimo Arte de la Pintura, sus Rudimentos, medios, y fines que enseña la experiencia.

Con los exemplares de obras insignes de Artifices Ilustres.

Por Joseph Martinez Pintor de S. M. y del Serenissimo Señor D. Juan de Austria que dedica.

A S. A. S.S.ma

FOL. I

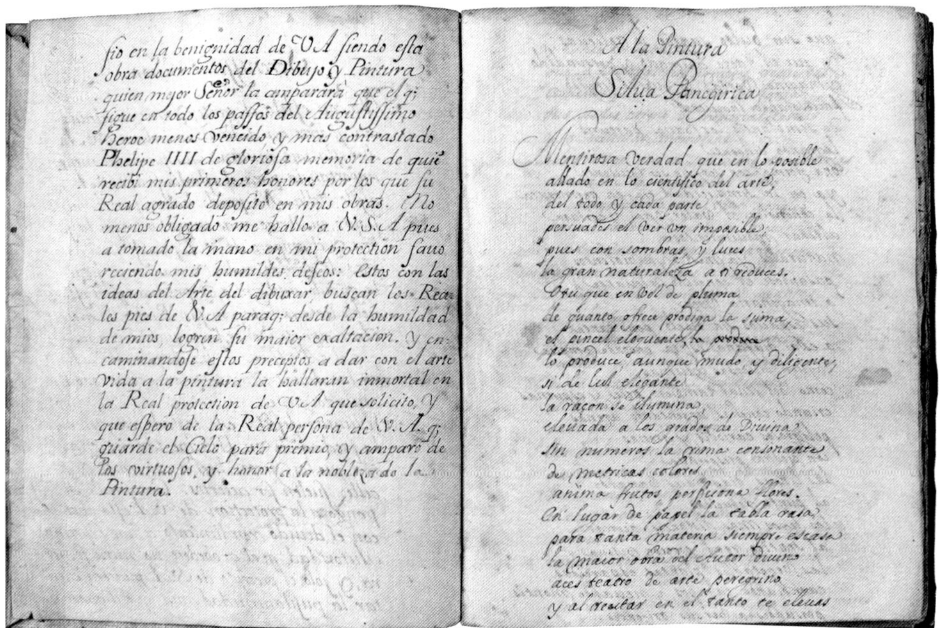
sio en la benignidad de V.A siendo esta obra documentos del Dibujo y Pintura quien mejor Señor la ampararà que el q sigue en todo los passos del Augustissimo Heroe menos vencido y mas contrastado Phelipe IIII de gloriosa memoria de quie recibi mis primeros honores por los que su Real agrado deposito en mis obras. No menos obligado me hallo a V.S.A pues a tomado la mano en mi protection favoreciendo mis humildes deseos: Estos con las ideas del Arte del dibuxar buscan los Rea los pies de V.A paraq: desde la humildad de mios logren su maior exaltacion. y encaminandose estos preceptos a dar con el arte vida a la pintura la hallaran inmortal en la Real protection de V.A que solicito, y que espero de la Real persona de V.A. q guarde el Cielo para premio, y amparo de los virtuosos, y honor a la nobleza de la Pintura.

A la Pintura
Silva Panegirica

Mentirosa verdad que en lo posible
hallado en lo científico del arte,
del todo y cada parte
persuades el ver con imposible
pues con sombras y luces
la gran naturaleza a ti reduces.

FOLS. IV-2R

14

JUSEPE MARTÍNEZ (1600-1682)

Discursos practicables del nobilísimo arte de la pintura, sus rudimentos, medios y fines que enseña la experiencia

Manuscrito, entre 1673 y 1675

BIBLIOGRAFÍA: Latassa 1799; Gállego 1960; Calvo Serraller 1981, pp. 481-86; Gállego 1988; Manrique 2008

En los últimos años de su vida, el pintor aragonés Jusepe Martínez decidió escribir un tratado en el que reflexionaba sobre las bases teóricas de su arte y plasmaba algunas de las experiencias que acumuló en el ejercicio del mismo. A finales del siglo XVIII, el bibliógrafo Félix Latassa describió un manuscrito de una obra de ese pintor sobre ese mismo tema en la biblioteca de la cartuja del Aula Dei, con la que Jusepe Martínez había tenido relaciones profesionales y personales, pues su hijo profesó en la misma. En esa época, Juan Antonio Hernández Pérez de Larrea, deán de la Seo de Zaragoza, encargó una copia, que fue base de varias ediciones de los siglos XIX y XX. En 1978, Gonzalo Manso de Zúñiga donó al Museo del Prado un manuscrito que coincide con el descrito por Latassa en Aula Dei y todo indica que se trata de una copia apógrafa hecha bajo la supervisión del propio Jusepe Martínez. En fecha indeterminada, pero probablemente a finales del siglo XVIII, se añadieron algunas notas. Varias referencias en el texto a don Juan José de Austria (que es el destinatario de la dedicatoria) han aconsejado datar la obra entre 1673 y 1675.

Los *Discursos practicables* ocupan un lugar propio en la historia de la literatura sobre arte del Siglo de Oro, tanto por su tono como por sus objetivos. Mientras que los tratados de Carducho [cat. 13] y Pacheco [cat. 12] son obras de la madurez de dos artistas de la generación de hacia 1570, Jusepe Martínez pertenecía a la generación siguiente, que nació en torno a 1600, e incluye a Velázquez, Zurbarán o Alonso Cano. Es una generación que desarrolla su actividad en un medio que tenía una relación más compleja con la pintura, pues se había extendido mucho su coleccionismo y se habían ampliado considerablemente los horizontes temáticos y estilísticos. El resultado es un tratado en el que el énfasis por describir las bases teóricas y científicas sobre las que se asienta el arte de la pintura convive con un interés específico en facilitar al «aficionado» los medios necesarios para juzgarlo. Mientras que en los tratados anteriores la presencia del público era sólo implícita y el tono predominante era el de un escrito ante todo «profesional», en éste se hace explícita.

Una de las cosas que aportan interés a los *Discursos* es la importancia que tiene en ellos la experiencia personal de su autor, que se refleja en forma de un gran número de anécdotas dispersas por todo el tratado, especialmente en su parte final. Dentro de esa estrategia, hay un énfasis en la transmisión de noticias sobre pintores aragoneses y españoles en general, a través de las cuales se pergeña una pequeña historia de la pintura en España o al menos se ponen las bases para la misma. También, en este sentido, la obra de Martínez demuestra unos intereses y una experiencia distintos a los de Carducho o Pacheco, y se emparenta con los escritos biográficos de Lázaro Díaz del Valle (1606-1669).

J. P. P.

15

ANTONIO PALOMINO (1655-1726)

El museo pictórico y escala óptica

En Madrid: por Lucas Antonio de Bedmar, 1715 (1.er vol.); por la viuda de Juan García Infançón, 1724 (2.º vol.), 2 vols.
Sign. Cerv/619 y Cerv/620

BIBLIOGRAFÍA: Bonet 1973, pp. 131-44; Calvo Serraller 1981, pp. 619-23; Gállego 1995, pp. 179-86; Morán Turina 1997; Bassegoda 2004; Morán Turina 2008

El tratado de Palomino, destinado a la formación integral del pintor, es la culminación de la teoría de la pintura española, pues expone el saber y la experiencia acumulados durante todo el Siglo de Oro con una extensión y un rigor casi enciclopédicos. El título manifiesta ya sus intenciones: está consagrado a las Musas y por eso cuenta con nueve libros que culminan, tras un recorrido escalonado y guiado por los preceptos de la óptica, precisamente en un Parnaso quevedesco. Consta de tres tomos encuadernados en dos volúmenes. El primero está dedicado a la *Teórica de la pintura* y se divide en tres libros titulados «El aficionado», «El curioso» y «El diligente», con estampas del valenciano Hipólito Rovira (1693-1763). El segundo tomo está consagrado a la *Práctica de la pintura*, se compone de seis libros que presentan los distintos grados de pintor desde el «principiante» al «perfecto» pasando por el «copiante», el «aprovechado», el «inventor» y el «práctico», y contiene trece estampas que fueron grabadas por Juan Bernabé Palomino (1692-1777), sobrino del autor. Las láminas de cobre de todas esas estampas se conservan en el Museo del Prado procedentes de la colección Cervelló (véase fig. 15.1). Finalmente, el tercer tomo recoge *El Parnaso español pintoresco laureado*, una recopilación de más de doscientas biografías de, sobre todo, pintores españoles (pp. 231-498).

A tenor de la estructura es evidente que Palomino, seminarista metido a pintor, resume sus doctrinas con la precisión racional y también con la morosidad del pensamiento escolástico. Según cuenta en la dedicatoria del primer volumen a la reina Isabel de Farnesio, llevaba muchos años recopilando material, probablemente desde antes de su llegada a Madrid hacia 1678, porque la pintura era «si bien de los más favorecida, de muchos injustamente vulnerada, connumerándola entre las artes mecánicas». Su objetivo primordial es justamente refutar la concepción extendida en la época que relegaba a la pintura a un mero asunto mecánico y defender, en cambio, su carácter de «ciencia demostrativa en lo teórico y práctica en lo operativo» o, lo que es lo mismo, de disciplina especulativa y matemática y, por tanto, liberal. Para él la nobleza de la pintura se fundamenta en el aprecio que emperadores, reyes y nobles han manifestado siempre por ella y, además, por el predominio que en su ejercicio hay de lo intelectual sobre el trabajo manual, pues «no hay operación en la pintura que no milite debajo de los preceptos de la óptica y, por consiguiente, que no sea demostrable científica y geométricamente». El propio frontispicio del primer volumen, ideado por el autor y grabado por Rovira, lo manifiesta con claridad: la Óptica señala hacia dos amorcillos que estudian una pirámide visual mientras un poco más abajo otros dos se afanan en la proyección de sombras. Los versos de la tarjeta ahondan en el mensaje —«Por doquier brilla la Óptica, gobernadora de la Pintura, proyectando luces y enseñando a componer todas las cosas»—, mientras en el cuadro del fondo a la derecha la Música y la Poesía subrayan la liberalidad de la pintura, pues ambas se relacionan con Calíope, la más destacada entre las Musas. El pintor perfecto debe llegar, guiado por ella, al grado supremo de su quehacer, que es inmortalizar «la memoria de aquellos ínclitos varones que por sus heroicas hazañas se constituyeron acreedores del inmarcesible laurel de la Fama» (tomo II, libro IX, argumento).

El propio Palomino también lo consiguió en *El Parnaso* al rescatar del olvido a los pintores españoles y convertirse en factótum de la conciencia histórica de los artistas en España. Las biografías de pintores no sólo son «estímulo de los que siguen sus vestigios» sino, sobre todo, manifestación de lo expuesto en los dos anteriores tomos con un epítome en la «vida» de Velázquez. En ella cuentan más los logros obtenidos durante la carrera palaciega del sevillano que sus pinturas, de las que sólo se destaca, y no es baladí, *Las meninas*, pues es demostración cabal de que Velázquez —nuevo Apeles de un nuevo Alejandro— podía hacer del retrato, género por excelencia del pintor de corte español, una pintura de historia, género por antonomasia del arte de la pintura.

J. R.

Fig. 15.1
Hipólito Rovira, *Alegoría de la Pintura*, frontispicio para *El museo pictórico y escala óptica* (1715) de Antonio Palomino. Lámina de cobre, talla dulce, 280 x 200 mm. Madrid, Museo Nacional del Prado [G-2928]

THEORICA
DE LA
PINTVRA.
Vndique Picturæ Moderatrix Optica fulget;
Lumina projiciens; fingere cuncta docens.
Palom. inv.
Rovira sculp. Valentia. 1715.

FRONTISPICIO
DEL VOL. I

Bibliotheca Architecturæ

Cuando en el siglo xv los humanistas italianos trataron de recuperar la tradición clásica para crear los fundamentos de una nueva arquitectura, fueron dos los elementos con los que contaron: las ruinas clásicas, especialmente las de la ciudad de Roma, y un texto, el tratado de Vitruvio, arquitecto e ingeniero del siglo I a.C. Con las sucesivas ediciones de este tratado nació la teoría de la arquitectura como una rama autónoma de la teoría artística. Dos de las más importantes, la de Cesare Cesariano, primera traducción italiana (1521), y la de Daniele Barbaro (1556), la más cuidadosa en su texto e ilustraciones, pueden verse en la exposición [cat. 16 y 17].

El ejemplo de Vitruvio se extendió rápidamente y durante la segunda mitad del siglo xvi se fueron publicando en Italia numerosos tratados arquitectónicos. Probablemente el más influyente, con más de doscientas ediciones, fue la *Regola delli cinque ordini d'architettura* de Vignola [cat. 18]. Por otro lado, el primer tratado original con ilustraciones fue el de Sebastiano Serlio, del que puede verse la edición más temprana de los primeros cinco libros junto con el *Libro estraordinario* [cat. 19]. El tercer gran teórico fue además el más destacado de los arquitectos del norte de Italia de ese momento, Andrea Palladio, que consiguió con sus *Quattro libri* [cat. 20] que su peculiar versión de la arquitectura clásica se extendiera por Europa y América hasta dar origen al neopalladianismo.

El modelo italiano se extendió con distintas peculiaridades por el resto de Europa. En Francia, Philibert De l'Orme publicó dos tratados en los que la tradición constructiva de la Edad Media se fundía con el interés por Vitruvio y la arquitectura antigua. Más imaginativo se mostró el alemán Wendel Dietterlin, cuya *Architectura*, aunque mantiene el esquema de los cinco órdenes, consiste en una colección de fantásticas estampas de estética manierista que preludian los excesos decorativos del Barroco germánico [cat. 21 y 22].

En España, los libros de arquitectura no alcanzaron el número y la importancia del resto de Europa, aunque se publicaron algunos tratados de interés. Sin embargo, para ilustrar la tradición hispánica en este campo hemos elegido una obra publicada en Italia pero escrita en español: la *Architectura civil recta y obliqua* del obispo Caramuel [cat. 23]. Se trata probablemente de la aportación más original hecha en español a la arquitectura de la Edad Moderna, tanto por su cuestionamiento del dogma vitruviano como por la singularidad de sus consideraciones en torno a la arquitectura oblicua.

Durante el siglo xviii fueron abundantes las obras que prolongaron las ideas y los planteamientos del Barroco tardío. Una de las más espectaculares es la *Architetture e prospettive* de Giuseppe Galli Bibiena, obra a caballo entre la arquitectura y la escenografía en la que los planteamientos derivados de Francesco Borromini conducen a espacios de una amplitud y una suntuosidad insuperables [cat. 24].

Un breve apartado final recuerda mediante tres libros, obras maestras en su género, la importancia de las arquitecturas efímeras durante la Edad Moderna y su reflejo en la formación de una verdadera categoría dentro de los libros de arquitectura: los libros de fiestas. Aunque el género comenzó en el siglo xvi, fue en el xvii cuando alcanzó su desarrollo pleno. Dos son entradas reales, quizá el tipo de acontecimiento que motivó los festejos más suntuosos: la que protagonizó Felipe III en Lisboa en 1619 [cat. 26] y la que efectuó el cardenal-infante Fernando de Austria en Amberes en 1635. Esta segunda dio lugar a unas celebraciones que han pasado a la historia porque propiciaron la publicación de la *Pompa introitus*, que es el libro de fiestas más rico jamás realizado [cat. 25]. Por último, la obra de Fernando de la Torre Farfán dedicada a las fiestas celebradas en Sevilla con motivo de la canonización de Fernando III es, probablemente, la obra maestra de la imprenta española del siglo xvii y una buena muestra de la importancia concedida por la sociedad barroca a ese tipo de acontecimientos [cat. 27]. J. D. C.

16

MARCO VITRUVIO POLIÓN (SIGLO I A.C.)

De architectura Libri dece

Como: p[er] Magistro Gotardo da Po[n]te, 1521
Sign. Cerv/743

BIBLIOGRAFÍA: Krinsky 1969; Krinsky 1971; Tafuri 1978; Pagliara 1986; Gatti Perer y Rovetta 1996

Dos fueron los fundamentos de la teoría y la práctica arquitectónicas durante el Renacimiento: el estudio y la medición de las ruinas de los edificios antiguos y la lectura e interpretación del tratado de Vitruvio. Desde finales del siglo XV y hasta la edición comentada que del texto antiguo hiciera Daniele Barbaro en 1556 [cat. 17], que superó en calidad a las demás, se sucedieron cinco ediciones impresas: la publicada en Roma entre 1486 y 1492 a cargo de Giovanni Sulpicio da Veroli, la florentina de 1496, otra veneciana de Simone Bevilacqua de 1497, la que en 1511 publicó Fra Giocondo da Verona —primera ilustrada, con un total de ciento treinta y seis entalladuras—, y ésta que, a cargo del arquitecto, ingeniero militar y pintor lombardo Cesare Cesariano (1475-1543), es la primera traducción íntegra impresa en italiano y también la primera en una lengua vernácula. Hasta cierto punto era novedoso traducir un texto clásico a una lengua vulgar añadiendo algunas notas aclaratorias al margen. Para distinguirlos del texto original, el editor decidió imprimir los escolios con una letra más pequeña y dispuestos alrededor de la traducción del texto de Vitruvio, impresa con una letra mayor, siguiendo la disposición de tantos manuscritos medievales.

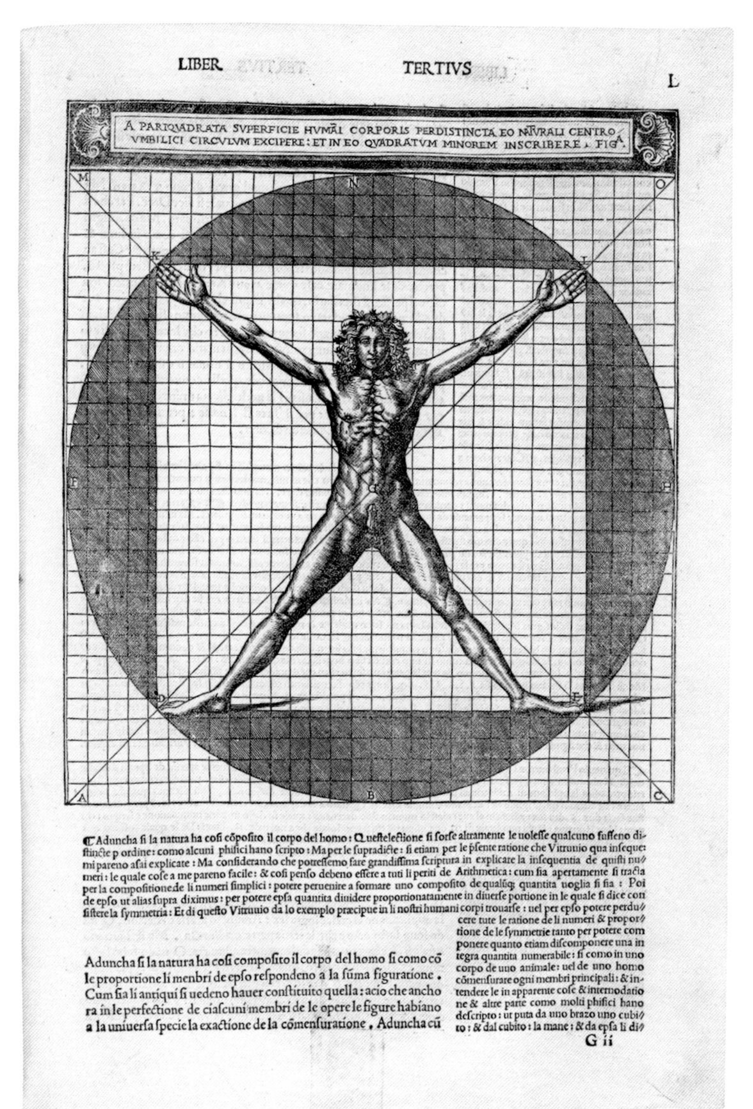

LIBER TERTIVS

L

A PARIQUADRATA SVPERFICIE HVMÃI CORPORIS PERDISTINCTA EO NÃTVRALI CENTRO VMBILICI CIRCVLVM EXCIPERE: ET IN EO QVADRATVM MINOREM INSCRIBERE. FIG. A.

Adunche si la natura ha cosi cõposito il corpo del homo: Questelectione si forse altramente le uolesse qualcuno fusseno di-stincte p ordine: como alcuni phisici hano scripto: Ma per le supradicte: si etiam per le pſente ratione che Vitruuio qua inseque: mi pareno asai explicate: Ma considerando che potressemo fare grandissima scriptura in explicare la insequentia de quisti nu-meri: le quale cose a me pareno facile: & cosi penso debeno essere a tuti li periti de Arithmetica: cum sia apertamente si tracta per la compositione de li numeri simplici: potere peruenire a formare uno composito de qualũq; quantita uoglia si sia: Poi de epso ut alias supra diximus: per potere epsa quantita diuidere proportionatamente in diuerse portione in le quale si dice con-sistere la symmetria: Et di questo Vitruuio da lo exemplo præcipue in li nostri humani corpi trouarse: uel per epso potere perdu-cere tute le ratione de li numeri & propor-tione de le symmetrie tanto per potere com-ponere quanto etiam discomponere una in-tegra quantita numerabile: si como in uno corpo de uno animale: uel de uno homo cõmensurare ogni membri principali: & in-tendere le in apparente cose & internodatio-ne & altre parte como molti phisici hano descripto: ut puta da uno brazo uno cubi-to: & dal cubito: la mane: & da epsa li di-

Adunche si la natura ha cosi composito il corpo del homo si como cõ le proportione li menbri de epso respondeno a la sũma figuratione. Cum sia li antiqui si uedeno hauer constituito quella: acio che ancho ra in le perfectione de ciascuni membri de le opere le figure habiano a la uniuersa specie la exactione de la cõmensuratione. Aduncha cũ

G ii

FOL. 50

Seguramente Cesariano comenzó a trabajar en su obra hacia 1513, aunque parte del comentario puede datarse entre 1519 y 1521. En 1518 participaba en un proyecto hidráulico en Asti y quizá fue entonces cuando logró financiación de Luigi Pirovano y Agostino Gallo para publicar su edición. Sin embargo, algún problema debió de tener después con sus acreedores ya que su nombre no se recoge ni en la portada ni en el colofón y sólo aparece en un fragmento del final del libro (fol. 184) que ha permitido atribuirle tanto la traducción como buena parte de los comentarios. A partir del folio 154v éstos se deben a Benedetto Giovio y Bono Mauro, autor este último también del breve glosario incluido al comienzo del volumen.

Aunque abundan las abreviaturas y los errores tipográficos y la puntuación es muy irregular, y a pesar de que muchos comentarios son incorrectos, la obra puede considerarse un buen compendio del conocimiento arquitectónico coetáneo. Cesariano recoge numerosas noticias sobre artistas del momento y se refiere a relevantes acontecimientos del norte de Italia. Además, entremezcla las referencias a Milán y sus monumentos con las descripciones de los edificios antiguos y hace lo propio con el dialecto lombardo y el latín, y por ello en alguna ocasión su edición se ha relacionado con la ambición cultural de los Sforza por conseguir un «vitruvio» lombardo que compitiera contra la hegemonía cultural florentina y, sobre todo, contra las iniciativas romanas —la traducción realizada por Fabio Calvo bajo auspicios de Rafael—; metafóricamente se ha hablado de la propuesta de Cesariano como un «Renacimiento sin Roma» (Krinsky 1971).

Buena parte de las 117 entalladuras fueron grabadas según sus modelos y ejercieron mucha influencia en los dibujos de arquitectura contemporáneos, sobre todo en los realizados en el norte de Italia. La del alzado de la catedral de Milán demuestra la dependencia del legado medieval de muchos arquitectos del siglo XVI para poder comprender la arquitectura antigua. Destacan también la estampa con los distintos órdenes, reunidos por vez primera en un diagrama muy conocido y difundido (fol. 63), y la dedicada al principio de simetría y a las proporciones del cuerpo humano expuestas por Vitruvio en el capítulo primero del tercer libro; al parecer fue ideada por el «nobile patrizio» Pier Paolo Segazone (fols. 49-50), quien curiosamente no tuvo reparos en deformar el cuerpo humano con tal de adecuarlo a la teoría vitruviana.

J. R.

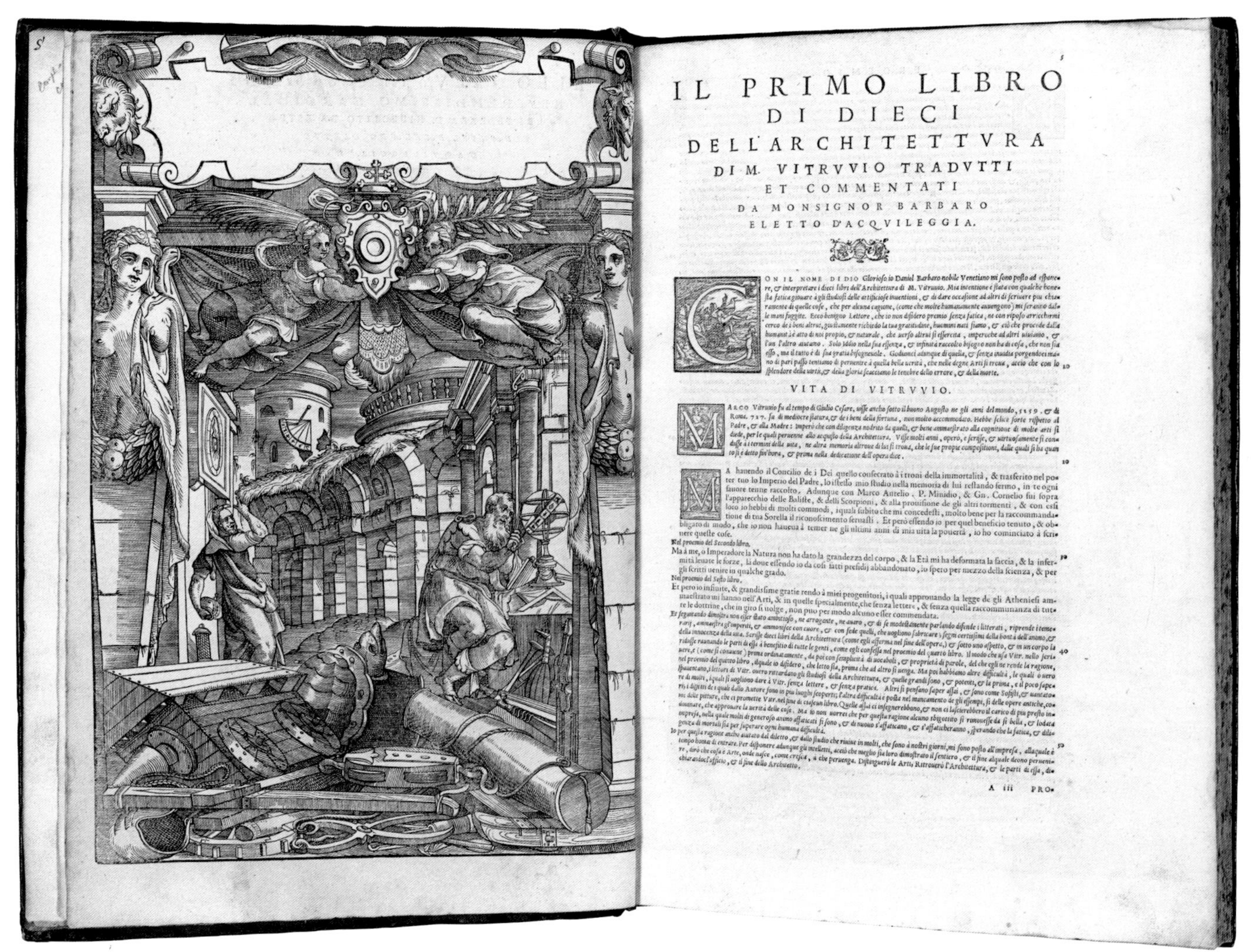
IL PRIMO LIBRO
DI DIECI
DELL'ARCHITETTVRA
DI M. VITRVVIO TRADVTTI
ET COMMENTATI
DA MONSIGNOR BARBARO
ELETTO D'ACQVILEGGIA.

CON IL NOME DI DIO Glorioso io Daniel Barbaro nobile Venetiano mi sono posto ad esponere, & interpretare i dieci libri dell'Architettura di M. Vitruuio. Mia intentione è stata con qualche honesta fatica giouare à gli studiosi delle artificiose inuentioni, & di dare occasione ad altri di scriuere piu chiaramente di quelle cose, che per alcuna cagione, (come che molte humanamente auuengono) mi seranno dalle mani fuggite. Ecco benigno Lettore, che io non disidero premio senza fatica, ne con riposo arricchirmi cerco de i beni altrui, giustamente richiedo la tua gratitudine, huomini nati siamo, & ciò che procede dalla humanità è atto di noi propio, & naturale, che uerso altrui si essercita, imperoche ad altri uiuiamo, & l'un l'altro aiutamo. Solo Iddio nella sua essenza, & infinità raccolto bisogno non ha di cosa, che non sia esso, ma il tutto è di sua gratia bisogneuole. Godianci adunque di quella, & senza inuidia porgendoci mano di pari passo tentiamo di peruenire à quella bella uerità, che nelle degne Arti si troua, accio che con lo splendore della uirtù, & della gloria scacciamo le tenebre dello errore, & della morte. 10

VITA DI VITRVVIO.

MARCO Vitruuio fu al tempo di Giulio Cesare, uisse ancho sotto il buono Augusto ne gli anni del mondo, 5159. & di Roma. 727. fu di mediocre statura, & de i beni della fortuna, non molto accommodato. Hebbe felice sorte rispetto al Padre, & alla Madre: imperò che con diligenza nodrito da quelli, & bene ammaestrato alla cognitione di molte arti si diede, per le quali peruenne allo acquisto della Architettura. Visse molti anni, operò, e scrisse, & uirtuosamente si condusse à i termini della uita, ne altra memoria altroue di lui si troua, che le sue propie compositioni, dalle quali si ha quanto si è detto fin'hora, & prima nella dedicatione dell'opera dice. 10

MA hauendo il Concilio de i Dei quello consecrato à i troni della immortalità, & trasferito nel poter tuo lo Imperio del Padre, lo istesso mio studio nella memoria di lui restando fermo, in te ogni fauore tenne raccolto. Adunque con Marco Aurelio. P. Minidio, & Gn. Cornelio fui sopra l'apparecchio delle Baliste, & delli Scorpioni, & alla prouisione de gli altri tormenti, & con essi loro io hebbi di molti commodi, iquali subito che mi concedesti, molto bene per la raccommandatione di tua Sorella il riconoscimento seruasti. Et però essendo io per quel beneficio tenuto, & obligato di modo, che io non haueua à temer ne gli ultimi anni di mia uita la pouertà, io ho cominciato à scriuere queste cose.

Nel proemio del Secondo libro.

Ma à me, o Imperadore la Natura non ha dato la grandezza del corpo, & la Età mi ha deformata la faccia, & la infermità leuate le forze, li doue essendo io da così fatti presidij abbandonato, io spero per mezzo della scienza, & per gli scritti uenire in qualche grado. 30

Nel proemio del Sesto libro.

Et pero io infinite, & grandissime gratie rendo à miei progenitori, i quali approuando la legge de gli Athenicsi ammaestrato mi hanno nell'Arti, & in quelle specialmente, che senza lettere, & senza quella raccommunanza di tutte le dottrine, che in giro si uolge, non può per modo alcuno esser commendata.

Et seguitando dimostra non esser stato ambitioso, ne arrogante, ne auaro, & di se modestamente parlando difende i litterati, riprende i temerarij, ammaestra gl'imperiti, & ammonisce con cuore, & con fede quelli, che uogliono fabricare, segni certissimi della bontà dell'animo, & della innocenza della uita. Scrisse dieci libri della Architettura (come egli afferma nel fine dell'opera,) & sotto uno aspetto, & in un corpo la ridusse raunando le parti di essa à benefitio di tutte le genti, come egli confessa nel proemio del quarto libro. Il modo che usa Vitr. nello scriuere, è (come si conuiene) prima ordinatamente, da poi con semplicità di uocaboli, & proprietà di parole, del che egli ne rende la ragione, nel proemio del quinto libro, ilquale io disidero, che letto sia, prima che ad altro si uenga. Ma poi habbiamo altre difficultà, le quali ò uero spauentano, i lettori di Vitr. ouero ritardano gli studiosi della Architettura, & quelle grandi sono, & potenti, & la prima, è il poco sapere di molti, iquali si uogliono dare à Vitr. senza lettere, & senza pratica. Altri si pensano saper assai, & sono come Sofisti, & uantatori, i diffetti de i quali dallo Autore sono in piu luoghi scoperti; l'altra difficultà è posta nel mancamento de gli essempi, si delle pitture, che ci promette Vitr. nel fine di ciascun libro. Quelle assai ci insegnerebbono, & non ci lascierebbero il carico di piu presto indouinare, che approuare la uerità delle cose. Ma io non uorrei che per questa ragione alcuno sbigottito si rimouesse da sì bella, & lodata impresa, nella quale molti di generoso animo affaticati si sono, & di nuouo s'affaticano, & s'affaticheranno, sperando che la fatica, & diligenza di mortali sia per superare ogni humana difficultà. 40

Io per questa ragione ancho aiutato dal diletto, & dallo studio che riuiue in molti, che sono à nostri giorni, mi sono posto all'impresa, allaquale è tempo homai di entrare. Per disponere adunque gli intelletti, acciò che meglio sia loro dimostrato il sentiero, & il fine alquale deono peruenire, dirò che cosa è Arte, onde nasce, come cresca, à che peruenga. Distinguerò le Arti, Ritrouerò l'Architettura, & le parti di essa, dichiarandoci l'ufficio, & il fine dello Architetto. 50

A iii PRO.

PP. 4-5

17

MARCO VITRUVIO POLIÓN (SIGLO I A.C.)

I dieci libri dell'architettura di M. Vitruvio

In Vinegia: per Francesco Marcolini, 1556
Sign. Cerv/742

BIBLIOGRAFÍA: Forssman 1966; Marías y Bustamante, 1981; Pagliara 1986; Vitruvio 1987; Cellauro 1998; Cellauro 2001

Fueron numerosas las ediciones que se hicieron del tratado de Vitruvio durante el siglo XVI, pero ninguna supera a la que Daniele Barbaro [véase cat. 3] publicó en 1556, pues materializaba una antigua pretensión de los teóricos de la arquitectura anteriores al unir, en un mismo volumen, una cuidada traducción del abstruso texto original, un comentario erudito y unas diáfanas ilustraciones.

Barbaro, que dedicó su obra al cardenal Ippolito d'Este, estaba convencido de que su trabajo ayudaría a sus compatriotas a construir más convenientemente sus palacios y sus villas. Declara que comenzó su labor en 1547, tal vez como consecuencia de un viaje a Roma durante el que coincidió quizá con Andrea Palladio. Fue el arquitecto vicentino quien lo ayudó en la interpretación de algunos de los pasajes más difíciles y quien realizó los dibujos en que se basa buena parte de las preciosas entalladuras del libro, y es probable que con él volviera a Roma en 1554, acaso para ultimar la edición del tratado. La dedicada al *frons scœnæ* del teatro antiguo manifiesta el temprano interés de Palladio por esta tipología fundamental de la arquitectura romana, que culminará en la proyección del Teatro Olímpico de Vicenza, y además estimula las comparaciones con algunos fondos arquitectónicos de obras del Greco, como *La Anunciación* del Prado [fig. 17.1], quien poseyó y anotó un ejemplar de esta edición (Madrid, Biblioteca Nacional, R/33475).

Barbaro comenta prolijamente cada renglón del original, pero la calidad tipográfica del libro —con caracteres redondos para el texto traducido y cursivas para los comentarios, además de líneas numeradas— permite que esta edición sea más clara que la de Cesare Cesariano [cat. 16]. Las notas al texto original se rigen por la lógica aristotélica, en la que Barbaro era experto, y siguen conceptos derivados de Pitágoras y Euclides. El mundo se basa en un orden numérico y, por ello, la euritmia es el principio esencial de las artes, en especial de la arquitectura. En ese sentido, el texto de Vitruvio se constituye como instrumento indispensable para alcanzar un conocimiento científico universal y, de hecho, la estampa que abre y cierra el libro muestra a un anciano arquitecto elucubrando con una esfera armilar al amparo de unas ruinas mientras alrededor hay relojes, plomadas y cartabones, ingenios todos ellos que sirven para medir la armonía del mundo.

J. R.

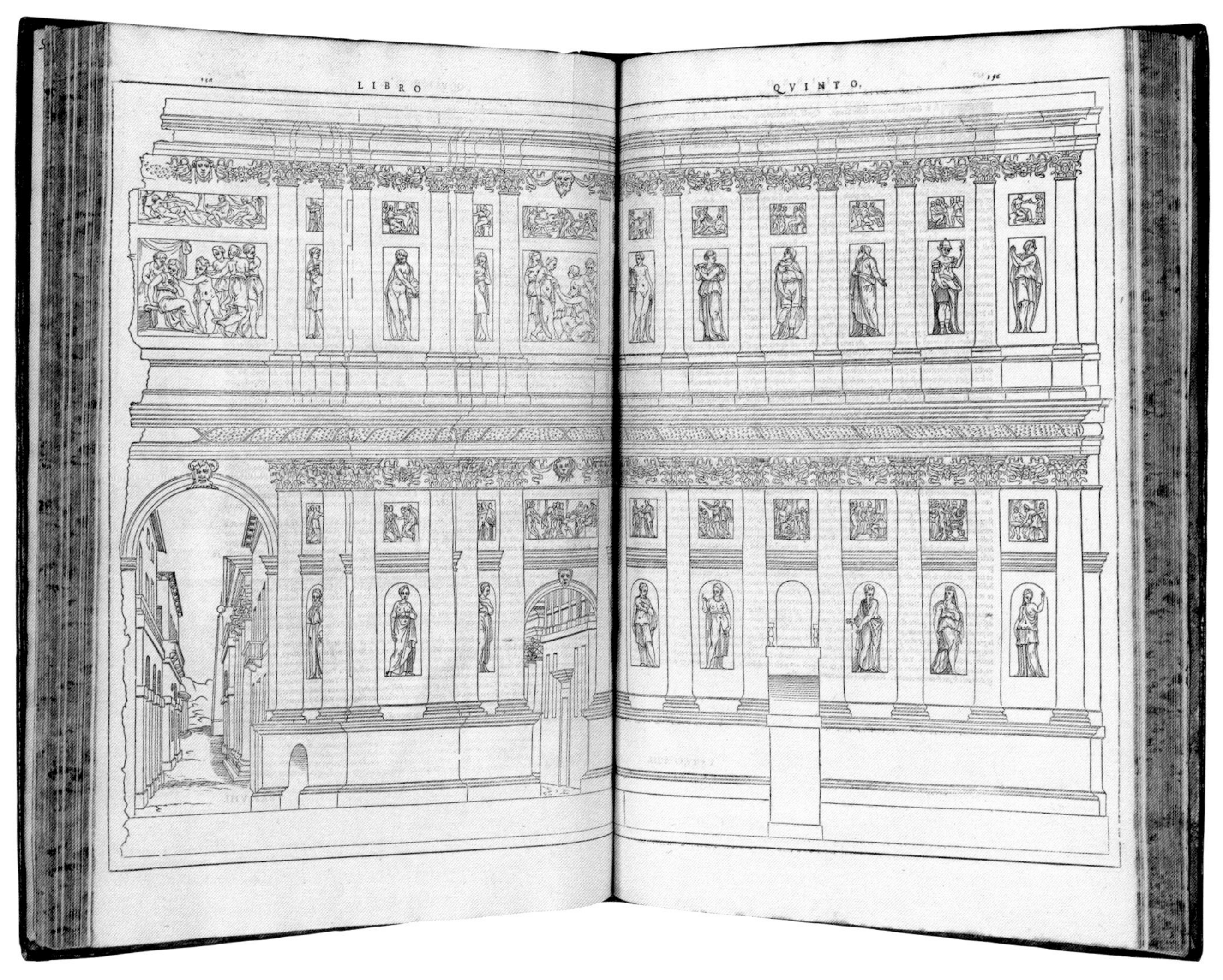

PP. 155-156

Fig. 17.1
El Greco, *La Anunciación*,
h. 1570. Óleo sobre tabla,
26 x 20 cm. Madrid,
Museo Nacional del Prado
[P-827]

FRONTISPICIO

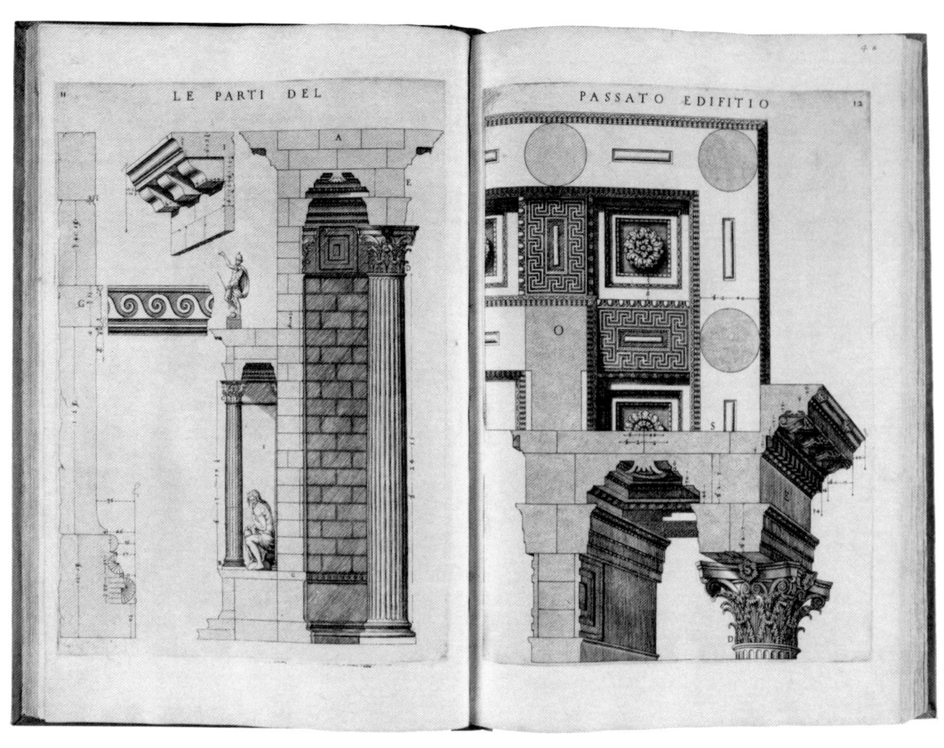

FOLS. 45V-46R

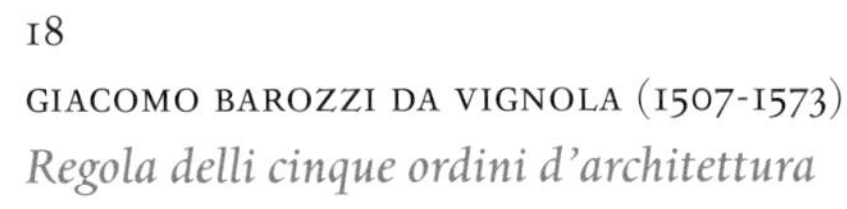
18

GIACOMO BAROZZI DA VIGNOLA (1507-1573)

Regola delli cinque ordini d'architettura

[Roma: s.n., 1562]

Sign. Cerv/678(1)

BIBLIOGRAFÍA: Walcher Casotti 1960; Thoenes 1974a; Thoenes 1974b; Orazi 1982, pp. 95-109; Walcher Casotti 1985a; Walcher Casotti 1985b; Thoenes 1988; Tuttle 1998

Con más de doscientas ediciones, esta obra es una de las más influyentes de la historia de la arquitectura. Es un repertorio de treinta y dos grabados que consta de frontispicio, privilegio de impresión —en la edición original—, dedicatoria a Alejandro Farnesio y prefacio, y veinticinco estampas dedicadas a los cinco órdenes canónicos: toscano, dórico, jónico, corintio y compuesto. Las cuatro últimas, con soluciones a problemas particulares, han hecho pensar que Vignola preveía una edición ampliada.
La obra es fruto de los estudios que hizo al amparo de la romana Accademia della Virtù —que propugnaba el estudio de Vitruvio y de las ruinas—, de su experiencia profesional y de sus intereses personales. En principio la destinó a los expertos en la materia y de ahí su carácter elemental, pero dado el éxito que tuvo entre «molti Signori mossi dal gusto di poter intendere» que carecían de los rudimentos necesarios, Vignola editó una segunda tirada de la primera edición con una pequeña nota en que explica los motivos y unas apostillas en los grabados relativas sobre todo a los nombres de los distintos elementos arquitectónicos. Probablemente a esta segunda tirada pertenece el ejemplar del Prado.

Vignola reduce la estructura de los órdenes a un esquema abstracto y establece las diferencias entre ellos a partir de un módulo —la longitud del radio de la columna a la altura de la basa— que es arbitrario, puesto que depende de una cifra constante propuesta por él, pero que soluciona racionalmente el problema de los órdenes. La norma ya no es la propuesta por Vitruvio, sino esta *regola* universal que, procedente del *giudizio* de Vignola, da plena autonomía al lenguaje arquitectónico. No es casual que fuera el primer autor de un tratado arquitectónico retratado en su frontispicio, diseñado por Francesco Salviati, quien ya había dibujado el del libro sobre antigüedades romanas de Antonio Labacco, lo que podría confirmar la colaboración entre este último y Vignola. El volumen del Prado contiene, como tantos otros facticios, una edición del libro de Labacco.

A despecho de las intenciones del autor, la fortuna de la obra se debió a que los grabados fueron entendidos como modelos y no como meros esquemas proporcionales, circunstancia que la convirtió en dogma arquitectónico.
J. R.

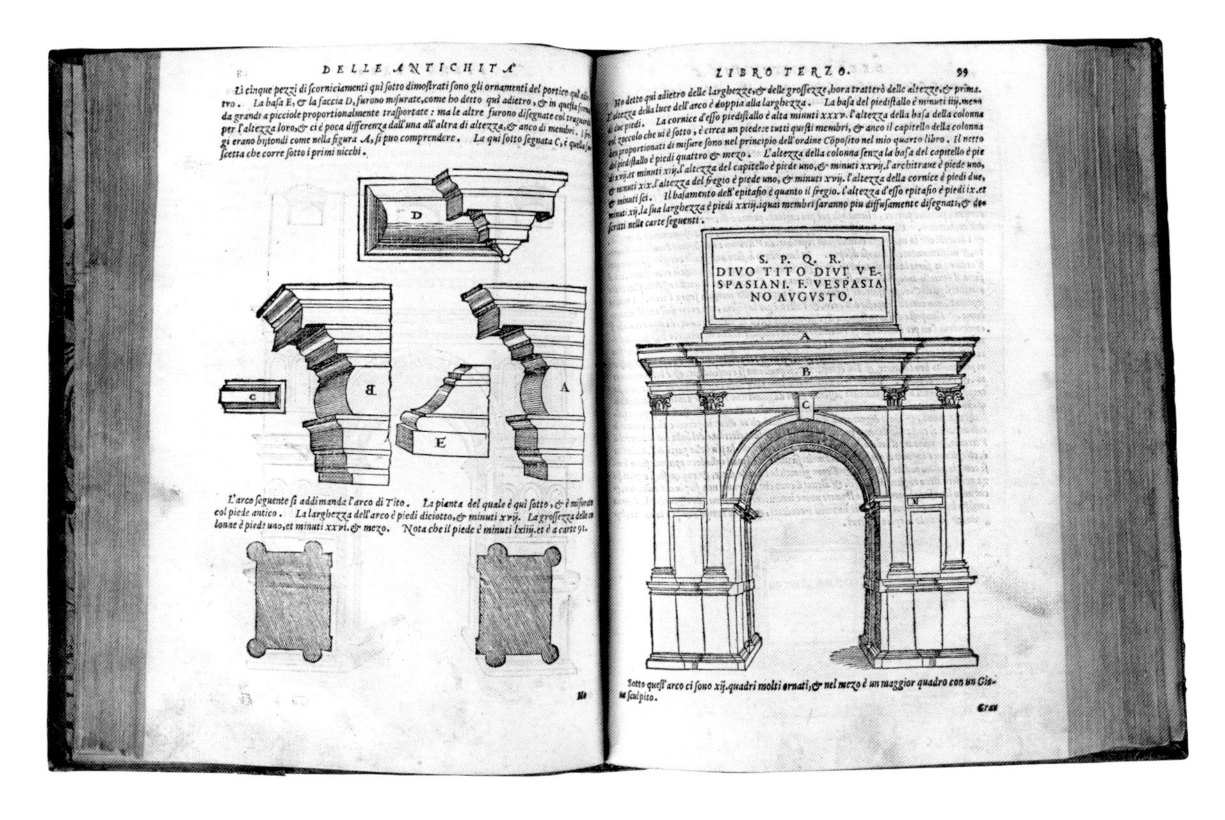

DELLE ANTICHITA

Li cinque pezzi di scorniciamenti quì sotto dimostrati sono gli ornamenti del portico quì a-
tro. La basa E, & la faccia D, furono misurate, come ho detto quì adietro, & in questa form
da grandi a picciole proportionalmente trasportate : ma le altre furono disegnate col tra
per l'altezza loro, & ci è poca differenza dall'una all'altra di altezza, & anco di membri. I f
gi erano bistondi come nella figura A, si puo comprendere. La quì sotto segnata C, è quella
scetta che corre sotto i primi nicchi.

L'arco seguente si addimanda l'arco di Tito. La pianta del quale è quì sotto, & è misura
col piede antico. La larghezza dell'arco è piedi diciotto, & minuti xvij. La grossezza delle co
lonne è piedi uno, et minuti xxvi. & mezo. Nota che il piede è minuti lxiiij. et è a carte 91.

LIBRO TERZO. 99

Ho detto quì adietro delle larghezze, & delle grossezze, hora tratterò delle altezze, & prima.
L'altezza della luce dell'arco è doppia alla larghezza. La basa del piedistallo è minuti iiij. meno
di due piedi. La cornice d'esso piedistallo è alta minuti xxxv. l'altezza della basa della colonna
col zoccolo che vi è sotto, è circa un piede: e tutti questi membri, & anco il capitello della colonna
ben proportionati di misure sono nel principio dell'ordine Cōposito nel mio quarto libro. Il netto
del piedistallo è piedi quattro & mezo. L'altezza della colonna senza la basa del capitello è pie
di xvij. et minuti xiij. l'altezza del capitello è piede uno, & minuti xxvij. l'architraue è piede uno,
& minuti xix. l'altezza del fregio è piede uno, & minuti xvij. l'altezza della cornice è piedi due,
& minuti sei. Il basamento dell'epitafio è quanto il fregio. l'altezza d'esso epitafio è piedi ix. et
minuti xij. la sua larghezza è piedi xxiij. i quai membri saranno piu diffusamente disegnati, & descritti nelle carte seguenti.

S. P. Q. R.
DIVO TITO DIVI VE-
SPASIANI. F. VESPASIA
NO AVGVSTO.

Sotto quest'arco ci sono xij. quadri molti ornati, & nel mezo è un maggior quadro con un Gio-
ve sculpito.

FOLS. 98V-99R

19

SEBASTIANO SERLIO (1475-1554)

Libro primo [-quinto] d'Architettura

In Venetia: appresso Francesco Senese, & Zuane Krugher Alemanno Compagni, 1566

Sign. Mad/170

BIBLIOGRAFÍA: Thoenes 1989; Frommel 1998

Serlio fue pionero al publicar el primer tratado de arquitectura original ilustrado. Su historia editorial es harto complicada y se enmaraña aún más por la existencia de cinco manuscritos originales. Aunque en el prefacio del libro cuarto explica que el tratado tendría siete libros, sólo publicó en vida los cinco primeros y otro que tituló *Libro estraordinario* de los nueve que tenía preparados. El primero en publicarse fue precisamente el cuarto (Venecia, 1537), pues lo consideraba el más importante por estar dedicado a los órdenes. Siguió el libro tercero (Venecia, 1540), consagrado a las antigüedades romanas aunque también recoge algunos proyectos no construidos de Bramante, ejemplo sumo de arquitecto, y Rafael. Los libros primero y segundo (París, 1545) están dedicados a la geometría y a la perspectiva, mientras que el quinto (París, 1547) trata sobre la arquitectura religiosa. El último libro que Serlio publicó fue el *Estraordinario* (Lyon, 1551), en el que propone modelos de portadas. Después vendió al anticuario y diletante Jacopo Strada los libros sexto (Milán, 1966, y Nueva York, 1978), séptimo (Fráncfort, 1575) y octavo (Milán, 1994), consagrados, respectivamente, a la arquitectura doméstica, asuntos varios y la arquitectura militar.

Con su tratado pretendía recopilar normas arquitectónicas que pudieran ser entendidas por humanistas y aristócratas pero también por el lector común. Quizá el logro principal de Serlio sea su relativa independencia de Vitruvio, al menos en comparación con los tratadistas anteriores. Para él las ruinas son la evidencia material de un sistema arquitectónico cuyas normas quiere mostrar, y a través de su análisis consigue relativizar los preceptos vitruvianos y reducir la heterogeneidad de la arquitectura antigua a una organización tipológica. Las entalladuras tienen una importancia esencial, pues constituyen el primer compendio de ejemplos que cualquier arquitecto o pintor [fig. 19.1] puede usar literalmente en sus propios diseños. A pesar de las acusaciones de plagio, de ausencia de juicio crítico o de distanciamiento respecto a los problemas arquitectónicos coetáneos, el tratado tuvo un éxito inmediato y se sucedieron ediciones como ésta que une por vez primera los libros primero al quinto y el *Estraordinario*. Fue publicada por Francesco de' Franceschi, también llamado Senese, y Johan Krugher, con una dedicatoria a Daniele Barbaro, de quien publicarían un año después la segunda edición de su «vitruvio» [véase cat. 17].

J. R.

Fig. 19.1
Taller castellano, *Cristo mostrado al pueblo*, h. 1500. Óleo sobre tabla, 78 x 53 cm. Madrid, Museo Nacional del Prado [P-580]

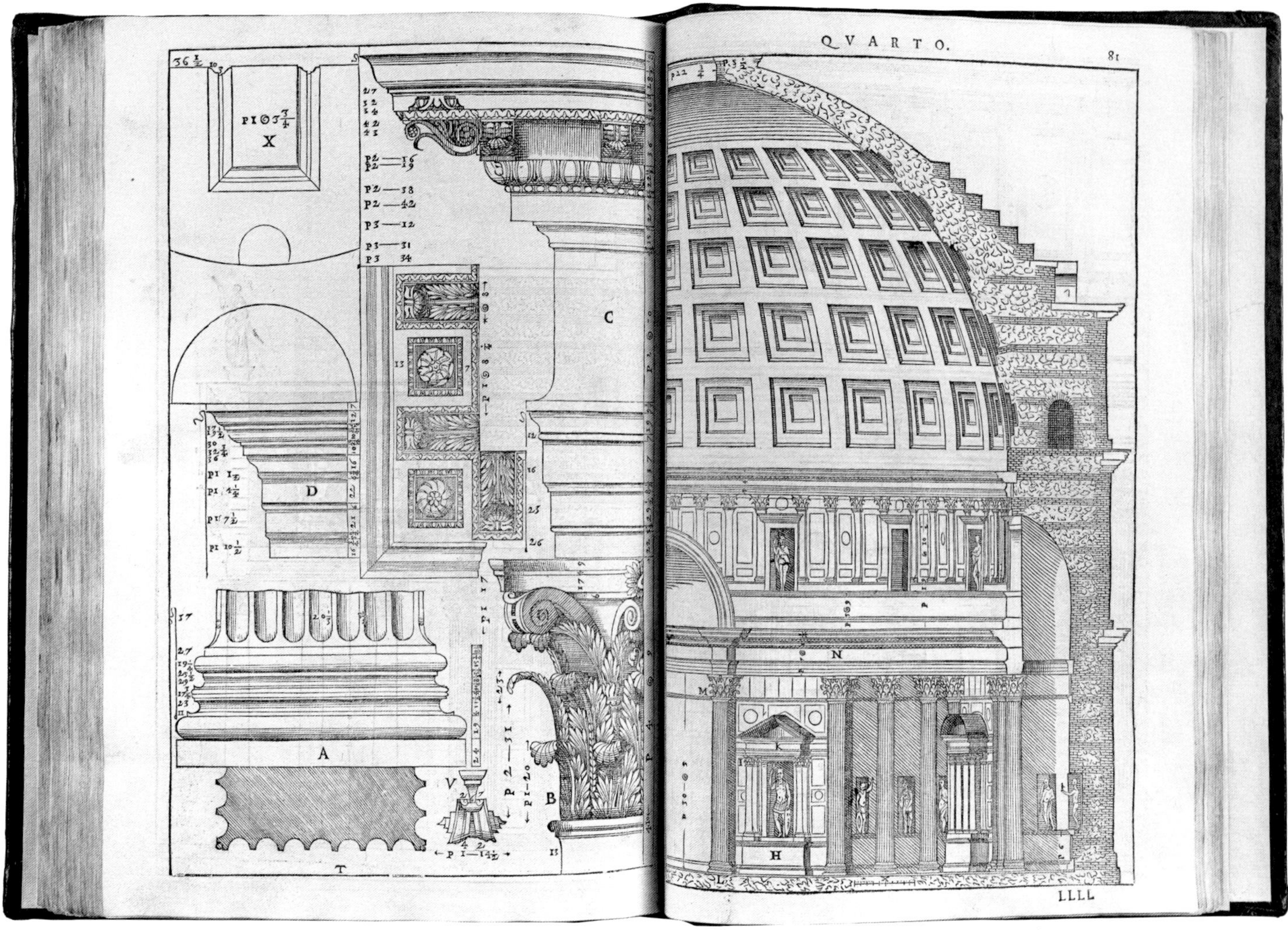

PP. 80-81

20

ANDREA PALLADIO (1508-1580)

I quattro libri dell'architettura

In Venetia: appresso Dominico de' Franceschi, 1570
Sign. Cerv/296

BIBLIOGRAFÍA: Burns 2008; Burns 2009

Son muchos los indicios que invitan a pensar que la redacción de un tratado de arquitectura preocupó a Andrea Palladio casi desde el comienzo de su carrera. Por ello *I quattro libri dell'architettura* pueden considerarse la culminación y el resumen de toda su obra, teórica y práctica, desde sus lecturas de los clásicos griegos y romanos al estudio y la medida minuciosa de las ruinas, y también el único (auto)retrato irrefutable que conservamos del vicentino, desde sus inicios como cantero hasta su consagración como arquitecto y teórico de fama internacional.

Aunque el plan primigenio era más ambicioso —pues pretendía escribir diez libros como ya habían hecho Vitruvio y Leon Battista Alberti, las autoridades a las que más se refiere en el texto—, los cuatro libros publicados compendian una determinada gramática arquitectónica partiendo de sus elementos esenciales. Palladio dedica el libro primero a los materiales y los órdenes, el tercero a las obras públicas y el cuarto a los templos antiguos, asuntos que habían sido ya analizados por Sebastiano Serlio [cat. 19], Antonio Labacco o Vignola [cat. 18]. La principal novedad de su tratado respecto a los anteriores estriba en la importancia que concede a las casas privadas; si bien es palmaria desde la portada, se manifiesta sobre todo en el libro segundo. En ese sentido es muy significativo que dedicara buena parte de sus esfuerzos a la construcción de villas y palacios para algunos nobles de Vicenza y Venecia, y que en el tratado sus propias obras actúen como paradigmas que explicitan sus razonamientos teóricos.

Palladio condensó en su tratado un laboratorio tipológico que, liberando a las formas y a las tipologías arquitectónicas de sus significados primitivos, permitiera emplearlas según la «usanza nuova» y las necesidades específicas de cada nuevo proyecto, y consiguió así una muy personal codificación de la sintaxis arquitectónica empleada por «gli Antichi Romani». La perfecta conjunción de texto e imágenes y el uso de un lenguaje que, aunque sencillo, posee en ocasiones la cadencia musical del latín (libro I, proemio: «Da naturale inclinatione guidato...»), hicieron que el tratado gozara de numerosas ediciones y traducciones posteriores.
J. R.

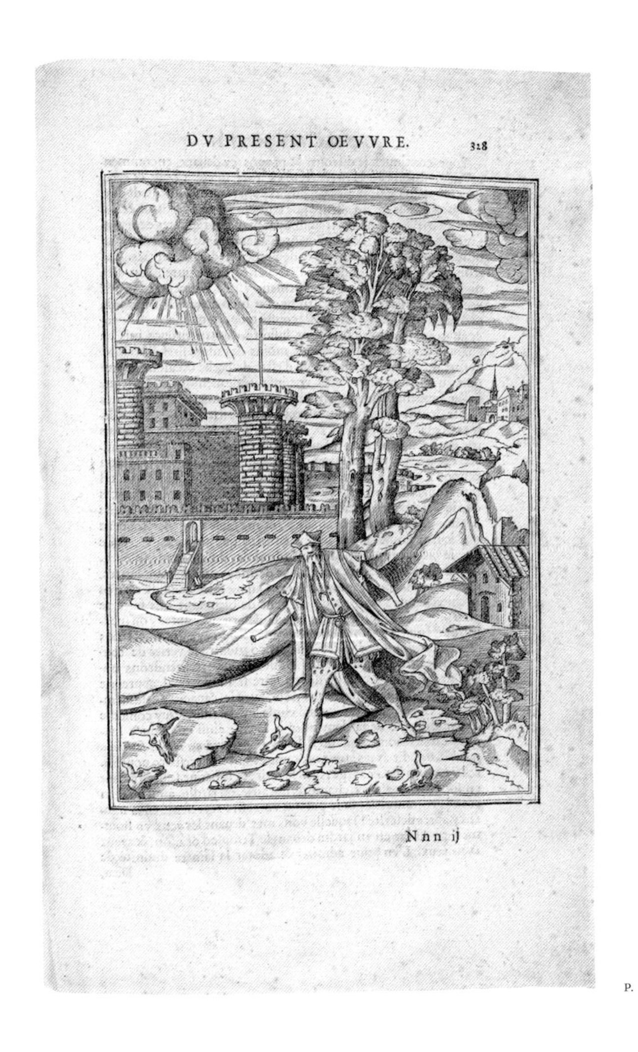

P. 328

P. 341

21

PHILIBERT DE L'ORME (1514-1570)

Architecture de Philibert de l'Orme

A Rouen: chez David Ferrand, 1648
Sign. Cerv/760

BIBLIOGRAFÍA: Blunt 1958, pp. 108-35; Guillaume 1988; Pérouse de Montclos 1988; De l'Orme 1988; Pérouse de Montclos 2000

Dos años después de la muerte de su protector, el rey Enrique II, en 1559, el arquitecto lionés Philibert De l'Orme redactó el opúsculo *Nouvelles inventions pour bien bastir et a petits fraiz*, en el que explica el método tradicional de construcción en madera con un inusual rigor geométrico y una gestión económica que abarata las obras, como anuncia el título.

En 1567 publicó *Le Premier Tome de l'Architecture*, que dedicó a la reina Catalina de Médicis. Su intención era mostrar a comitentes y maestros de obra un sistema de construcción propiamente francés que, afín a la arquitectura antigua y a la italiana contemporánea, fuera capaz de superarlas mediante la síntesis de teoría y praxis. La apuesta se explica por su propia experiencia: era hijo de cantero y arquitecto él mismo y, además, había completado su formación en Roma al calor de la Accademia della Virtù [véase cat. 18]. A las cualidades del arquitecto brinda el libro primero, mientras los tres siguientes están dedicados a los materiales. El tratado se caracteriza por la importancia concedida a los problemas técnicos, en especial a los derivados de la estereotomía —o arte de cortar la piedra u otros materiales de construcción—. Del libro quinto al octavo trata sobre los órdenes y propone la creación de un orden francés y la apología del uso arquitectónico frente a la norma. El libro noveno analiza las chimeneas y sus adornos, culminando con un excurso sobre el buen y el mal arquitecto que tiene su epítome en dos sugerentes grabados y en el anuncio de un segundo volumen —avisado ya en el folio 168r— sobre las proporciones, que según él deben derivar del Antiguo Testamento, que nunca publicó.

Los dos capítulos de las *Nouvelles inventions* fueron añadidos como libros décimo y undécimo de *Le Premier Tome* en las nuevas ediciones de 1576 y 1626 y también en ésta de 1648 que, con algunos cambios textuales y cuarenta nuevos grabados, es la tercera y definitiva. Ambas obras hacen de su autor el teórico de la arquitectura más importante al norte de los Alpes durante el siglo XVI.

J. R.

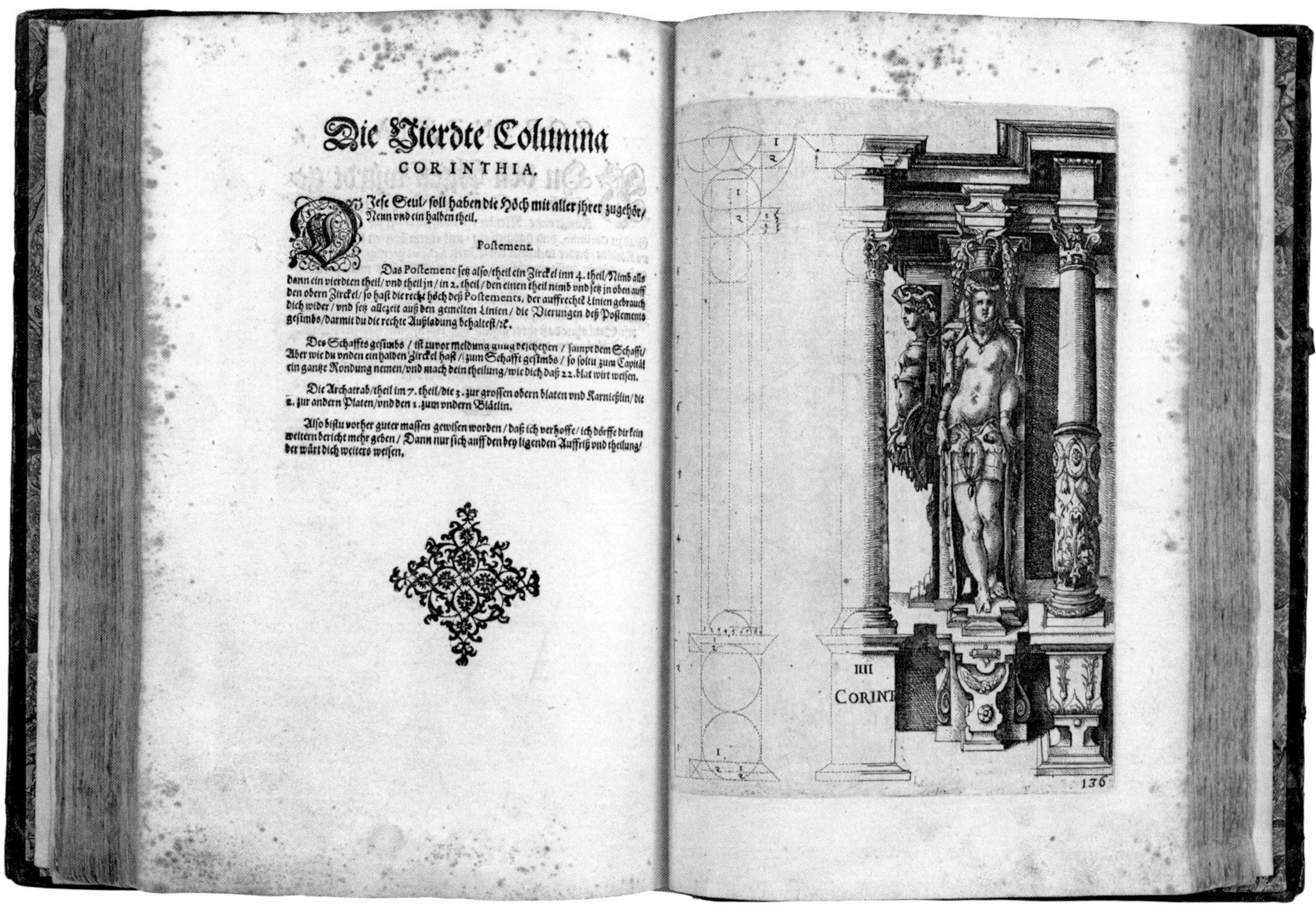

Die Vierdte Columna
CORINTHIA.

DIese Seul/ soll haben die Höch mit aller jhrer zugehör/ Neun vnd ein halben theil.

Postement.

Das Postement setz also/theil ein Zirckel inn 4. theil/Nimb alsdann ein vierdten theil/vnd theil jn/in 2. theil/den einen theil nimb vnd setz jn oben auff den obern Zirckel/so hast die recht höch deß Postements, der auffrechtē Linien gebrauch dich wider/vnd setz allezeit auß den gemelten Linien/die Vierungen deß Postements gesimbs/darmit du die rechte Außladung behaltest/2c.

Des Schaffts gesimbs / ist zuvor meldung gnug beschehen / sampt dem Schafft/ Aber wie du vnden ein halben Zirckel hast / zum Schafft gesimbs / so soltu zum Capitäl ein gantze Rondung nemen/vnd mach dein theilung/wie dich daß 22. blat wirt weisen.

Die Archatrab/theil im 7. theil/die 3. zur grossen obern blaten vnd Karnießlin/die 2. zur andern Platen/vnd den 1. zum vndern Blätlin.

Also bistu vorher guter massen gewisen worden / daß ich verhoffe / ich dörffe dir kein weitern bericht mehr geben / Dann nur sich auff den bey ligenden Auffriß vnd theilung/ der würt dich weiters weisen.

FOLS. 135V-136R

22

WENDEL DIETTERLIN (¿1550?-¿1599?)

Architectvra von Ausstheilung: Symmetria und Proportion der funff Seulen

Zufinden in Nürnberg [Núrenberg]: bey Pauluss Fürst Kunsthädlern, A° 1655

Sig. Cerv/1497

BIBLIOGRAFÍA: Placzek 1968; Millard 1993-2000, t. III, pp. 25-28 y 134-41; Galera 1994, pp. 493-99; Zimmer 2006, pp. 310-19; Skelton 2007, pp. 25-44; Heck 2009

La *Architectura* de Dietterlin ofrece el repertorio arquitectónico y ornamental más fascinante del manierismo del norte de Europa. Su autor había nacido con el apellido Grapp en Pullendorf, al sur de Alemania, aunque su carrera se desarrolló en Estrasburgo y en Stuttgart, donde trabajó sobre todo como pintor especializado en decoraciones arquitectónicas: fachadas, decoraciones interiores, etc. Ninguna de sus obras ha sobrevivido y tan sólo son conocidas por descripciones, estampas de reproducción y algún dibujo preparatorio.

Una primera versión del libro, dedicada a los órdenes y con cuarenta estampas, se imprimió en Stuttgart en 1593, mientras que la segunda parte, dedicada a las portadas y con cincuenta y ocho estampas, se imprimió en Estrasburgo en 1594. La edición completa se publicó por primera vez en Núremberg en 1598. Esta es la segunda edición. La obra se divide en cinco libros, cada uno con un frontispicio y una portada independientes, que se corresponden con los cinco órdenes: toscano, dórico, jónico, corintio y compuesto. Cada orden aparece descrito en un breve texto e ilustrado con una imagen en la que aparece el diagrama de la columna. Siguiendo a Vitruvio, Dietterlin representa los dos órdenes «masculinos», toscano y dórico, mediante telamones con un campesino y un soldado respectivamente, mientras que los tres órdenes «femeninos», jónico, corintio y compuesto, quedan figurados por dos mujeres jóvenes y una tercera ya anciana.

El libro está compuesto fundamentalmente por estampas, mientras que los textos se limitan a una breve introducción y a cortas descripciones de los órdenes al comienzo de cada libro. Dietterlin no se muestra particularmente interesado en la teoría arquitectónica y prefiere presentar un fantástico e imaginativo repertorio de usos de los cinco órdenes a través de modelos de portadas, ventanas, chimeneas, tumbas y fuentes. Son arquitecturas eclécticas, densamente ornamentadas, en las que elementos góticos y clásicos se mezclan en numerosas ocasiones. El carácter decorativo de muchos de los modelos propuestos hizo que el libro tuviera gran éxito entre arquitectos y ebanistas de comienzos del siglo XVII.

J. D. C.

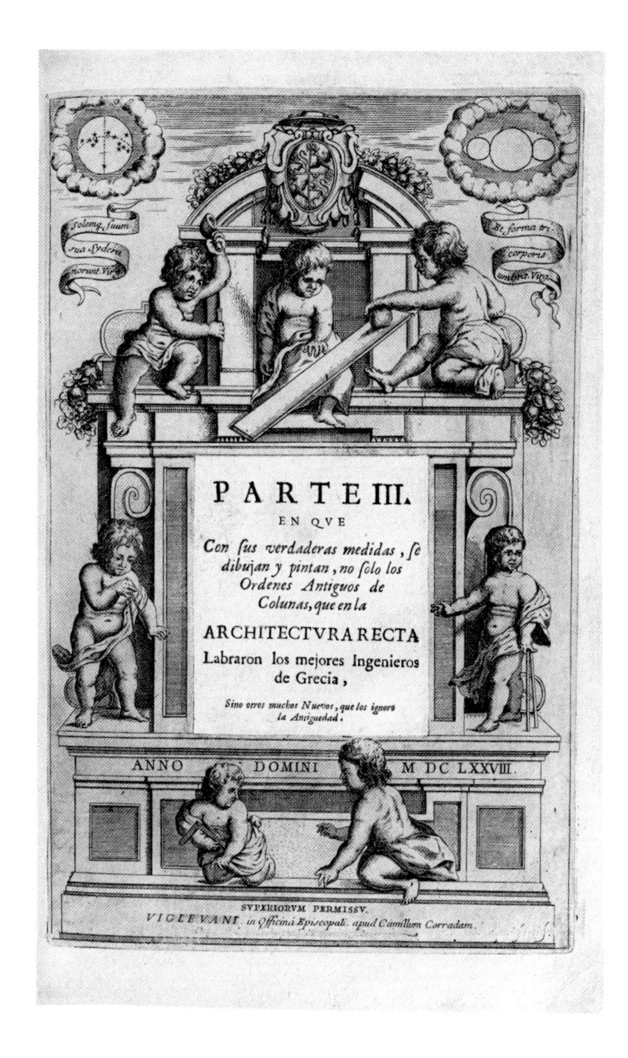

PORTADA
DEL VOL. III

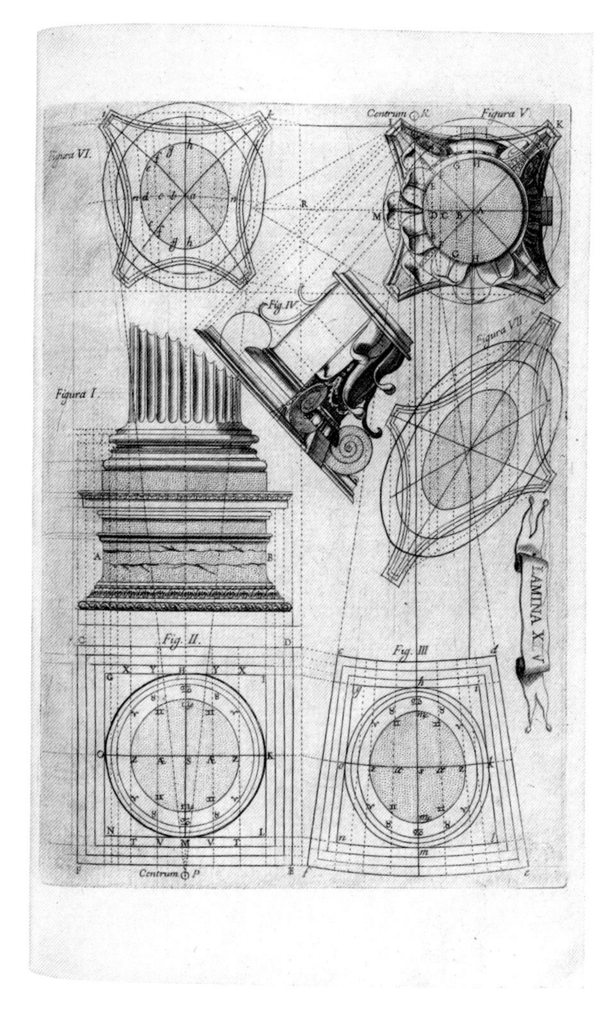

LÁM. XLV

23

JUAN CARAMUEL LOBKOWITZ (O. CIST.)
(1606-1682)

Architectura civil recta y obliqua: considerada y dibuxada en el templo de Ierusalem

En Vegeven: en la Emprenta Obispal por Camillo Corrado, 1678, 3 vols.
Sign. Mad/252, Mad/253 y Mad/254

BIBLIOGRAFÍA: Bonet 1984b, vol. 1, pp. VII-LI [1993, pp. 191-234]; Rodríguez G. de Ceballos 1988, pp. 317-26; Fernández-Santos 2002, pp. 389-416; Fernández-Santos 2005, pp. 137-66; Triadó 2005, pp. 133-48; Pena 2008

Español cosmopolita, políglota, poseedor de una extensa cultura enciclopédica y autor de casi trescientas obras, Juan Caramuel poseyó una mentalidad generalista, confrontada al pensamiento escolástico por la vía del racionalismo cartesiano. Por su afición a la cultura libraria, era previsible que a su llegada a Vigevano para ocupar la cátedra episcopal en 1673 impulsara la imprenta instalada en el palacio episcopal. Allí se imprimieron en 1678 los tres volúmenes de uno de los libros más influyentes y controvertidos de la tratadística arquitectónica, la *Architectura civil recta y obliqua*.

Caramuel concibió la *Architectura* como un compendio de conocimientos teóricos destinado a un lector instruido. Fundamentada en principios matemáticos, la obra se estructura en tratados, artículos y secciones. El volumen primero contiene un tratado preliminar sobre el templo salomónico y otros cuatro relativos a las facultades y los conocimientos teóricos del arquitecto, la aritmética, la logarítmica y la geometría. El segundo volumen está dedicado a las arquitecturas recta y oblicua, así como a las artes y ciencias complementarias. A pesar de su respeto por la normativa clásica, Caramuel cuestionaba la excesiva severidad del clasicismo posvitruviano. Por ello, proponía una derivación evolutiva de los órdenes clásicos hacia el sistema de distorsiones de la arquitectura oblicua, auténtico *leitmotiv* y aportación fundamental de su tratado.

El carácter acumulativo del texto tiene su correspondencia en las estampas calcográficas del tercer volumen, divididas en cuatro apartados, a partir de diseños de Caramuel. Las ocho estampas primeras describen el templo de Jerusalén tomando como referencia las imágenes del libro de los jesuitas Juan Bautista Villalpando y Jerónimo de Prado (1606, Cerv/748 a 750). El segundo apartado incluye cuarenta y nueve estampas con figuras matemáticas. Las cincuenta y nueve estampas de la tercera parte corresponden a los órdenes clásicos de la arquitectura recta; finalmente, el volumen concluye con las cuarenta y una estampas de la arquitectura oblicua, las más interesantes del libro, en particular las perspectivas anamórficas y las inclinaciones en planta de los elementos de la columna. Los cobres fueron abiertos por los grabadores milaneses Simone Durelli, Francesco Bugatti y Caesar de Laurentis.
J. B. B.

24

GIUSEPPE GALLI BIBIENA (1696-1756)

Architetture e prospettive

Augusta [Augsburgo]: sotto la direzione
di Andrea Pfeffel, 1740 [1744]
Sign. Cerv/708

BIBLIOGRAFÍA: Mayor 1964, pp. V-VI; Saxon 1969, pp. 105-18; Cicognara 1979, n.º 431; Matteucci 1980, pp. 178-81; Hatfield 1981; Rasche 1999, pp. 99-131; Ball-Kruckmann 2002, pp. 101-11; Grönert 2003, pp. 156-63

Cuatro generaciones de decoradores, *quadraturisti* y escenógrafos de la familia Galli elevaron el apellido Bibiena —localidad de nacimiento del precursor— a una posición de privilegio entre los arquitectos imperiales de la corte austriaca de los Habsburgo. Giuseppe, el segundo hijo del prestigioso proyectista Ferdinando Galli Bibiena, aprendió de su progenitor el arte de la *quadratura* y desarrolló el principio rector de las fugas escénicas derivado de la *scena ad angolo*. Formado con su padre, viajó con él en 1708 —con apenas doce años de edad— a la corte barcelonesa del archiduque Carlos de Austria, pretendiente a la Corona española en la Guerra de Sucesión. Ambos regresaron a Viena en 1711 para la coronación de Carlos VI, y desde entonces las aptitudes profesionales del joven Bibiena estuvieron al servicio de la corte imperial, vínculo reforzado con su nombramiento en 1723 como primer ingeniero teatral de Su Majestad.

Apenas se han conservado vestigios materiales de la obra edificatoria de Bibiena, si se exceptúa el palacio de la ópera del margrave de Bayreuth, principal fábrica del artista, terminada en 1748. La mayor parte de sus proyectos no fueron construidos o simplemente tuvieron una vida efímera y, sin embargo, la celebridad de Bibiena ha perdurado en el tiempo debido, sobre todo, a las sucesivas ediciones de un admirable hito del arte gráfico: la *Architetture e prospettive*.

Fruto de la transferencia al plano bidimensional de complejas estructuras, escenografías ilusionistas y arquitecturas fantásticas, *Architetture e prospettive* ejemplifica el talento de Bibiena para concebir potentes evocaciones espaciales y ámbitos decorativos suntuosos. Sobre la base de la propuesta estética de Francesco Borromini, las soluciones escénicas de Giuseppe Galli fijan la morfología arquitectónica teatral del tardobarroco y extreman la experiencia visual de la perspectiva oblicua, generando fugas ilimitadas.

La primera edición de *Architetture*, promovida por la casa de Habsburgo, lleva en portada la fecha de 1740, año de la muerte del emperador, a quien está dedicada la obra y cuyo retrato abre los preliminares. El frontispicio alegórico incluye una representación del templo de Vesta en Tívoli, habitual en la pintura de la época [fig. 24.1]. Las composiciones de Bibiena se distribuyen en cinco secuencias de diez estampas cada una, firmadas por el arquitecto y grabador de *vedute* Salomon Kleiner, los Schmutzer, Lorenzo Zucchi y, principalmente, el grabador imperial y editor de estampas Johann Andreas Pfeffel. Las tipologías iconográficas permutan en las cinco partes de la publicación: catafalcos erigidos en la Augustinerkirche vienesa, imágenes de *theatra sacra* con episodios de la Pasión representados en la capilla imperial, vistas de arquitecturas imaginadas, escenografías efímeras para celebraciones nupciales y decorados de teatro.

Probablemente cuatro secciones estaban concluidas antes de la muerte de Carlos VI, momento en que se había grabado el frontispicio, la portada, el retrato y la dedicatoria. Pero la edición definitiva no se publicó hasta 1744, ya que la quinta parte se inicia con dos estampas del aparato fúnebre del emperador, a las que siguen otras tres concernientes al baile celebrado el 12 de enero de 1744 para festejar el enlace entre la archiduquesa María Ana de Austria y el príncipe Carlos Alejandro de Lorena.

Bibiena había planificado una fastuosa compilación de cien estampas, es decir, diez partes. Aunque los diseños de las partes sexta y séptima estaban muy avanzados, sólo hay constancia del grabado de una lámina adicional. La muerte de Pfeffel, director editorial y autor de la mayoría de las estampas, en 1748, el declive de la influencia italiana en la corte de Viena a partir de 1745, desplazada por la moda francesa, así como la pérdida del carácter representativo del teatro en las celebraciones áulicas, pudieron hacer desistir a Bibiena y sus promotores reales del propósito de continuar la obra.

J. B. B.

Fig. 24.1
Giovanni Paolo Panini, *Ruinas con san Pablo predicando*, h. 1735. Óleo sobre lienzo, 63 x 48 cm. Madrid, Museo Nacional del Prado [P-275]

PARTE III, LÁMINA 4

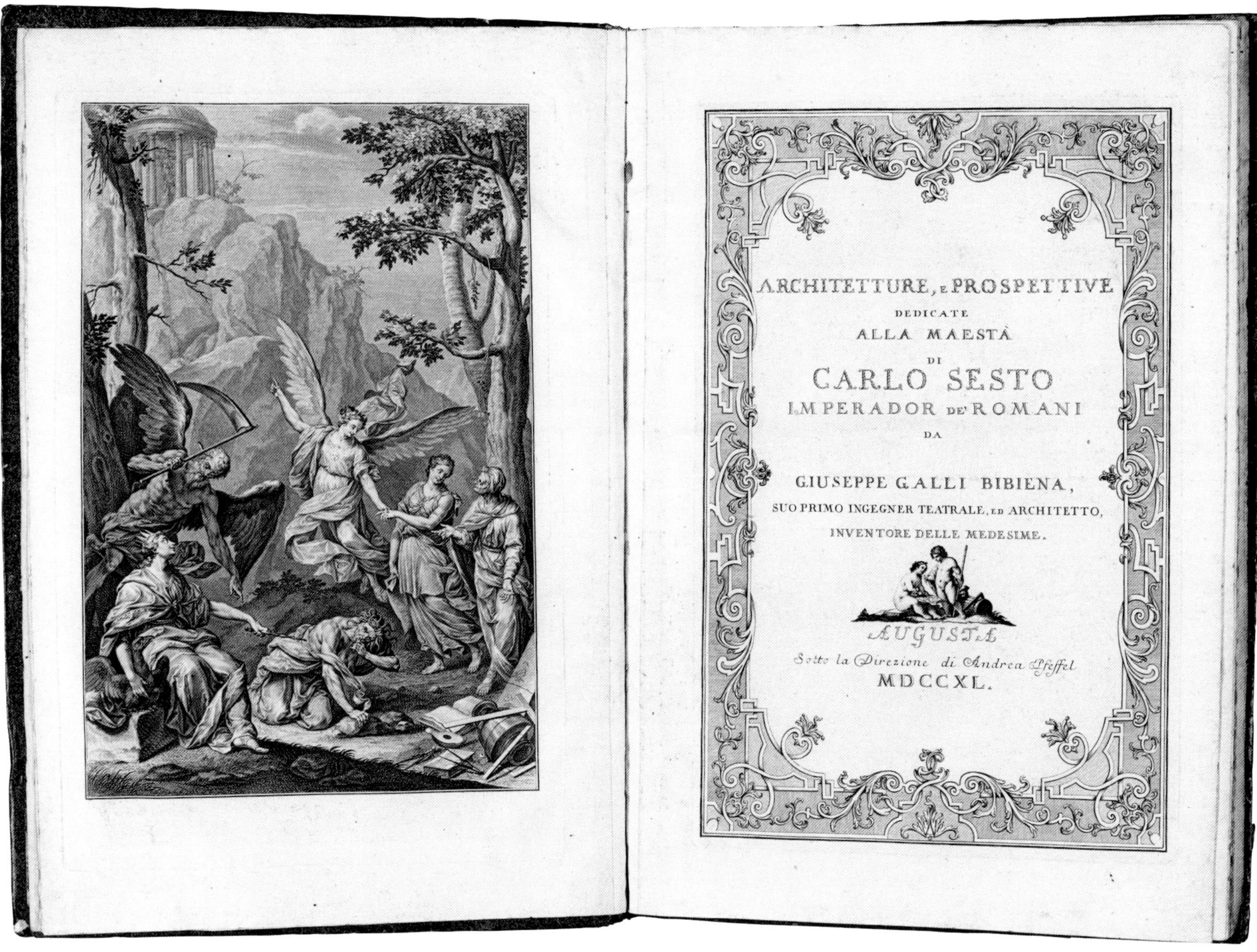

FRONTISPICIO Y PORTADA

25

JEAN GASPARD GEVAERTS (1593-1666)

Pompa introitus honori serenissimi principis Ferdinandi Austriaci Hispaniarum infantis

Antuerpiæ [Amberes]: veneunt exemplaria apud Theod. a Tulden, 1641 [i.e. 1642]
Sign. Cerv/709

BIBLIOGRAFÍA: Martin 1972; *Austrias* 1993, n.º 300, pp. 292-94

Destinada a conmemorar la entrada triunfal en Amberes del nuevo gobernador de los Países Bajos, el cardenal-infante Fernando de Austria, hermano de Felipe IV, el 17 de abril de 1635, la *Pompa introitus* es probablemente el más extraordinario libro de fiestas del siglo XVII. El cardenal-infante sucedía a su tía Isabel Clara Eugenia y llegaba precedido por la fama obtenida en la victoria de Nördlingen contra los protestantes.

Las entradas triunfales de reyes y gobernantes permitían a las ciudades que las organizaban no sólo agasajar y adular a los destinatarios, sino también exponerles sus problemas. Fue este el caso, ya que Amberes estaba sufriendo una fuerte crisis económica, en parte debida al control del enemigo holandés de la desembocadura del río Escalda, principal salida de las rutas comerciales de la ciudad. Por ello la comisión organizadora, formada por el humanista Gevaerts, el burgomaestre Rockox y el pintor Rubens, decidió reducir las decoraciones habituales en esos casos y aludir en algunas de ellas a las penurias de la ciudad. Se levantaron tres arcos, uno en honor a Felipe IV, otro dedicado al propio Fernando de Austria y el arco de San Miguel, financiado en parte por los Fugger y que remataba el recorrido. También se crearon cuatro escenarios, el de Bienvenida, el de Isabel Clara Eugenia, el de Mercurio y el templo de Jano, además del pórtico de los emperadores. Fuera de la iniciativa municipal se erigieron el arco de los Portugueses y el arco de la Casa de la Moneda.

El responsable de todo el aparato decorativo fue Rubens. Primero realizó los diseños generales para que los carpinteros pudiesen

108 POMPA INTROITVS FERDINANDI AVSTRIACI

ARCVS
FERDINANDINI
PARS POSTERIOR,
IN QVA
TRIVMPHVS
VICTORIÆ NORLINGANÆ.

POSTERIOR iſta Arcus pars eiuſdem eſt cum priori ordinis & magnitudinis.

Tabulæ mediæ deſcriptio.

In Tabulâ mediâ Quadriiugo curru & albentibus Equis vectus Triumphat Ser^mus Princeps FERDINANDVS, paludamento amictus. VICTORIA supernè aduolitans eius caput Laureo ſerto coronat. Ante currum NORLINGA capta, turrito vertice, in ferculo præfertur. Ad latus, CAPTIVI vincti incedunt. Ante illos Vexillifer cum Labaro, cui ☧ Nomen intextum: in haſtilis cuſpide, littera F, Nomen FERDINANDI Victoris deſignat, Laureâ circumdatum. Equos præcedit Miles laureatus, TROPHÆVM ingens geſtans. In ſuperiori parte Tabulæ, VICTORIA ſublimis in nubibus conſpicitur, & ipſa Trophæum dextrâ, Palmam alterâ manu tenens, ac SPEM ſibi comitem adducens. Sub Tabulâ hæc Epigraphe:

QVÆ, FERNANDE, TIBI LVX CIRCVMFVSA, SERENOS
IRRADIANS VVLTVS, OCVLIS AFFLAVIT HONORES?
TE MISSA ÆTHEREO VICTORIA CIRCVIT AXE,
ET MODO DETRACTIS EXVLTABVNDA TROPHÆIS,
DAPHNIDIS ÆTERNA TIBI FRONDE MICANTIA CINGIT
TEMPORA. ET INDE NOVOS GAVDENS SPONDERE TRIVMPHOS,
SPEMQVE TRAHENS SOCIAM, FERTVR SECVRA FVTVRI.

Triumphantium Splendor.

Vultus Ser^mi Principis, circumfuſo Lucis velut iubare quodam, reſplendet, Triumphantium more: de quo Iſidorus, Hiſpalenſium Præſul, Originum lib. XVIII. cap. II. TRIVMPHANTES *colore rufo perliniebantur, quaſi imitarentur* DIVINI IGNIS *effigiem.* Et Mamertinus Conſul Panegyrico Maximiani Aug. *Trabeæ veſtræ Triumphales, & faſces Conſulares, & ſellæ curules, & hæc obſequiorum ſtipatio & Fulgur: & illa* LVX DIVINVM VERTICEM CLARO ORBE COMPLECTENS, *veſtrorum ſunt ornamenta meritorum, pulcherrima quidem & Auguſtiſſima.*
Germa-

PP. 108-109

levantar las estructuras de madera. Dada la premura de tiempo —todo se hizo en apenas seis meses—, Rubens no hizo dibujos preparatorios sino que realizó bocetos al óleo, conservados en buena parte en el Ermitage de San Petersburgo, que luego pasarían a lienzo sus ayudantes, entre los que estaban Jacob Jordaens, Cornelis de Vos, Erasmus Quellinus, Gerard Seghers y Theodor van Thulden. La mayoría de estas pinturas se destruyó en el incendio del Palacio Real de Bruselas en 1731, por lo que este suntuoso infolio, publicado siete años después cuando ya habían muerto tanto Rubens como el cardenal-infante, es el principal testimonio del acontecimiento.
El programa iconográfico general recogía las glorias de la dinastía de los Habsburgo, a partir de la representación de sus principales figuras y de una serie de hechos destacados, que eran puestas en paralelo con ciertos personajes y algunas escenas mitológicas. Sólo el escenario de Mercurio se apartaba del esquema general y resaltaba el declive económico que vivía la ciudad de Amberes con el fin de recabar la ayuda del nuevo gobernador.

El libro cuenta con cuarenta y dos estampas, grabadas en su mayor parte por Van Thulden, en las que, además de las arquitecturas efímeras levantadas para la ocasión y de una portada alegórica coronada con el retrato del rey Felipe IV, se incluyen el retrato ecuestre de Fernando de Austria, grabado por Pontius a partir del cuadro de Rubens que conserva el Museo del Prado (P-1687), una vista y un plano de Amberes. También fueron grabadas las principales escenas pintadas en los arcos y escenarios. Los textos fueron redactados por el mencionado Jean Gaspard Gevaerts o Gevartius, secretario de Estado de Amberes, que además había redactado las inscripciones de las arquitecturas efímeras.

El ejemplar de la Biblioteca del Museo del Prado procede de un expurgo del Museum of Fine Arts de Boston, adonde había llegado por donación de William Sturgis Bigelow, gran coleccionista de arte japonés.
J. D. C.

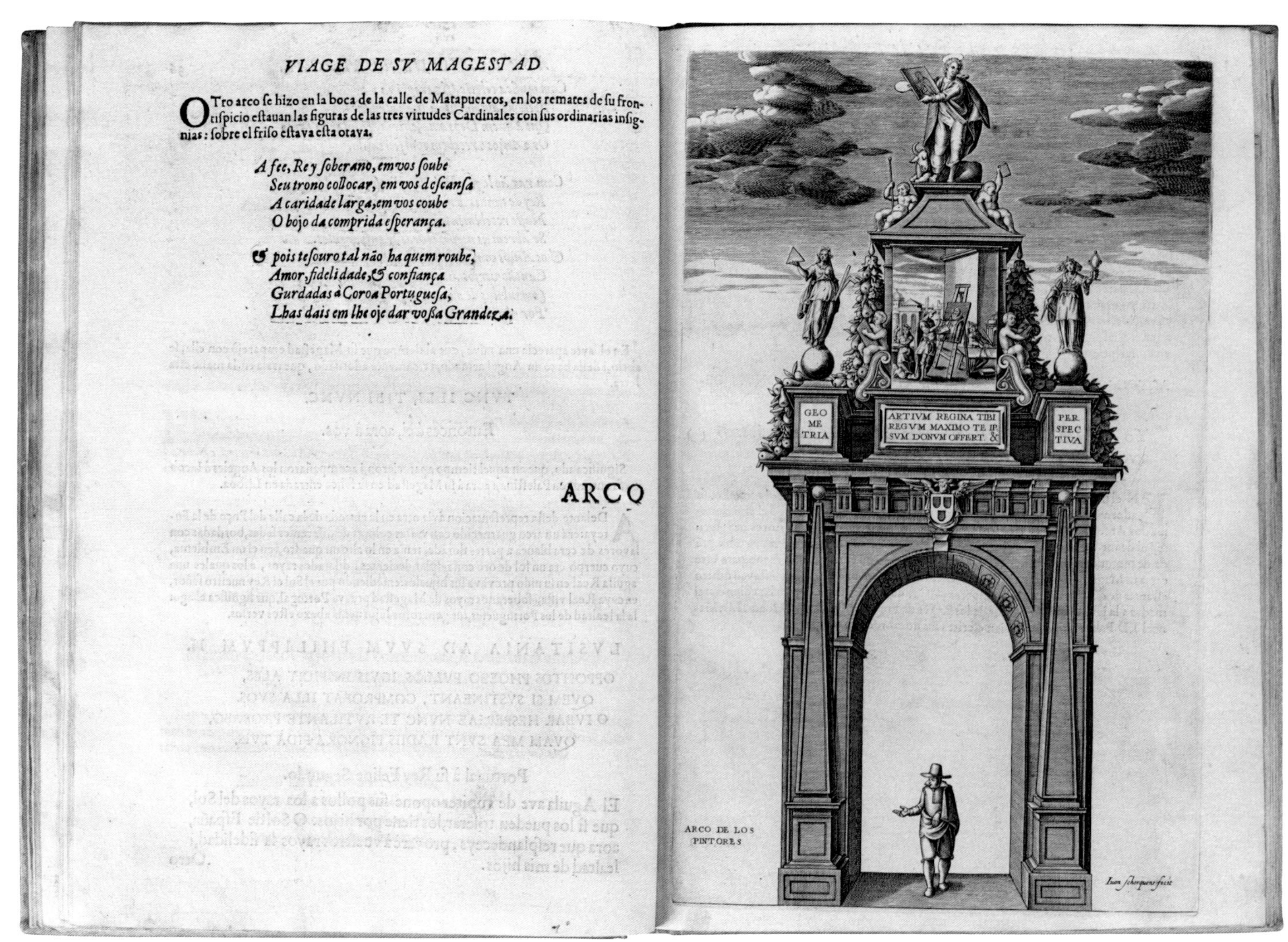

VIAGE DE SV MAGESTAD

OTro arco ſe hizo en la boca de la calle de Matapuercos, en los remates de ſu frontiſpicio eſtauan las figuras de las tres virtudes Cardinales con ſus ordinarias inſignias: ſobre el friſo eſtava eſta otava.

A fee, Rey ſoberano, em vos ſoube
Seu trono collocar, em vos deſcanſa
A caridade larga, em vos coube
O bojo da comprida eſperança.

& pois teſouro tal não ha quem roube,
Amor, fidelidade, & confiança
Gurdadas à Coroa Portugueſa,
Lhas dais em lhe oje dar voßa Grandeza.

ARCO

PP. 36-37

26

JOÃO BAPTISTA LAVANHA (H. 1550-1624)

Viage de la Cathólica Real Magestad del Rei D. Filipe III. N. S. al reino de Portugal

Madrid: por Thomas Iunti, 1622 (i. e. 1621)
Sign. Cerv/279

BIBLIOGRAFÍA: Vetter 1962, pp. 18-32; Pizarro 1987, pp. 123-46; Ares 1990, pp. 11-36; Santiago 1993, pp. 220-24, núms. 215-18

Las ediciones española y portuguesa del viaje de Felipe III a Portugal, relatado por el cronista real y cosmógrafo mayor João Baptista Lavanha, constituyen excelentes testimonios de la calidad impresora alcanzada por el tipógrafo regio Tomás Junti. Ambas ediciones están adornadas con catorce estampas, además de un frontispicio con la representación en clave simbólica de Ulises y de Alfonso Enríquez, iniciador de la dinastía real portuguesa, bajo la evocación alegórica del río Tajo. Todas las láminas fueron abiertas por Juan Schorquens, uno de los más relevantes burilistas de la primera generación flamenca, impulsora de la implantación técnica del grabado calcográfico en España.

Felipe III decidió emprender en abril de 1619 un viaje para su presentación ante las cortes portuguesas, circunstancia que sería aprovechada para ofrecer a la nobleza lusitana el juramento del heredero al trono. La comitiva real entró en Lisboa el 29 de junio. El recibimiento fue masivo y la urbe se engalanó con arquitecturas efímeras, arcos triunfales y monumentos alegóricos a imitación de las entradas reales de los Habsburgo en los Países Bajos durante el siglo XVI, inspiradas a su vez en los modelos decorativos de Vredeman de Vries y en los tratados de Vignola [cat. 18] y Serlio [cat. 19]. Era un alarde de ostentación y pompa destinado a exaltar la historia portuguesa, evidenciando la capacidad de Lisboa para asumir el papel de capital del imperio unificado, en sintonía con el espíritu del Estatuto de Tomar.

Lavanha describió con meticulosidad los fastos de entrada, la llegada de la familia real a la Praça do Paço y cada uno de los arcos triunfales erigidos en honor del monarca por los principales gremios y oficios lisboetas, así como por las colonias de extranjeros residentes en la ciudad. La detallada relación tuvo su complemento visual en las magníficas estampas del desembarco en Lisboa y los trece arcos de triunfo, como el del gremio de pintores. Rematado por la escultura de su patrón, san Lucas, y con estatuas alegóricas de la Geometría y la Perspectiva en los laterales, sobre la clave del arco fue mostrada una composición pictórica con las alegorías de la Arquitectura y la Escultura flanqueando a la Pintura, portadora del retrato simbólico de Felipe III.
J. B. B.

27

FERNANDO DE LA TORRE FARFÁN (1609-1677)

Fiestas de la S. Iglesia metropolitana y patriarcal de Sevilla al nuevo culto del [...] rey S. Fernando el tercero de Castilla y de León

En Sevilla: en casa de la viuda de Nicolás Rodríguez, 1671
Sign. Cerv/123

BIBLIOGRAFÍA: Banda 1973, pp. 47-52; Garvey 1978, pp. 28-37; Portillo 1981, pp. 115-22; Bonet 1984a, pp. I-XX; García Vega 1984, vol. II, pp. 278-81; Moreno Cuadro 1985, pp. 21-98; Carrete 1987, pp. 274-76, 362-63, 369-70; Sebastián 1991, pp. VII-XVIII; Portús 2002, pp. 106-9

LÁMINA I ENTRE PP. 14 Y 15

La apoteosis del rey Fernando III, reconquistador de Sevilla, erigido sobre el orbe cristiano, entre las efigies mayestáticas de Hércules y Julio César —asociados por la tradición mítica con la fundación y defensa de Hispalis—, sobre una vista de la ciudad custodiada por las alegorías del río Betis y el océano Atlántico, articula la portada simbólica de una de las obras fundamentales de la imprenta barroca. Por invención de Francisco de Herrera el Mozo y grabado de Matías de Arteaga, este frontispicio ejemplifica la participación colectiva y la intencionalidad evocadora y propagandística de la relación de fiestas publicada a expensas de la catedral de Sevilla para conmemorar la canonización de san Fernando por el papa Clemente X en 1671.

El final del proceso de canonización, iniciado cuatro décadas antes, durante el pontificado de Urbano VIII, suscitó el júbilo de la sociedad sevillana, entusiasmo que sería canalizado a través de los fastos promovidos por el cabildo catedralicio. Fuegos de pirotecnia, procesiones y otros actos públicos conformaron un programa festivo cuya máxima expresión se concretó en los adornos y las fábricas efímeras levantadas en el templo hispalense por el arquitecto Bernardo Simón de Pineda y el escultor Pedro Roldán bajo la dirección del pintor Juan de Valdés Leal, artistas vinculados a la academia de Murillo, quien también intervino en el proyecto diseñando la decoración de la capilla del Sagrario.

Ante la transitoriedad de las arquitecturas y los ornatos, el poeta, escritor de comedias y canónigo Fernando de la Torre Farfán recibió el encargo de redactar una exhaustiva relación que dejara testimonio impreso, huella y memoria de los espléndidos monumentos erigidos en la catedral. Además de oportuno vestigio del acontecimiento, el cuidado de la tipografía, la calidad del papel y las notables estampas que ilustran el texto hicieron de la publicación una obra maestra de la historia del libro. Productos del fecundo ambiente artístico sevillano del Siglo de Oro y complementos visuales y conceptuales del texto de Torre Farfán, las veintiuna estampas congregaron a algunos de los más relevantes pintores de la segunda mitad del siglo XVII: Herrera el Mozo, Murillo, Valdés Leal y Matías de Arteaga. Debido a su condición de pintores y a la urgencia en el grabado de las láminas, los dos últimos artistas eligieron la técnica del aguafuerte para abrir los cobres, un procedimiento con calidades pictóricas superiores a la talla dulce, sistema de grabado dominante en la estampa barroca.

Cuarenta y cuatro jeroglíficos, basados en la literatura de Virgilio y Dante, fueron grabados en nueve láminas por Francisco de Arteaga, hermano de Matías, y por los jovencísimos hijos de Valdés Leal, Lucas y María Luisa.

A Valdés Leal se deben dos de las estampas más significativas: la decoración interior de la puerta principal del templo y el grandioso monumento del *Triunfo de san Fernando* levantado en el trascoro. La intervención más prolífica correspondió a Matías de Arteaga, autor de diez estampas, entre ellas la Giralda engalanada. Símbolo de la catedral y de Sevilla, referente en clave metafórica de la conquista y conversión al cristianismo del monumental alminar de la mezquita almohade, la Giralda, recorrida por banderas, gallardetes y flámulas, no sólo protagoniza una de las estampas principales del libro, sino que aparece como icono simbólico recurrente en varios jeroglíficos y emblemas.
J. B. B.

Bibliotheca Imaginis

En los libros no sólo se desarrolló la teoría artística y arquitectónica de la Edad Moderna. Sus ilustraciones sirvieron de insustituible fuente formal e iconográfica para todos los artistas. Las cartillas de dibujo fueron el elemento básico de su aprendizaje, especialmente en cuanto a la figura humana, «diseccionada» en sus principales elementos: partes del rostro, extremidades, cabezas, torsos y, por último, figuras completas en escorzo. Las cartillas nacieron en Italia, donde importantes pintores, como José de Ribera o Guercino [cat. 29], y grabadores, como Stefano della Bella [cat. 28], realizaron los ejemplos más destacados. En España, la falta de grabadores impidió que las cartillas tuvieran un gran desarrollo. La más importante fue la del pintor y grabador José García Hidalgo, de la que se conocen muy pocos ejemplares y todos distintos entre sí [cat. 30].

Por otra parte, los distintos géneros pictóricos contaron con repertorios impresos que proporcionaban modelos y tipologías específicos. Los más significativos fueron probablemente los repertorios de retratos, que ofrecían a los pintores la posibilidad de contar con las fisionomías de hombres ilustres, reales o inventadas, así como acudir a modelos compositivos para las posturas de sus modelos. El punto de arranque más significativo fue Paolo Giovio, quien en los años centrales del siglo XVI creó una enorme colección de retratos pintados de hombres célebres, reproducidos en varias publicaciones [cat. 31], que tuvieron gran repercusión en series posteriores como la de duques y duquesas de Milán llevada a cabo por Campi para el libro de fiestas *Cremona fedelissima* [cat. 32]. En el siglo XVII, el repertorio más importante fue la *Iconografía* de Anton van Dyck que, a través de numerosas ediciones, desempeñó un papel fundamental en la evolución posterior del retrato [cat. 33].

Junto a los modelos formales, los artistas encontraron en los libros las fuentes iconográficas que necesitaban. Si la Biblia era, por supuesto, la fuente básica para la pintura religiosa, las *Metamorfosis* de Ovidio lo fueron para la pintura mitológica. Presentamos aquí la traducción española editada en Amberes en 1595, de gran importancia por las numerosas imágenes que ilustran el texto [cat. 34]. Por otro lado, la representación de alegorías, que tanta importancia tendrá en la cultura visual del Barroco, encontrará su obra de referencia en la *Iconologia* de Cesare Ripa, cuya primera edición ilustrada data de 1603 [cat. 36].

Un caso particular dentro de este conjunto de fuentes visuales lo constituyen los libros de emblemas. La obra pionera fue el *Emblematum liber* de Andrea Alciati, en la que se creó el prototipo con tres elementos: el mote, que daba título al emblema, la imagen simbólica que lo ilustraba y la explicación versificada que proporcionaba la necesaria finalidad didáctica [véase cat. 35]. El modelo se extendió por toda Europa, donde conoció versiones más complejas como el *Theatro moral* de Otto Vaenius [cat. 38], en el que el conjunto de emblemas se enriquecía con otros textos de carácter estoico. También llegó a España, donde el más destacado de sus cultivadores fue Diego de Saavedra Fajardo, cuya *Idea de un príncipe político christiano* supone una interesante aportación a la teoría política y tuvo una gran difusión [cat. 37].

Por último, los libros ilustrados desempeñaron un papel básico en la difusión de las obras de arte de todo tipo (esculturas de la Antigüedad, pinturas de los grandes artistas modernos, modelos decorativos, edificios...). Buen ejemplo puede ser *La gallerie du Palais du Luxembourg*, obra maestra del grabado calcográfico en talla dulce que reproducía el conjunto que Rubens había pintado casi un siglo antes para María de Médicis [cat. 39]. El nacimiento del coleccionismo moderno y las primeras galerías de arte durante el siglo XVIII también quedará reflejado en las obras ilustradas, que empezaron a funcionar como auténticas guías visuales de las nuevas colecciones. Una de las más interesantes es el *Prodromus*, que reproduce las pinturas de los Habsburgo recién instaladas en el palacio Stallburg de Viena [cat. 40]. J. D. C.

PORTADA

28

STEFANO DELLA BELLA (1610-1664)

Principii del disegno

[Paris: Pierre Ie Mariette, 1651]
Sign. Cerv/1180

BIBLIOGRAFÍA: Baldinucci 1846, pp. 602-19; De Vesme 1971, núms. 364-88; Forlani 1973, pp. 44-46, cat. 26; *Stefano della Bella* 1998; Bordes 2003, pp. 76-77

La cartilla de Stefano della Bella es un buen ejemplo de cómo una obra para aprender a dibujar, pese a su reducido tamaño y su extensión, puede mostrar elocuentemente los intereses artísticos de su autor. En su biografía son lugares comunes las referencias a su pasión por el dibujo desde sus tiempos de aprendiz. Paralelamente, el descubrimiento de las estampas le llevó a copiarlas y a aprender la técnica del grabado al aguafuerte, el propio de los artistas, al que se dedicará junto con el dibujo casi exclusivamente a partir de 1625. El estilo minucioso desarrollado durante su aprendizaje en un taller de orfebre, así como en la copia de las estampas de Jacques Callot, le llevará a desarrollar una manera muy precisa y personal.

Della Bella fue a París en 1639, donde rápidamente se puso en contacto con algunos de los más importantes editores de estampas de aquellos años. Entre ellos estaba Pierre Ie Mariette, con quien editará esta cartilla de dibujo. Tradicionalmente la cartilla ha sido datada hacia 1649, pero la identificación de un ejemplar entre los bienes del inventario *post mortem* de la esposa del editor, fallecida en 1641, ha permitido adelantar la fecha, más próxima a su estancia romana de 1633 a 1636. En esos años realizó numerosos dibujos de las ruinas que posteriormente le sirvieron para hacer una serie de aguafuertes. Este dato es importante, pues en la portada pone especial cuidado en esbozar, entre las ruinas arquitectónicas ante las que dibuja «el Genio del dibujo», los elementos distintivos del arco de Constantino en Roma.

La cartilla está formada por veinticuatro estampas, además de la portada, y se compone fundamentalmente de cabezas de distinta procedencia que permiten conocer la variedad de sus intereses; por un lado, los derivados de modelos clásicos; por otro, los de inspiración rembrandtiana y, finalmente, los elaborados a partir de tipos propios. Su interés pedagógico, al fijar modelos para la copia, desde las partes del cuerpo a las cabezas de expresión, unido a su capacidad como dibujante y grabador, motivaron que apenas tres años después se le encargase grabar una serie de estampas destinada a la educación del Delfín de Francia.

J. M. M.

Fig. 28.1
Livio Mehus, *El Genio de la pintura*, h. 1650. Óleo sobre lienzo, 70 x 80 cm. Madrid, Museo Nacional del Prado [P-7754]

29

GIOVANNI FRANCESCO BARBIERI, IL GUERCINO (1591-1666)

[Opera]: Sereniss. Mantuæ Duci Ferdinando Gonzaghæ D.D

[Bolonia: s. n., 1619]
Sign. Cerv/317

BIBLIOGRAFÍA: Bertelà y Ferrara 1973, núms. 480-92; Olmstead 1984, p. 111; Bagni 1988, pp. 6-7 y 174-77; Stone 1991; Bordes 2003, pp. 49 y 75

Guercino abrió en 1616 una academia en Cento, en la casa de uno de sus patronos, Bartolomeo Fabbri, donde se dibujaba del natural. El éxito de esta academia le llevó probablemente a editar esta cartilla, formada por veintidós estampas más la portada, con la que podía satisfacer la creciente demanda de aprendizaje del dibujo del cuerpo humano. El éxito de la cartilla hizo que poco después fuese copiada en tres ocasiones.

La autoridad que el maestro ejercía personalmente en el taller sobre sus discípulos quedaba sustituida en las cartillas por el nombre del artista que se responsabilizaba de la elección de los modelos destinados a ser copiados. El método didáctico empleado resumía en imágenes el aprendizaje en el taller, mostrando un proceso ascendente que iba inevitablemente desde lo más sencillo a lo más complejo. Este recorrido se iniciaba con el estudio particular de las distintas partes del rostro, continuaba con las extremidades, seguía con el estudio de las cabezas y los torsos, y, en ocasiones, dependiendo de la extensión de la cartilla, finalizaba con la presentación de figuras completas en escorzo.

La claridad que exigían las cartillas obligaba a definir con nitidez los contornos y a utilizar una economía de medios en las líneas. Así, el blanco de la hoja de papel se convierte en el espacio en que se inscriben las figuras sin necesidad apenas de definir ninguna clase de fondo, ya que son las figuras las que crean el espacio a través de su volumen, sólo aplicado en las sombras que generan en ellas mismas.

Puesto que el nombre del autor constituía el principio de autoridad de las cartillas, es normal que aquél volcase en ellas su modo particular de entender el arte, incluyendo por tanto modelos tomados de su propia obra. Así, Guercino reprodujo o adaptó figuras sacadas directamente de pinturas de su período juvenil, en las que se puede apreciar la importancia que concedía a las miradas, a los escorzos y a los efectos de la luz sobre las figuras, convirtiendo de este modo a las estampas en un repertorio propio de soluciones formales.

J. M. M.

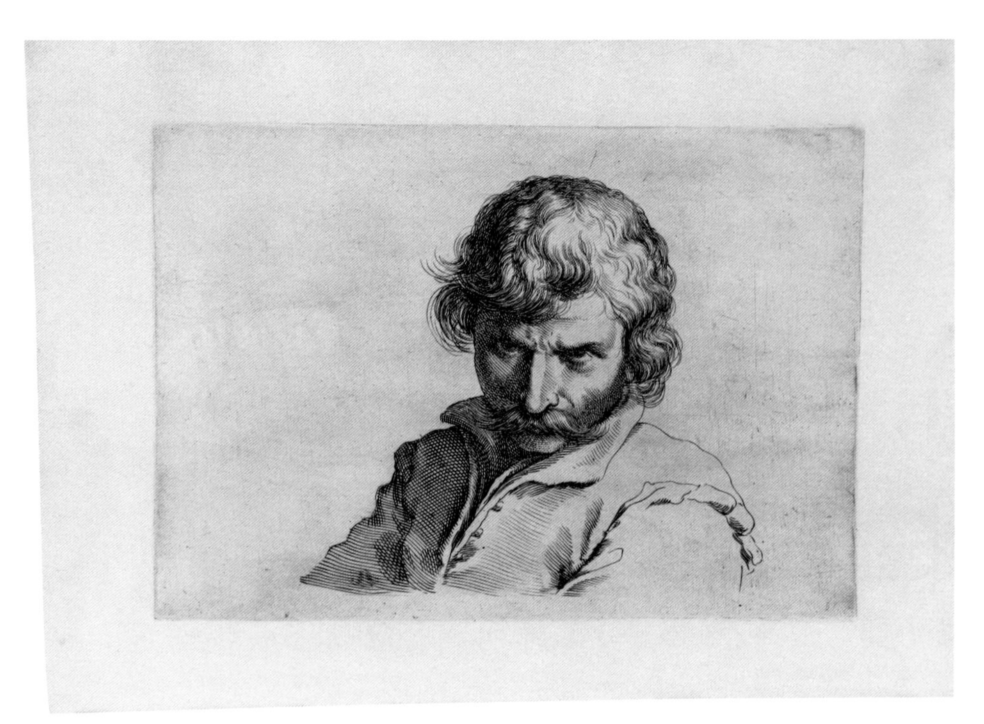

LÁMINA 17

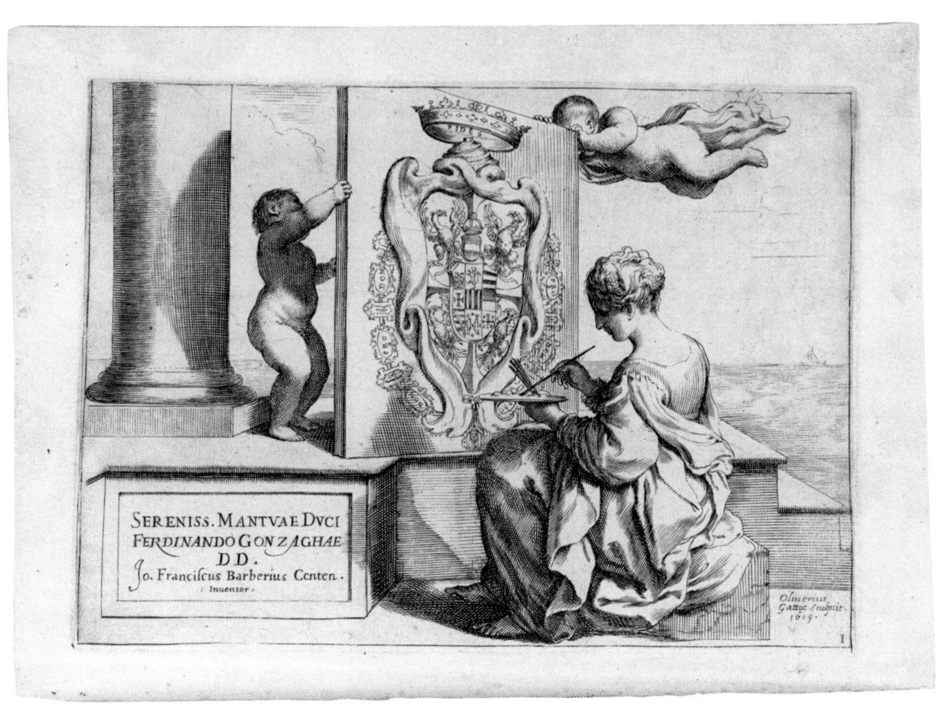

PORTADA

30

JOSÉ GARCÍA HIDALGO (1645-1717)

Principios para estudiar el nobilíssimo y real arte de la pintura

[¿Valencia?: s.n., después de 1700]
Sign. Mad/189

BIBLIOGRAFÍA: Rodríguez-Moñino y Sánchez Cantón 1965; Galindo 2006

LÁMINA 61

Se trata de la primera y más completa cartilla para aprender a dibujar de cuantas se editaron en España. La falta endémica de grabadores en nuestro país impidió la publicación de este tipo de obras didácticas que tanto éxito habían alcanzado en Italia y otros países europeos. Apenas tuvieron trascendencia los intentos de Ribera, y sólo la breve cartilla de Pedro de Villafranca resiste una mínima comparación con los modelos flamencos e italianos en los que se inspiró.

Por ello, la obra de García Hidalgo merece un lugar destacado, aun cuando las páginas de texto apenas constituyen una breve introducción en la que dejar constancia de los principios y objetivos de la cartilla. El breve prólogo mantiene ese carácter de recetario al que no son ajenos gran parte de los manuales artísticos de la época. Como menciona el mismo título, la obra recoge principios para estudiar el «todo y las partes del cuerpo humano, siguiendo la mejor escuela y simetría. Con demostraciones matemáticas que ajustan y enseñan la proporción y perfección del rostro, y ciertos perfiles del hombre, mujer y niños, y el modo de colorir al olio, fresco y temple y otros secretos y preceptos del gran arte». Pese a esta última referencia, el grueso del libro lo forman las estampas, realizadas al aguafuerte por el propio José García Hidalgo.

El carácter didáctico de la cartilla se pone de manifiesto en el prólogo, donde se indican los destinatarios de la misma: por un lado, los artistas, a los que propone soluciones formales tomadas de los maestros y, por otro, un público no formado, compuesto por niños o aficionados, a los que trata de ofrecer una serie de modelos elocuentes que les permitan adquirir un nivel elemental sin necesidad de contar con un maestro, para posteriormente entrar en una academia donde dibujar del natural. De este modo en la cartilla, antes de llegar a la estampa que representa una «Academia de dibujo del natural», se dispone un numeroso conjunto de muestras en las que, como es habitual en este tipo de obras, se presentan primero las partes para después llegar al todo, es decir, al cuerpo humano completo. Es especialmente relevante la selección que García Hidalgo hace de las imágenes, pues además de ser escogidas como modelos para la copia dibujada, la variedad de soluciones que ofrecen constituye en sí misma un repertorio formal a disposición del aficionado y del pintor. Ojos, bocas, orejas, cabezas, manos, brazos, pies, piernas, torsos y, finalmente, figuras en diferentes escorzos, forman la mayor parte de la cartilla. Una segunda parte de la misma está constituida por los análisis geométricos, base de la perspectiva, a la que dedica la última parte del tratado. Intercaladas, el usuario se encontraba con composiciones acabadas basadas en pinturas del propio García Hidalgo.

Si el esquema mencionado parece perfectamente lógico, no lo es tanto cuando nos enfrentamos a los pocos ejemplares conocidos, que en los últimos años han visto ampliado su censo; de hecho, los tres que se conservan en la Biblioteca del Museo del Prado (dos procedentes de la Biblioteca Cervelló y otro, el que exponemos, de la Biblioteca Madrazo) muestran un orden diferente cada uno. Del análisis de los ejemplares conservados se deduce que no se efectuó una edición única, sino que más bien se encuadernaron casi a modo de colección facticia. Buen ejemplo de ello es que ninguno de los conocidos es exactamente igual a otro y que la variación entre ejemplares puede ser en ocasiones considerable, como ocurre con los propios del Museo. Por ejemplo, en dos de ellos se incluyen estampas que nada tienen que ver con la cartilla, como las once estampas del *Via Crucis* que se incorporan al final, grabadas por el propio García Hidalgo. Precisamente la última de ellas aparece fechada en 1700, permitiendo datar esta edición poco después de ese año, si bien los primeros ejemplares conocidos se pueden fechar hacia 1691, año que consta en el ejemplar conservado en la Real Biblioteca (Madrid).
J. M. M.

31

PAOLO GIOVIO (1483-1552)

Elogia virorum literis illustrium

Basilea: Petri Pernæ typographi Basil. opera ac stvdio, 1577
Sign. Cerv/1452

BIBLIOGRAFÍA: Stimmer 1984; Pope-Hennessy 1985, p. 79; Zimmermann 1995; Huidobro 1997, vol. 1, pp. 490-92; Perini 2002, pp. 107-8 y 202-7; Klinger 2007; *Retrato* 2008, pp. 364-65

Paolo Giovio nació en Como en 1483. Estudió medicina y se trasladó a Roma en 1512 atraído por la corte de León X, entrando poco después al servicio del cardenal Giulio de Médicis, futuro papa Clemente VII, quien en 1528 le nombrará obispo de Nocera dei Pagani. Hombre de gran curiosidad intelectual, pronto comenzó su labor como historiador abandonando finalmente la medicina. Murió en Florencia en 1552 sin haber conseguido el ansiado obispado de Como y fue enterrado en la basílica de San Lorenzo, lugar reservado tradicionalmente a la familia Médicis.

Fue posiblemente durante su primera estancia en Florencia, acompañando a Giulio de Médicis, cuando comenzó su colección de retratos de hombres ilustres, logrando reunir, al final de su vida, cerca de quinientas pinturas. Para albergar esta colección que iba creciendo paulatinamente comenzó, hacia 1537, la construcción de un edificio nuevo en Como, cerca de la casa familiar y en el lugar donde según la tradición se encontraba la villa romana de Plinio el Joven. Giovio quería que su Museo fuera un lugar abierto al público, donde los visitantes pudiesen admirar y aprender de estos hombres ilustres. A esta función didáctica contribuían los breves textos biográficos que escribió sobre pergamino y que se colgaron debajo de cada retrato. Así, imagen y texto juntos ofrecían el «auténtico» retrato del modelo.

Cuando decidió publicar esos textos, comenzó por los hombres de letras ya fallecidos, pero su intención era continuar con las otras tres

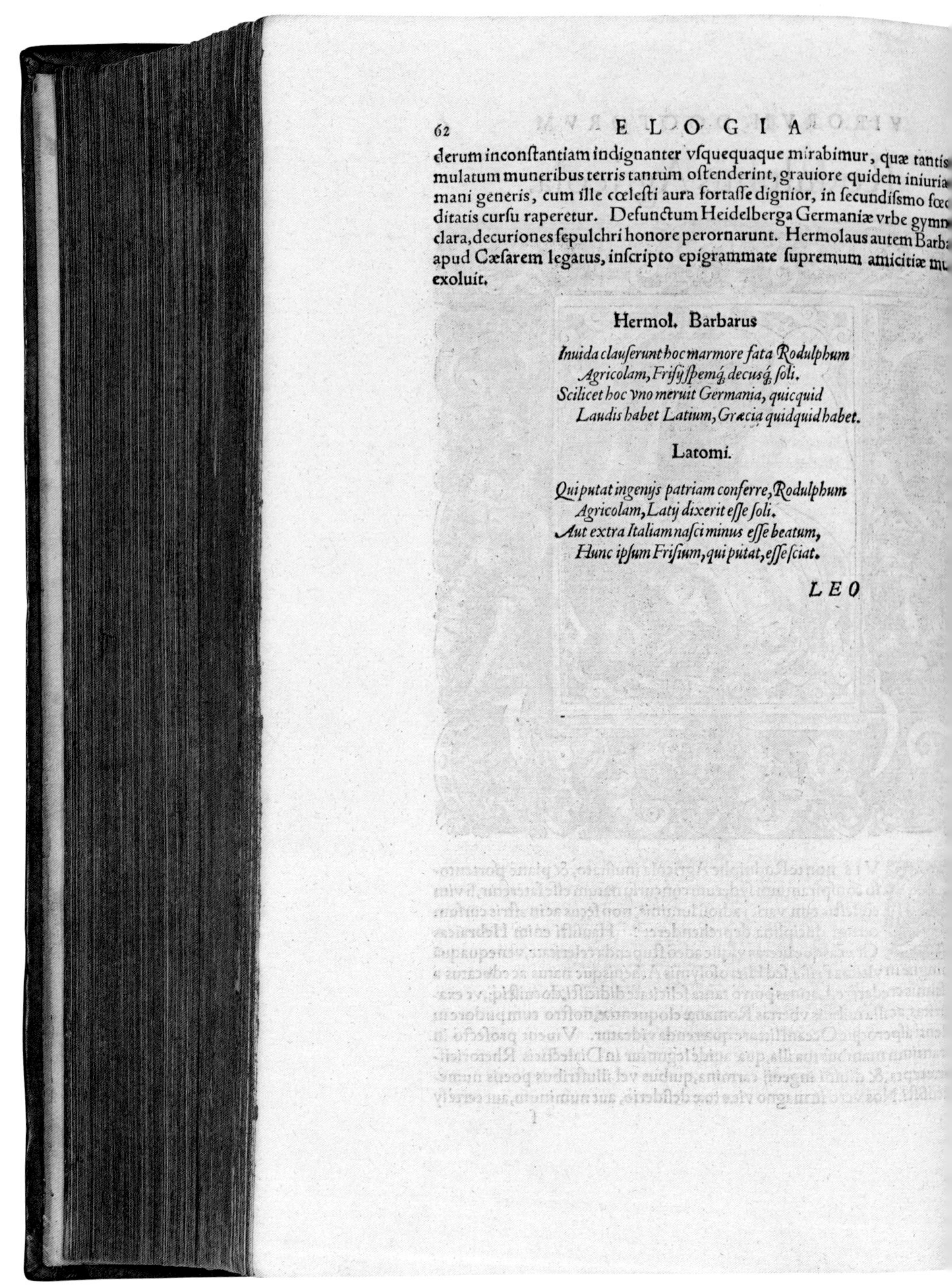

62 ELOGIA

derum inconſtantiam indignanter vſquequaque mirabimur, quæ tantis
mulatum muneribus terris tantùm oſtenderint, grauiore quidem iniuria
mani generis, cum ille cœleſti aura fortaſſe dignior, in ſecundiſsmo fœ
ditatis curſu raperetur. Defunctum Heidelberga Germaniæ vrbe gymn
clara, decuriones ſepulchri honore perornarunt. Hermolaus autem Barb
apud Cæſarem legatus, inſcripto epigrammate ſupremum amicitiæ mu
exoluit.

Hermol. Barbarus

Inuida clauſerunt hoc marmore fata Rodulphum
Agricolam, Friſij ſpemq; decusq; ſoli.
Scilicet hoc vno meruit Germania, quicquid
Laudis habet Latium, Græcia quidquid habet.

Latomi.

Qui putat ingenijs patriam conferre, Rodulphum
Agricolam, Latij dixerit eſſe ſoli.
Aut extra Italiam naſci minus eſſe beatum,
Hunc ipſum Friſium, qui putat, eſſe ſciat.

LEO

PP. 62-63

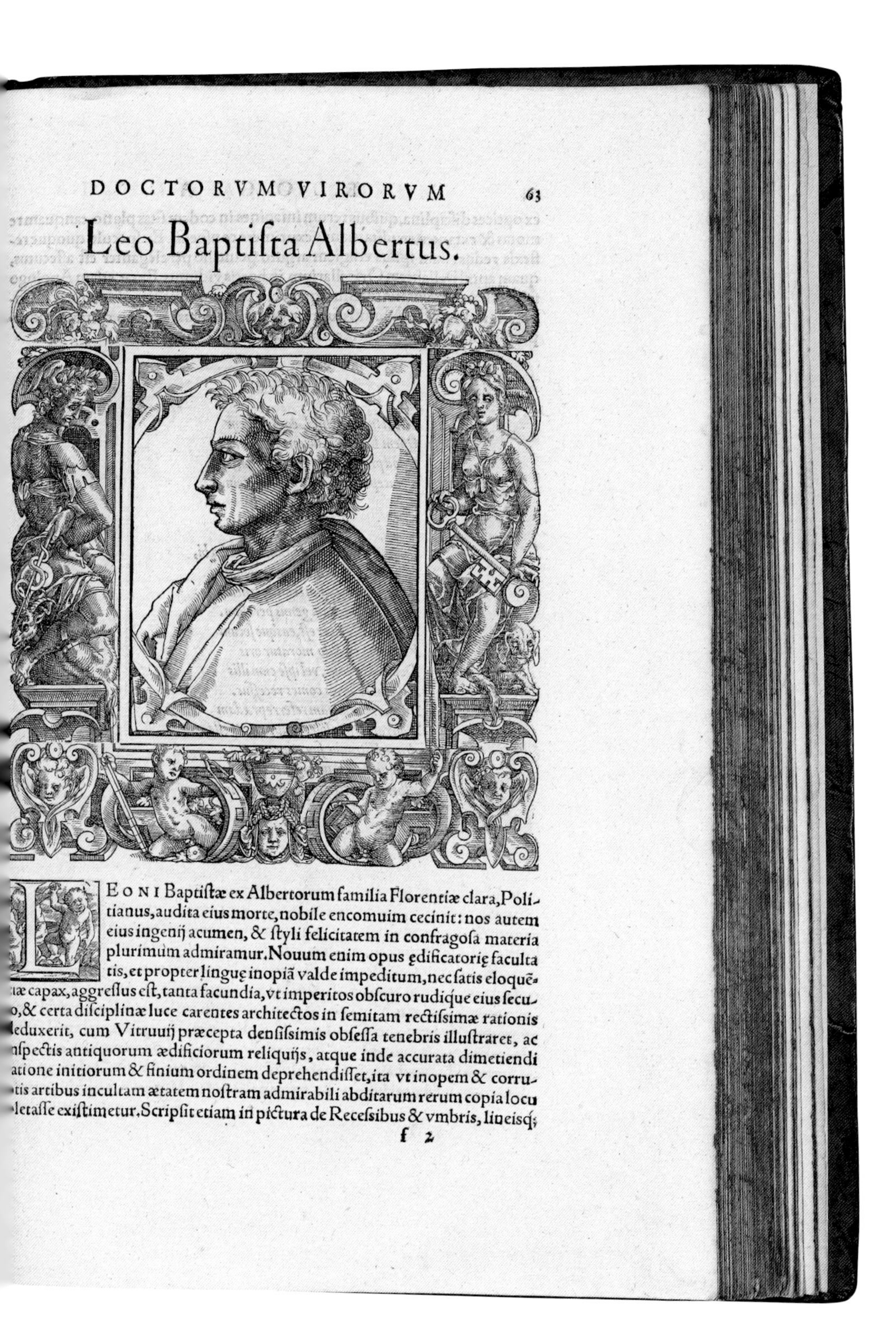
DOCTORVM VIRORVM 63

Leo Baptiſta Albertus.

LEONI Baptiſtæ ex Albertorum familia Florentiæ clara, Politianus, audita eius morte, nobile encomuim cecinit: nos autem eius ingenij acumen, & ſtyli felicitatem in confragoſa materia plurimum admiramur. Nouum enim opus ędificatorię facultatis, et propter linguę inopiã valde impeditum, nec ſatis eloquẽ-
ıæ capax, aggreſſus eſt, tanta facundia, vt imperitos obſcuro rudique eius ſecu-
o, & certa diſciplinæ luce carentes architectos in ſemitam rectiſsimæ rationis
leduxerit, cum Vitruuij præcepta denſiſsimis obſeſſa tenebris illuſtraret, ac
nſpectis antiquorum ædificiorum reliquijs, atque inde accurata dimetiendi
atione initiorum & finium ordinem deprehendiſſet, ita vt inopem & corru-
tis artibus incultam ætatem noſtram admirabili abditarum rerum copia locu
letaſſe exiſtimetur. Scripſit etiam in pictura de Receſsibus & vmbris, lineisq;

f 2

categorías en las que había dividido sus retratos, es decir, los hombres de letras aún vivos, los artistas y, por último, papas, reyes y generales. También pretendía que cada texto llevase el grabado de la efigie correspondiente inspirada en los retratos de su colección, pero la falta de recursos le obligó a descartar esta idea. En 1546 salían de las prensas venecianas de Michele Tramezzino los *Elogia veris clarorum virorum*, con los textos ordenados según la fecha de la muerte del biografiado. En 1551 aparecían en Florencia, impresos por Lorenzo Torrentino, los *Elogia virum bellica virtute*.

Para ver la edición que Giovio imaginó, hay que esperar a 1571 y a la iniciativa de un impresor italiano establecido en Basilea llamado Pietro Perna que, entre 1569 y 1570, envió a Como a Tobias Stimmer para que copiase los retratos del Museo de Giovio con vistas a la publicación de una edición ilustrada con entalladuras. Stimmer (1539-1584) se dedicó principalmente a la ilustración de libros, destacando por su habilidad como retratista. Este magnífico ejemplar facticio incluye varias de las obras editadas por Perna: *Vitæ illustrium virorum*, 1578; *Vitarum illustrium aliquot virorum*, 1577; *Elogia virorum bellica virtute illustrium*, 1596; y *Elogia virorum literis illustrium*, 1577. Para esta última se grabaron, además de la portada, sesenta y tres retratos. Todos, excepto tres, están rodeados por elaborados marcos, formados por cuatro tacos, con figuras alegóricas, mascarones y *putti*.

Entre los retratos destaca el de Leon Battista Alberti, quien se ocupa también del retrato en su tratado *De pictura* [veáse cat. 1]. Consciente de que la imagen de un hombre hace perdurar su fama después de muerto, realizó varios autorretratos. El más conocido es la placa de bronce que se encuentra en la National Gallery of Art de Washington y que posiblemente fundiera él mismo. En el texto, Giovio destaca su labor como escritor y como teórico de la arquitectura y de la pintura, además de su pericia para autorretratarse utilizando un espejo.
A. H. V.

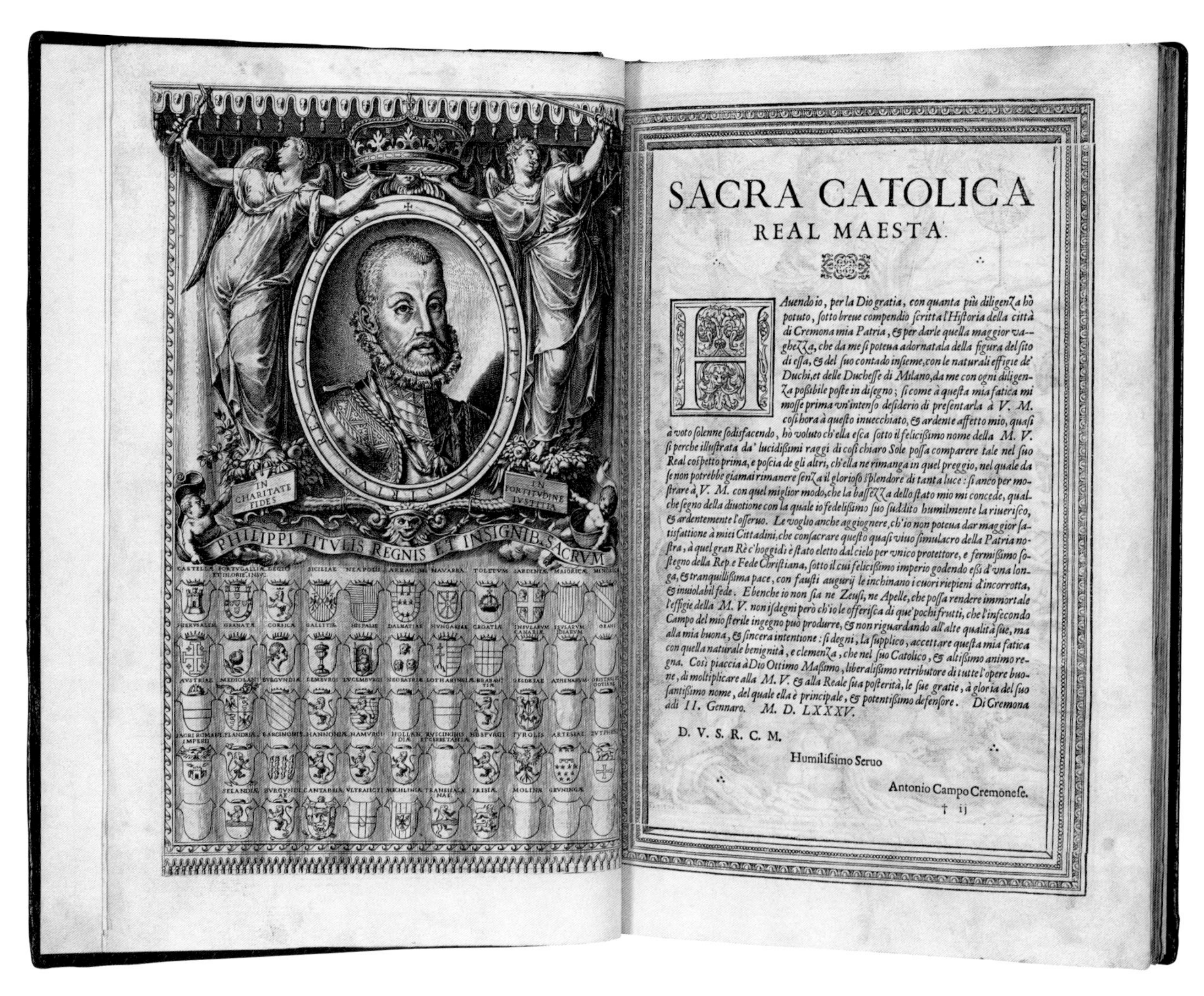

SACRA CATOLICA
REAL MAESTA.

Havendo io, per la Dio gratia, con quanta più diligenza hò potuto, sotto breue compendio scritta l'Historia della città di Cremona mia Patria, & per darle quella maggior vaghezza, che da me si poteua adornatala della figura del sito di essa, & del suo contado insieme, con le naturali effigie de' Duchi, et delle Duchesse di Milano, da me con ogni diligenza possibile poste in disegno; si come à questa mia fatica mi mosse prima vn'intenso desiderio di presentarla à V. M. così hora à questo inuecchiato, & ardente affetto mio, quasi à voto solenne sodisfacendo, hò voluto ch'ella esca sotto il felicissimo nome della M. V. si perche illustrata da' lucidissimi raggi di così chiaro Sole possa comparere tale nel suo Real cospetto prima, e poscia de gli altri, ch'ella ne rimanga in quel preggio, nel quale da se non potrebbe giamai rimanere senza il glorioso splendore di tanta luce: si anco per mostrare à V. M. con quel miglior modo, che la bassezza dello stato mio mi concede, qualche segno della diuotione con la quale io fedelissimo suo suddito humilmente la riuerisco, & ardentemente l'osseruo. Le voglio anche aggiognere, ch'io non poteua dar maggior satisfattione à miei Cittadini, che consacrare questo quasi viuo simulacro della Patria nostra, à quel gran Rè c'hoggidì è stato eletto dal cielo per vnico protettore, e fermissimo sostegno della Rep. e Fede Christiana, sotto il cui felicissimo imperio godendo essi d'vna longa, & tranquillissima pace, con fausti augurij le inchinano i cuori riepieni d'incorrotta, & inuiolabil fede. E benche io non sia ne Zeusi, ne Apelle, che possa rendere immortale l'effigie della M. V. non isdegni però ch'io le offerisca di que' pochi frutti, che l'infecondo Campo del mio sterile ingegno può produrre, & non riguardando all'alte qualità sue, ma alla mia buona, & sincera intentione: si degni, la supplico, accettare questa mia fatica con quella naturale benignità, e clemenza, che nel suo Catolico, & altissimo animo regna. Così piaccia à Dio Ottimo Massimo, liberalissimo retributore di tutte l'opere buone, di moltiplicare alla M. V. & alla Reale sua posterità, le sue gratie, à gloria del suo santissimo nome, del quale ella è principale, & potentissimo defensore. Di Cremona adi II. Gennaro. M. D. LXXXV.

D. V. S. R. C. M.

Humilissimo Seruo

Antonio Campo Cremonese.

† ij

[PP. 2-3]

32
ANTONIO CAMPI (1524-1587)
Cremona fedelissima città et nobilissima colonia de Romani

In Cremona: in casa dell'Auttore, 1585 (per Hippolito Tromba, & Hercoliano Bartoli)
Sign. Corr/1

BIBLIOGRAFÍA: Campi 1985, pp. 317-20; *Austrias* 1993, pp. 127 y 132-35; Portús 1998; Bouza 1998; Sánchez Esteban 2000

Este libro, una de las obras maestras de la imprenta italiana del siglo XVI, se inscribe dentro del género de las corografías o descripciones de ciudades y fue dedicado a Felipe II, como señor del Milanesado, donde se halla la ciudad de Cremona. Es obra del pintor Antonio Campi, figura polifacética que no sólo escribió el texto sino que realizó también los dibujos para la mayor parte de las ilustraciones. La obra destaca por su cuidada tipografía y por las espléndidas estampas calcográficas que lo ilustran. Se abre con un frontispicio con alegorías de la Fama y la Paz, al que siguen un retrato de Felipe II y una alegoría de la ciudad, todas atribuidas a Agostino Carracci. A continuación se encuentran un mapa del territorio cremonense, un plano de la ciudad y varias imágenes de sus edificios principales, que han sido atribuidas al grabador cremonés David de Laude.

La segunda parte incluye una serie de treinta y tres retratos en óvalo de los duques y duquesas de Milán, concluyendo con retratos del Rey Prudente y de sus cuatro esposas, en la única ocasión en que fueron representadas las cuatro juntas. Fueron grabados por Agostino Carracci a partir de los dibujos de Campi y su fuente de inspiración puede encontrarse en la obra de Paolo Giovio [cat. 31]. Los retratos destacan por la delicadeza de los detalles y el uso sutil de luces y sombras. Se presentan siempre en busto, generalmente en tres cuartos, sobre un fondo neutro y rodeados de un marco en el que se inscriben nombres y cargos. Será un prototipo muy imitado en los retratos grabados posteriores.

Aparte de la serie de los duques hay que destacar el retrato de Felipe II que abre la obra, también en óvalo. El rey aparece con armadura y llevando el collar del Toisón de Oro. Le flanquean las alegorías de la Fe, a la izquierda, con el crucifijo en la mano; y de la Justicia, a la derecha, con la espada como atributo. En la parte inferior aparecen los escudos de todos los territorios sobre los que gobernaba Felipe II.
J. D. C.

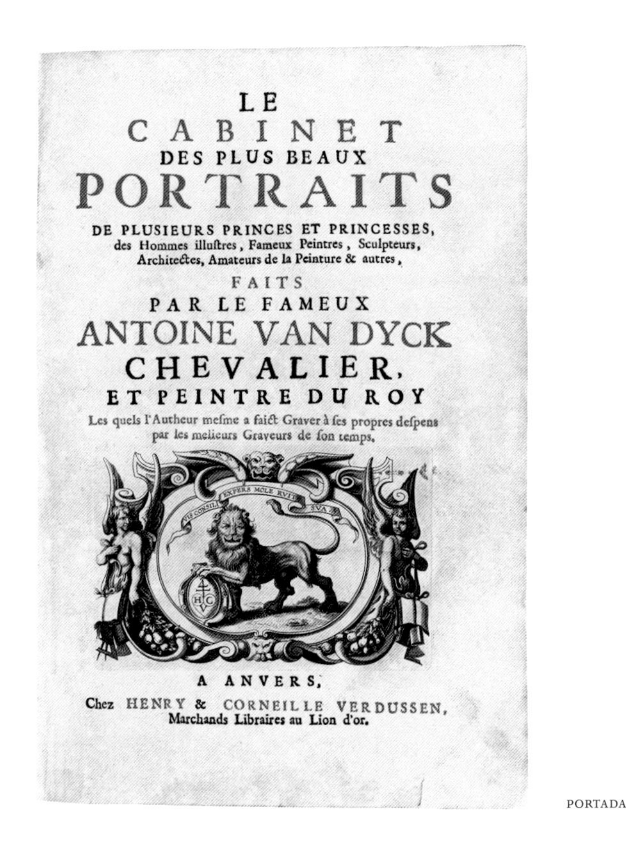
LE
CABINET
DES PLUS BEAUX
PORTRAITS
DE PLUSIEURS PRINCES ET PRINCESSES,
des Hommes illustres, Fameux Peintres, Sculpteurs,
Architectes, Amateurs de la Peinture & autres,
FAITS
PAR LE FAMEUX
ANTOINE VAN DYCK
CHEVALIER,
ET PEINTRE DU ROY
Les quels l'Autheur mesme a faict Graver à ses propres despens
par les meilleurs Graveurs de son temps,
A ANVERS,
Chez HENRY & CORNEILLE VERDUSSEN,
Marchands Libraires au Lion d'or.

PORTADA

[LÁMINA 46]

33

ANTON VAN DYCK (1599-1641)

Le cabinet des plus beaux portraits

A Anvers [Amberes]: chez Henry & Corneille Verdussen, [h. 1720]
Sign. 21/1920

BIBLIOGRAFÍA: Mauquoy-Hendricx 1991; Depauw y Luijten 2003, pp. 73-218

Se trata de la edición de la famosa *Iconographia* de Van Dyck que realizaron los Verdussen, impresores de Amberes, hacia 1720. El ejemplar está compuesto de ciento veinticuatro estampas, incluyendo el autorretrato del autor como frontispicio y cinco estampas dobles. También contiene al comienzo de la obra un *Abregé de la vie d'Antoine van Dyck* en cuatro páginas.

Van Dyck debió de planificar algún tipo de colección de retratos grabados y circularon algunos ejemplares con ochenta estampas distribuidos por el editor Martinus van den Enden. En 1645, cuatro años después de la muerte del pintor, el editor Gillis Hendricx publicó la primera edición conocida, con cien estampas y el autorretrato de Van Dyck como portada. Posteriormente las láminas de cobre pasaron a diversos editores y no fue hasta 1759 cuando el nombre *Iconographia* apareció en la portada. En la actualidad se conservan en el Département des Arts Graphiques del Louvre.

La mayoría de los retratos parten de dibujos, bocetos al óleo o cuadros de Van Dyck, aunque él sólo grabó diecisiete aguafuertes. El resto fue llevado a la lámina de cobre por los mejores grabadores flamencos de su tiempo: Paulus Pontius, Lucas Vorsterman, Pieter de Jode el Joven, Schelte a Bolswert, etc. Los retratados se dividen en tres grupos: representantes del poder político y militar, estadistas y eruditos y, el más numeroso, artistas y amantes del arte, tanto franceses (Callot, Vouet) como flamencos (Rubens, Jan y Pieter Brueghel) y holandeses (Honthorst, Mierevelt). Casi todos estos artistas aparecen sin sus útiles de trabajo, en un intento de mostrarlos más como intelectuales que como artesanos. Cinco de estas estampas reproducen cuadros del Museo del Prado, como el retrato de Enrique Liberti (1600-1661), músico y organista de la catedral de Amberes [fig. 33.1].

Es la serie de retratos más célebre del siglo XVII. Van Dyck logró trasladar su extraordinaria capacidad como pintor retratista al mundo de la estampa y, a pesar de que no fue muy apreciada por sus contemporáneos, con la excepción de Rembrandt, a partir de los años centrales del siglo XVII tuvo una extraordinaria influencia en la evolución del retrato como género pictórico, especialmente por la variedad y la riqueza de soluciones formales que ofrecía.

J. D. C.

Fig. 33.1
Anton van Dyck, *El músico Enrique Liberti*, 1627-32. Óleo sobre lienzo, 107 x 97 cm. Madrid, Museo Nacional del Prado [P-1490]

34

PUBLIO OVIDIO NASÓN (43 A.C.-17 D.C.)

Las Transformaciones de Ovidio en lengua española: repartidas en quinze libros: con las allegorías al fin dellos y sus figuras para provecho de los artífices

En Anvers [Amberes]: en casa de Pedro Bellero, 1595
Sign. Cerv/173

BIBLIOGRAFÍA: Prindle 1939; Schevill 1971, pp. 425 y ss.; Stahlberg 1984, pp. 29-35; Huber-Rebenich 1992, pp. 123-33; Carrasco 1997, pp. 987-94; Díez Platas 2003, vol. I, pp. 247-67; Díez Platas s.a.

Ningún texto latino antiguo ha contribuido de una manera tan decisiva a la conformación de la mitología clásica en la cultura de Occidente como las *Metamorfosis* de Ovidio. Su influencia fue determinante en el arte europeo a partir del Renacimiento, específicamente en el contexto del humanismo italiano, lo que explicaría las numerosas ediciones salidas de las prensas venecianas durante los siglos XV y XVI, punto de partida de las versiones impresas por un considerable número de tipógrafos del resto de Europa.

Estructurado en quince libros, el poema combina la tradición mítica con la filosofía pitagórica y su interpretación cambiante de la realidad, para presentar una concepción de la Historia basada en la transformación del hombre y del mundo. A través de doscientos cuarenta y seis episodios, heterogéneos, aunque temáticamente vinculados entre sí por el cambio como idea medular, en las *Metamorfosis* se narra el devenir de la humanidad desde la creación del cosmos hasta la transformación de Julio César en astro.

Aunque la primera traducción española vio la luz en 1488, fue la segunda mitad del siglo XVI el momento de mayor expansión y cuando se imprimieron al menos doce ediciones en español, la mayoría a partir de la versión libre de Jorge de Bustamante. Entre ellas, ninguna es comparable a la impresa en Amberes por Pedro Bellero en 1595 debido a las numerosas imágenes

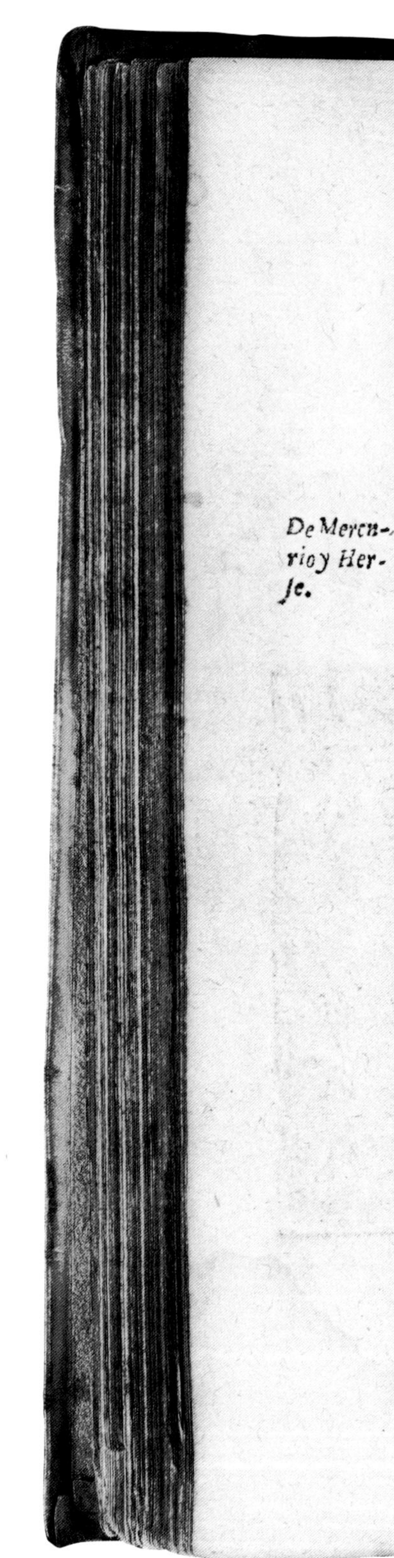

LIBRO SEGVNDO

duda el dezia verdad que alli eſtauan. Mercurio
do lo que el villano le auia prometido, y viſto l
deſpues hazia: rioſe mucho y dixole . Pues co
traydor a mi pienſas tu engañar? Eſto dicho aſsi
mo el villano tenia tendida la mano, moſtrandol
que parte andauan las vacas: aun antes que vui
tiempo de baxar el braço lo conuertio en piedra
aſsi dizen que aun oy dia eſtà, eſta piedra por n
moria y exemplo ſeñalando con la mano aquel n
te donde las vacas eſtauan.

De Mercurio y Herſe.

MErcurio tomo vnas alas deſde alli, y volo
bre los montes de monochio: & yua mirã
la tierra y prados y Montes de Liceo ded
dos a Pallas: donde a caſo en aquel dia vio entre
tras muchas que por alli andauan vnas tres don
las virgines hermanas, que lleuauan ſus ofrenda
templo de Pallas & ya ſe tornauan de hazer
ſacrificios. Mercurio que andaua en el ayre vien
las y pareſciẽdole muy bien, dexo de ſeguir ſu ca
no derecho y començo de andar por lo alto cerr
dolas al derredor, bien aſsi como el milano ſuele
zer quãdo veelos temeroſos pollos que eſtan ce
de las abrigadoras alas de ſu madre y no oſa ba
por temor de la gente que alli anda. Deſta man
Mercurio las anda rodeando y mirando ſi podra
çar alguna de las tres hermoſas hermanas, eſpec
mente la vna: porque tanto quanto ſe eſtrem
Sol de la Luna, y la Luna de las eſtrellas: tanto
brepuja y vence eſta Herſe a todas las otras vir
nes: porque ella pareſcia ſola eſpejo y honrra
todas ſus compañias . Quando Mercurio la v
tan hermoſa, perdio el ſeſo y la memoria: y qua
to mas la miraua, mas ſe encendia en el amor
por eſta cauſa deſcendio luego del cielo a la ti
ra: y por pareſcer mas hermoſo y agraciado del
te della peynaſe los cabellos y endereça los que
ſten yguales, y cubreſe el manto en tal manera q
parez

FOLS. 37V-38R

DE OVIDIO. 38

arezca la orla y el lindo atauio de ſu hermoſa y a-
lornada perſona:y toma la verga , o ſceptro en ſu
nano cō que ſuele a los hōbres adormir y deſpertar
quando quiere : y alimpia y da luſtre a ſus dorados
apatos,porque parezcan reſplandeſciēdo mas her-
noſos y limpios . La caſa en que las virgines vi-
ian era muy ſumptuoſa , y muy ricamente en-
retallada de obra de marfil y de ebano , y auia
nella tres camaras diuididas y apartadas . En
a dieſtra deſtas era el apoſento de Aglauros : en
a ſinieſtra de Pandroſe : y en la de en medio el de
Herſe. Aglauros viendo venir a Mercurio,pre-
guntole quien era o que buſcaua . Mercurio
reſpondio . Sabete que yo ſoy hermano de
Pallas , y hijo de Iupiter : & yo ſoy ſu fiel ſecre-
tario , y el que diſcurriendo por los ayres a mi
ujetos lleuo y traygo las embaxadas de mi pa-

dre deſde el cielo a la tierra . Sepas que en nada de quanto te digo miento : por tanto te ruego
que

que ilustran el texto: ciento setenta y cinco grabados en madera a la entalladura, cortados por Virgil Solis y su taller, utilizados por primera vez en la edición latina de 1563 publicada en Fráncfort por Sigmund Feierabend. Estas entalladuras eran a su vez copias invertidas, a escala algo mayor, de las estampas de Bernard Salomon para la bella edición lionesa de Jean de Tournes de 1557. Las sucesivas reinterpretaciones y reutilizaciones de esas imágenes no sólo testimonian la circulación de tacos grabados entre los diferentes talleres de imprenta europeos de la época, sino que confirman la fortuna del poema de Ovidio y el masivo consumo de sus ilustraciones.

La de Bellero fue la segunda edición ilustrada española, ya que seis años antes había aparecido en Valladolid la traducción príncipe de Pedro Sánchez Viana, más fiel al texto original aunque adornada apenas con quince estampas, también a la entalladura. A diferencia de esas imágenes, concebidas para ilustrar un episodio único al comienzo de cada libro del poema, las abundantes entalladuras de la edición de Bellero supusieron un cambio fundamental en la ilustración de las *Metamorfosis*, al ofrecer la concreción visual de todas las fábulas y de la mayoría de los pasajes. Por ese motivo, las ediciones con las estampas de Salomon / Solis fueron muy apreciadas por los artistas, ya que les suministraban una valiosa información visual para el planteamiento de sus programas iconográficos.

Numerosos artistas recurrieron a las ediciones ilustradas del poema de Ovidio, Velázquez entre ellos. También acudió a ellas el tejedor flamenco Willem de Pannemaker, autor de la serie de ocho tapices adquirida por el IV duque de Medinaceli con la historia de Mercurio y Herse tomada de las *Metamorfosis* —dos de los ocho tapices se conservan en las colecciones del Museo del Prado (O-1794 y O-1795)—. La fábula cuenta cómo Mercurio, cuando sobrevolaba Atenas, se enamoró de la bella Herse, hija de Cécrope, rey del Ática, la inoculación del mal por la Envidia en el cuerpo de Aglauro, hermana de Herse, y la metamorfosis de Aglauro en piedra al final de la historia.
J. B. B.

35

ANDREA ALCIATI (1492-1550)

Los emblemas de Alciato

En Lyon: por Guilielmo Rovillio, 1549
Sign. Cerv/150

BIBLIOGRAFÍA: Alciato 1975; Alciato 1985; Campa 1990, pp. 27-28; Alciato 1995

El *Emblematum liber* de Alciati fue el primero de los numerosos libros de emblemas publicados en los siglos XVI y XVII. Su autor era jurista, erudito y profesor de universidad y escribió esta obra hacia 1520-21. En su forma original se trataba de una colección de ciento cuatro epigramas latinos, de los que una tercera parte estaba basada en la *Anthologia greca* (Florencia, 1494). La primera edición apareció en Augsburgo en 1531 sin permiso del autor. El editor, Heinrich Steiner, decidió añadir imágenes ilustrando cada epigrama por motivos comerciales, creando el formato de todos los libros de emblemas caracterizado por tres elementos —la *inscriptio* o mote, que da título al emblema, la *pictura* o imagen simbólica y la *suscriptio* o explicación versificada— y una finalidad didáctica. Las reediciones de la obra se sucedieron, con correcciones y ampliaciones, hasta llegar a los doscientos doce emblemas de esta edición.

Esta es la primera traducción al español, realizada por Bernardino Daza Pinciano, que, junto con los comentarios publicados por el Brocense en 1573 y por Diego López en 1615, fue clave en el enorme éxito que tuvo en España. La obra influyó tanto en la elaboración de las alegorías de las arquitecturas efímeras como en los cuadros de pintores como Francisco Pacheco, Velázquez o Goya. También dio origen a la literatura emblemática española (Covarrubias Orozco, Saavedra Fajardo [cat. 37], Solórzano Pereira, etc.).

Al igual que otras ediciones lionesas de este momento, todas las páginas van decoradas con orlas que, junto con las imágenes de los emblemas, forman un conjunto de gran atractivo visual. Esta edición aprovecha los tacos de madera de la edición latina de 1548 del mismo editor y han sido atribuidos a Bernard Salomon, aunque no están firmados. En algunos ejemplares pueden verse las iniciales «P. V.», que han sido consideradas como pertenecientes a Pierre Vingle o a Pierre Vase. Los modelos se repetirán en ediciones castellanas posteriores (Lyon, 1573; Nájera, 1615). La sección dedicada a los árboles utiliza las ilustraciones de *De historia stirpium* de Leonhard Fuchs (1549).

J. D. C.

Los Emblemas
DE ALCIATO
Traducidos en rhimas Españolas. Añadidos de figuras y de nueuos Emblemas en la tercera parte de la obra.
Dirigidos al Illustre. S. Iuã Vazquez de Molina.
EN LYON POR GVILIELMO ROVILLIO. 1549.
Con licẽçia y Priuilegio.

PORTADA

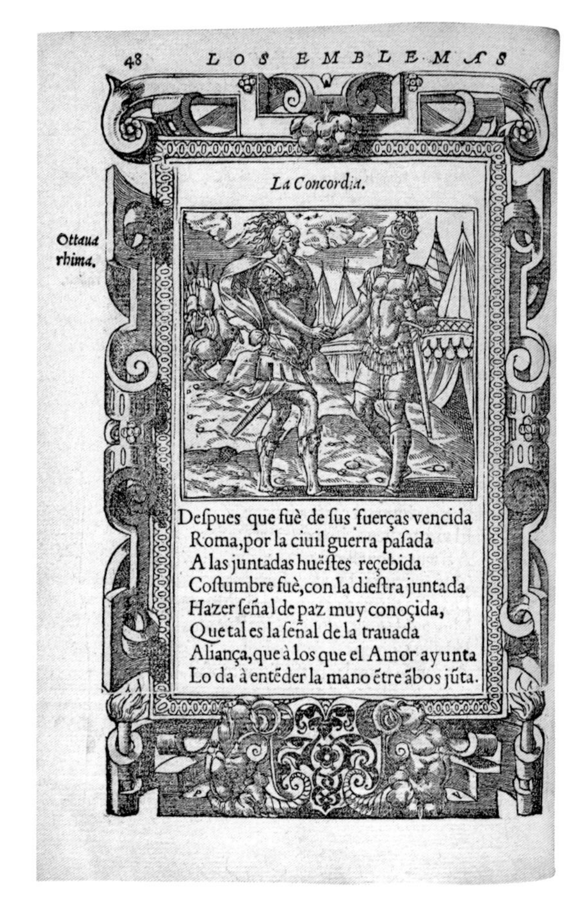

48 LOS EMBLEMAS

La Concordia.

Ottaua rhima.

Despues que fuè de sus fuerças vencida
Roma, por la ciuil guerra pasada
A las juntadas huẽstes reçebida
Costumbre fuè, con la diestra juntada
Hazer señal de paz muy conoçida,
Que tal es la señal de la trauada
Aliança, que à los que el Amor ayunta
Lo da à entẽder la mano ẽtre ãbos jũta.

P. 48

96 ICONOLOGIA

CREPVSCVLO DELLA MATTINA.

La rondinella ſuol cominciare a cantare auanti giorno nel crepuſculo, come dimoſtra il Dante nel cap. 23. del Paradiſo così dicendo.

Nell'hora, che comincia i triſti lai
La rondinella preſſo alla mattina
Forſe à memoria de ſuoi triſti guai.

Et Anacreonte Poeta Greco in quel ſuo lirico così diſſe in ſua ſentenza.

Ad Hirundinem.

Quibus loquax, quibuſnam
Te plectam hirundo pœnis?
Vtrum ne vis volucres
Alas tibi recidam
Vnam ſeccmue linguam?
Tibi, quod ille Tereus
Feciſſe fertur olim?
Nam tu quid ante lucem
Meas ſtrepens ad aures
E ſomnijs beatis

MM

DI CESARE RIPA. 97

Mihi rapis bathyllum. Ilche fù imitato dal Signor Filippo Alberti in quelli ſuoi quadernali.

Perche io pianga al tuo pianto
Rondinella importuna innanzi al die
Da le dolcezze mie
Tu pur cantando mi richiami al pianto.

CREPVSCVLO DELLA SERA.

FANCIVLLO ancor'egli, e parimente alato, & di carnagione bruna, ſtarà in atto di volare all'ingiù verſo l'Occidente, in capo hauerà vna grande, & rilucente ſtella, con la deſtra mano terrà vna frezza in atto di lanciarla, & ſi veda per l'aria, che n'habbia gettate dell'altre, & che caſchino all'ingiù, & con la ſiniſtra mano tenghi vna nottola con l'ali aperte.

G Il vo-

PP. 96-97

36

CESARE RIPA (H. 1555-1622)

Iconologia overo Descrittione di diverse imagini cavate dall'antichità & di propria inventione

In Roma: apresso Lepido Facij, 1603
Sign. Cerv/1322

BIBLIOGRAFÍA: Mâle 2001, pp. 361-408; Pierguidi 1998, pp. 158-75; Ripa 1987, pp. 7-37; Stefani 1990, pp. 307-12

En 1593 se publicaba en Roma la primera edición de la *Iconologia overo descrittione dell'imagini universali*, escrita por Cesare Ripa. Se trataba de un repertorio de imágenes simbólicas donde conceptos abstractos, ordenados alfabéticamente a modo de diccionario, aparecían personificados junto con una serie de atributos que los identificaban. Aunque la obra se publicó sin ilustraciones, tuvo un notable éxito pues se realizaron sucesivas ediciones hasta bien entrado el siglo XIX, cada vez con mayor número de alegorías y, desde la edición de 1603, con estampas.

Ripa había nacido en Perugia hacia 1555. Muy joven se trasladó a Roma, donde entró al servicio del cardenal Antonio Maria Salviati como *trinciante,* cargo de cierta importancia en la sociedad de la época que consistía en cortar la carne en los banquetes y servirla a los invitados, y en 1598 el papa Clemente VIII le nombró Cavaliere de' Santi Mauritio et Lazaro. Murió en 1622 mientras preparaba una nueva edición de su obra, que apareció póstuma en Padua en 1625.

La corte de Antonio Maria Salviati era frecuentada por importantes personajes de la esfera política y de la jerarquía eclesiástica pero también por intelectuales y artistas. Durante los años que Ripa estuvo al servicio de Salviati, rodeado de ese ambiente erudito y con acceso a la extraordinaria biblioteca del cardenal, escribió su famosa *Iconologia*.

En 1603 aparece en Roma esta edición, impresa por Lepido Faci. Desde la portada el autor informa de que la obra ha sido ampliada con nuevas alegorías, algunas de su propia invención, y de que está ilustrada con numerosas entalladuras. El diseño de la mayor parte de estas estampas fue atribuido en la edición de 1630 al famoso pintor manierista Giuseppe Cesari, llamado Cavalier d'Arpino (h. 1568-1640). También pudo participar en la elaboración de las imágenes Giovanni Guerra (1544-1618), más conocido como dibujante e inventor de alegorías y programas iconográficos que como pintor, y del que se conservan algunos dibujos que pueden ser considerados como preparatorios para los grabados de esta edición.
A. H. V.

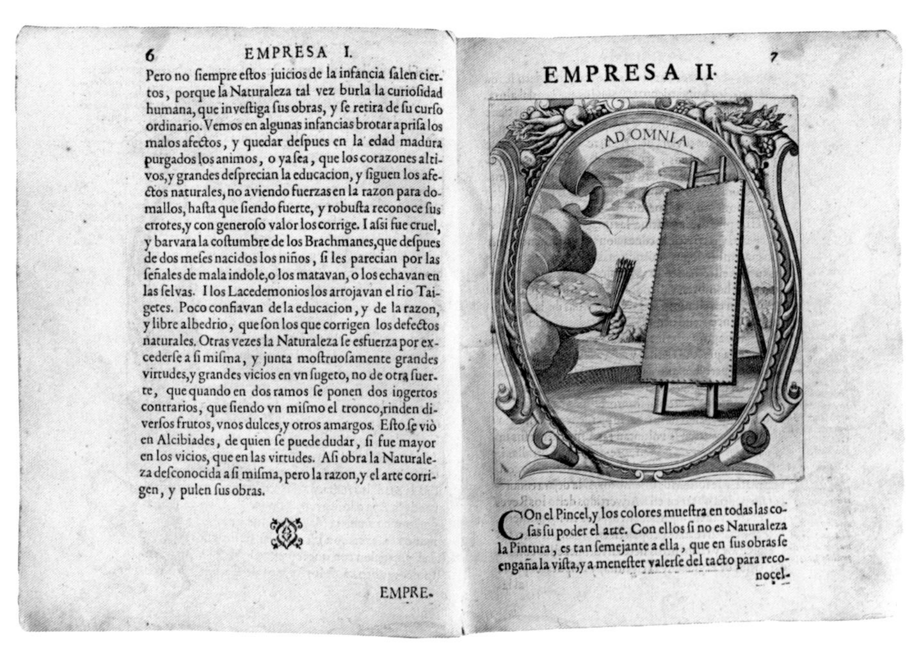
6 EMPRESA I.

Pero no ſiempre eſtos juicios de la infancia ſalen ciertos, porque la Naturaleza tal vez burla la curioſidad
humana, que inveſtiga ſus obras, y ſe retira de ſu curſo
ordinario. Vemos en algunas infancias brotar apriſa los
malos afectos, y quedar deſpues en la edad madura
purgados los animos, o ya ſea, que los corazones alti-
vos, y grandes deſprecian la educacion, y ſiguen los afectos naturales, no aviendo fuerzas en la razon para do-
mallos, haſta que ſiendo fuerte, y robuſta reconoce ſus
errores, y con generoſo valor los corrige. I aſsi fue cruel,
y barvara la coſtumbre de los Brachmanes, que deſpues
de dos meſes nacidos los niños, ſi les parecian por las
ſeñales de mala indole, o los matavan, o los echavan en
las ſelvas. I los Lacedemonios los arrojavan el rio Tai-
getes. Poco confiavan de la educacion, y de la razon,
y libre albedrio, que ſon los que corrigen los defectos
naturales. Otras vezes la Naturaleza ſe esfuerza por ex-
cederſe a ſi miſma, y junta moſtruoſamente grandes
virtudes, y grandes vicios en vn ſugeto, no de otra ſuer-
te, que quando en dos ramos ſe ponen dos ingertos
contrarios, que ſiendo vn miſmo el tronco, rinden di-
verſos frutos, vnos dulces, y otros amargos. Eſto ſe viò
en Alcibiades, de quien ſe puede dudar, ſi fue mayor
en los vicios, que en las virtudes. Aſi obra la Naturaleza deſconocida a ſi miſma, pero la razon, y el arte corrigen, y pulen ſus obras.

EMPRE-

EMPRESA II. 7

CON el Pincel, y los colores mueſtra en todas las co-
ſas ſu poder el arte. Con ellos ſi no es Naturaleza
la Pintura, es tan ſemejante a ella, que en ſus obras ſe
engaña la viſta, y a meneſter valerſe del tacto para reco-
nocel-

PP. 6-7

37

DIEGO DE SAAVEDRA FAJARDO (1584-1648)

Idea de un príncipe político christiano: representada en cien empresas

En Amberes: en casa de Ieronymo y Iuan Bapt. Verdussen, 1655
Sign. Cerv/1320

BIBLIOGRAFÍA: Praz 1964, p. 191; Campa 1990, pp. 73 y ss.; Romanoski 2006; López Poza 2008

Diego de Saavedra Fajardo fue un importante diplomático y escritor de temas políticos, que en 1640 publicó en Múnich la *Idea de un príncipe*. El libro alcanzó un notable éxito, del que son prueba las casi cuarenta ediciones que se imprimieron (en España, Italia, Holanda o Flandes) en los cuarenta años siguientes. Desde el punto de vista de su estructura, pertenece al género de la emblemática, que está fundamentado en el uso complementario de imágenes y textos, y cuyo valor para el historiador del arte es doble. Por un lado, estas obras desempeñan un papel destacado en la historia del grabado y de la ilustración del libro. Por otro, son ejercicios explícitos de lecturas de imágenes que permiten reconstruir las connotaciones asociadas a la representación de objetos o acciones. En este caso concreto, se trata de un ejemplar ilustrado por Johann Sadeler y a través de sus estampas y sus textos se nos ofrece uno de los tratados más completos de la época sobre teoría política, de la pluma de un escritor que había acumulado una importantísima experiencia tanto en el campo práctico de la alta diplomacia como en el de la especulación teórica sobre cuestiones históricas y políticas.

Aunque en 1640 ya existía en España una amplia tradición de libros de emblemas, que había dado lugar a obras reseñables como la de Sebastián de Covarrubias, casi todos ellos versaban sobre cuestiones morales y religiosas y con frecuencia se caracterizaban por su estructura dispersa. El libro de Saavedra venía a aunar una fórmula literaria de éxito con un contenido riguroso y un estilo literario muy elaborado, puestos al servicio de un discurso homogéneo sobre alta política. La mezcla de todos esos factores explica su éxito y lo convierte en el libro español de emblemas más difundido y conocido.

J. P. P.

38

OTTO VAN VEEN (1556-1629)

Theatro moral de la vida humana: en cien emblemas

En Amberes: por la viuda de Henrico Verdussen, 1733
Sign. Cerv/27

BIBLIOGRAFÍA: Gerards-Nelissen 1971, pp. 20-63; Dethoor 1981; Pedraza 1983, pp. 92-113; Sebastián 1983, pp. 7-91; Sebastián 1987, pp. 381-405; Thofner 2003; Rosa de Gea 2006

Los dispositivos visuales heredados de los *Emblemata* de Alciati [cat. 35], filtrados en el tamiz de la moral neoestoica, dieron lugar a una obra clásica de la literatura emblemática cuya fortuna recorrió con éxito el siglo XVII y gran parte del XVIII: el *Teatro moral de la vida humana* de Otto van Veen —Vaenius—. Integrador de la tradición flamenca con el humanismo renacentista romano, instructor de Rubens, Vaenius enlaza el manierismo académico con la retórica barroca, lo que justificaría su interés por ese género y la importancia de los libros de emblemas en su etapa de madurez creativa.

En 1607 el impresor de Amberes Hieronymi Verdussen daba a la prensa ciento tres imágenes inventadas por Van Veen, cuya interpretación en estampas se atribuye a los burilistas Cornelis Böel, Cornelis Galle y Pieter de Jode. Las composiciones del pintor flamenco fueron ideadas como complemento visual de una selección de citas horacianas, que en sucesivas ediciones derivaron hacia un producto librario más complejo, sumándose otras aportaciones textuales en forma de glosas, epigramas y motes. Se ampliaba así la significación de la obra y su intencionalidad pedagógica, a la vez que eran añadidos a la publicación varios tratados morales, en concreto el *Enchyridion* de Epicteto y el diálogo alegórico sobre la vida humana de la *Tabla* de Cebes, dos obras muy apreciadas por los moralistas cristianos.

Desde esta edición príncipe, las láminas de cobre con los emblemas de Van Veen fueron estampadas en múltiples ocasiones, tanto en versiones políglotas como en traducciones monolingües en latín, francés y español, impresas en Amberes y Bruselas. En 1669 se sitúa el punto de partida de un esquema editorial que

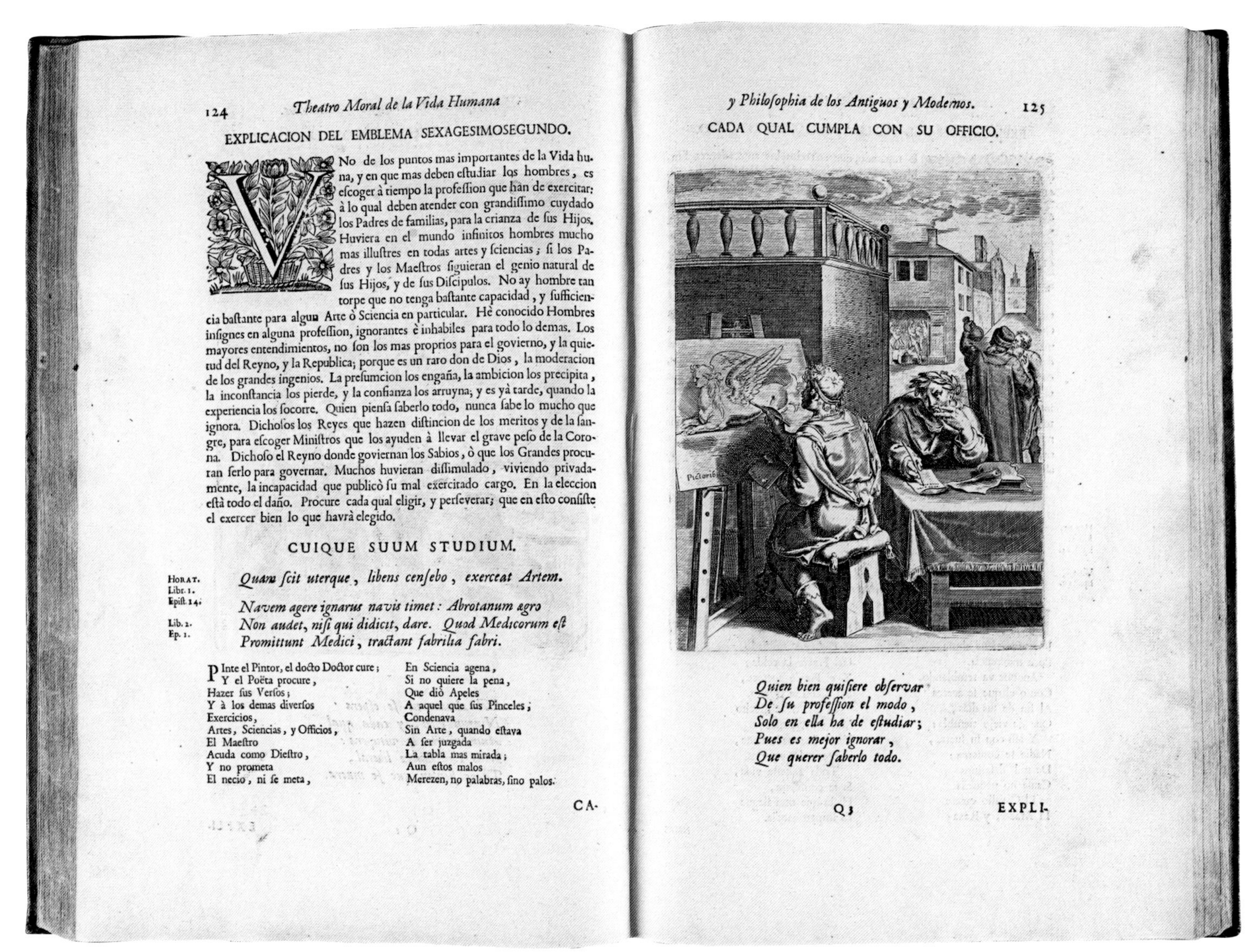
124 *Theatro Moral de la Vida Humana*

EXPLICACION DEL EMBLEMA SEXAGESIMOSEGUNDO.

VNo de los puntos mas importantes de la Vida humana, y en que mas deben estudiar los hombres, es escoger à tiempo la professión que hán de exercitar: à lo qual deben atender con grandissimo cuydado los Padres de familias, para la crianza de sus Hijos. Huviera en el mundo infinitos hombres mucho mas illustres en todas artes y sciencias; si los Padres y los Maestros siguieran el genio natural de sus Hijos, y de sus Discipulos. No ay hombre tan torpe que no tenga bastante capacidad, y sufficiencia bastante para algun Arte ò Sciencia en particular. Hè conocido Hombres insignes en alguna professión, ignorantes è inhabiles para todo lo demas. Los mayores entendimientos, no son los mas proprios para el govierno, y la quietud del Reyno, y la Republica; porque es un raro don de Dios, la moderacion de los grandes ingenios. La presumcion los engaña, la ambicion los precipita, la inconstancia los pierde, y la confianza los arruyna; y es yà tarde, quando la experiencia los socorre. Quien piensa saberlo todo, nunca sabe lo mucho que ignora. Dichosos los Reyes que hazen distincion de los meritos y de la sangre, para escoger Ministros que los ayuden à llevar el grave peso de la Corona. Dichoso el Reyno donde goviernan los Sabios, ò que los Grandes procuran serlo para governar. Muchos huvieran dissimulado, viviendo privadamente, la incapacidad que publicò su mal exercitado cargo. En la eleccion està todo el daño. Procure cada qual eligir, y perseverar; que en esto consiste el exercer bien lo que havrà elegido.

CUIQUE SUUM STUDIUM.

HORAT. Libr. 1. Epist. 14.

Quam scit uterque, libens censebo, exerceat Artem.

Lib. 2. Ep. 1.

Navem agere ignarus navis timet: Abrotanum agro
Non audet, nisi qui didicit, dare. Quod Medicorum est
Promittunt Medici, tractant fabrilia fabri.

PInte el Pintor, el docto Doctor cure;
Y el Poëta procure,
Hazer sus Versos;
Y à los demas diversos
Exercicios,
Artes, Sciencias, y Officios,
El Maestro
Acuda como Diestro,
Y no prometa
El necio, ni se meta,
En Sciencia agena,
Si no quiere la pena,
Que diò Apeles
A aquel que sus Pinceles;
Condenava
Sin Arte, quando estava
A ser juzgada
La tabla mas mirada;
Aun estos malos
Merezen, no palabras, sino palos.

CA-

y Philosophia de los Antiguos y Modernos. 125

CADA QUAL CUMPLA CON SU OFFICIO.

Quien bien quisiere observar
De su professión el modo,
Solo en ella ha de estudiar;
Pues es mejor ignorar,
Que querer saberlo todo.

Q3 EXPLI-

PP. 124-125

compendia el contenido gráfico y filosófico de la edición de 1607 con los epigramas castellanos de un poeta enigmático, Diego de Barreda, además de las glosas en prosa del humanista Antonio Brum, traducidas de la versión francesa de Marin le Roy de Gomberville, y un nuevo epigrama en verso del propio Brum. A este último se debe además un sustancioso proemio precedido por el retrato calcográfico de Van Veen, inventado por su hija Gertrude y grabado a buril por Paulus Pontius.

El libro resultante de esa conjunción de textos e imágenes, impreso en Bruselas por Francisco Foppens en 1669, estableció una estructura repetida por el mismo Foppens en 1672 y años después por otros impresores. Estas esmeradas ediciones en español, ornadas con capitulares a la entalladura, testimonian el éxito de la fórmula, cuyo eje lo seguían constituyendo las composiciones de Vaenius.

Los tres elementos normativos de la emblemática barroca —la imagen, el mote y el epigrama— aparecen en las ediciones de 1669 a 1733. En página par se suceden la glosa de Brum, el mote latino, la cita de Horacio y el epigrama en verso de Diego de Barreda; en página impar, el mote castellano, la imagen de Vaenius y los versos conclusivos de Brum. El desciframiento de este aparato ideológico estaba reservado a la élite intelectual. El emblema se convierte en síntesis de la cultura visual del Barroco, con su recurrente insistencia en la sublimación alegórica de la nobleza, la valoración del honor, la teatralidad de lo real, la fugacidad del tiempo, la precariedad de la fortuna y su moral fundamentada en la rectitud de las conductas y el inmovilismo de las costumbres.

J. B. B.

[LÁMINA 15]

39

PETER PAUL RUBENS (1577-1640)

La gallerie du Palais du Luxembourg

A Paris: chez Mr. Duchange graveur du Roy, 1710
Sign. Cerv/706

BIBLIOGRAFÍA: Hind 1963, pp. 200-1 y 248; Plax 1980, pp. 43-51; Baudoin 1991

En 1625 concluía la decoración de la galería occidental del palacio de Luxemburgo en París con el ciclo pictórico encargado a Rubens por María de Médicis. Elaboradas conforme a un programa iconográfico de contenido político, combinando referencias históricas y elementos alegóricos, las veinticuatro escenas pintadas por Rubens relatan los episodios más destacados de la vida de la reina. Casi un siglo más tarde, las pinturas fueron interpretadas en estampas. Entre 1700 y 1710 se abrieron veinticinco láminas —la serie completa de Rubens más el retrato del artista pintado por Van Dyck—, a las que el burilista Claude-Auguste de Berey añadió una portada y una advertencia. El anuncio del proyecto editorial, difundido en el *Mercure de France* en 1704, informaba de la iniciativa acometida por el joven pintor Jean-Marc Nattier y el grabador de talla dulce y editor de estampas Gaspard Duchange.

El plan de edición fue concebido y se desarrolló en el contexto favorable del patronazgo oficial del arte del grabado, al amparo de la monarquía absoluta del Rey Sol y al servicio de su aparato ideológico. La generación anterior había dignificado la profesión del grabador al alcanzar su reconocimiento como arte liberal y su admisión en la Academia. *La gallerie du Palais du Luxembourg* hereda la suntuosidad formal y conceptual de los proyectos de aquella generación no sólo por su proximidad temporal y la similar calidad de las estampas en talla dulce, sino también porque sus principales artífices —Duchange, Nattier o Jean Audran— trabajaron al servicio de Luis XIV y el célebre burilista Gérard Edelinck grabó para ambas series.

La publicación fue un eficaz resorte destinado a incrementar el prestigio de los artistas participantes. No fue casual que en 1707, cuando estaban ocupados en el grabado de los cobres, Duchange fuera admitido en la Académie Royale de Peinture y Jean Audran recibiera el nombramiento de grabador del rey. *La gallerie du Palais du Luxembourg* alcanzó una elevada estima y gran difusión en Francia y en otras cortes europeas durante el primer cuarto del siglo XVIII, según testimonian los inventarios de numerosos editores parisinos.

J. B. B.

40

FRANS VAN STAMPART (1675-1750)

Prodromus, seu Præmbulare lumen reserati portentosæ magnificentiæ theatri quo omnia ad aulam cæsaream

[Viennæ: typis J. P. van Ghelen, 1735]
Sign. Mad/829

BIBLIOGRAFÍA: Grossmann 1958, pp. 86-91; Díaz Padrón y Royo-Villanova 1992, pp. 29-51; Teniers 2006; Waterfield 2006, pp. 41-57

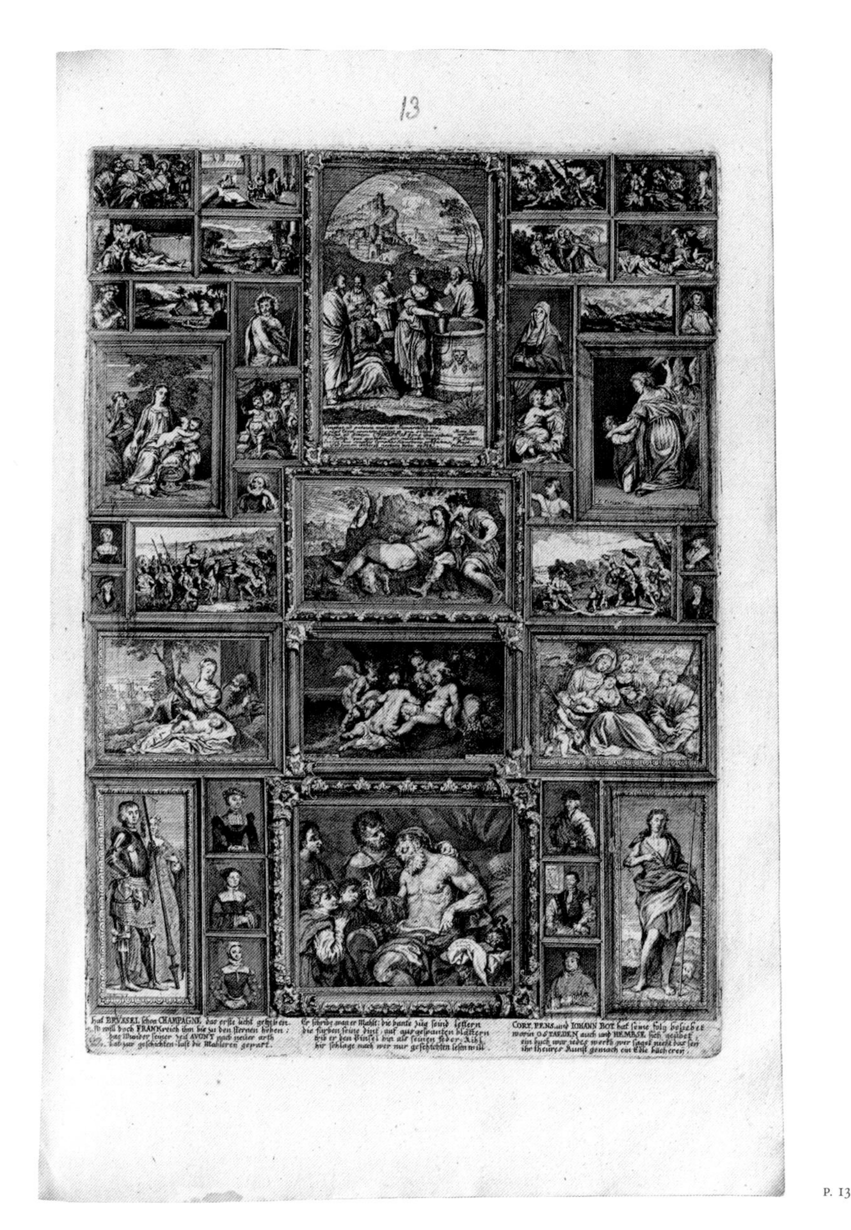

P. 13

El *Prodromus* reproduce las pinturas de la colección del emperador Carlos VI instalada en las galerías del palacio Stallburg de Viena y puede ser calificado como la primera guía visual de las salas de una pinacoteca. Su antecedente inmediato es el *Theatrum Pictorium* (1660) de David Teniers, en el que se reproducían las pinturas más importantes de la colección del archiduque Alberto en Bruselas y se incluía una imagen de la galería después de su traslado a Viena. Simultáneamente el archiduque encargó a Teniers una serie de pinturas con vistas de su galería [fig. 40.1]. Tanto el libro como los cuadros se concibieron como medios propagandísticos para «mostrar» su colección a los príncipes de las cortes europeas.

Carlos VI, como heredero de esta colección, patrocinó una actualización del catálogo a cargo de Anton Joseph Prenner, que entre 1728 y 1733 publicó en cuatro volúmenes el *Theatrum Artis Pictoriæ*, en el que, siguiendo el modelo de Teniers, se reproducían más de cien pinturas. Quizá para acompañarla se publicó el *Prodromus*, donde a pequeña escala se trataba de reproducir un número mucho más elevado de pinturas y, sobre todo, dejar constancia de su distribución.

El *Prodromus* se inicia con una portada simbólica, con el escudo imperial en el centro y a sus lados la planta del Stallburg, con la numeración de sus salas, y en la parte inferior la puerta de acceso a la galería, flanqueada por los retratos de los autores de la obra, Stampart y Prennen, en su doble actividad de pintores de corte y conservadores de la colección. Las primeras estampas reproducen el interior de las salas, con vistas prototípicas del modo en que se colgaban las obras, tendente al *horror vacui* y rodeadas de una recargada decoración. El grupo más numeroso de estampas ofrecía una agrupación imaginaria de las pinturas, ordenadas de acuerdo con la sucesión de las salas indicadas en el plano inicial, reproduciéndolas en pequeño tamaño y organizadas a modo de mosaico, acompañadas en ocasiones de cartelas identificativas, de manera similar a las *galerías* pintadas por Teniers en el siglo anterior.

J. M. M.

Fig. 40. 1
David Teniers II, *El archiduque Leopoldo Guillermo en su galería de pinturas en Bruselas*. Óleo sobre cobre, 104,8 x 130,4 cm. Madrid, Museo Nacional del Prado [P-1813]

Bibliografía

ACIDINI Y MOROLLI 2006
Cristina Acidini Luchinat y Gabriele Morolli, *L'uomo del Rinascimento: Leon Battista Alberti e le arti a Firenze tra ragione e bellezza* [cat. exp.], Florencia, Mandragora, 2006.

ALBERTI 1999
Leon Battista Alberti, *De la pintura y otros escritos sobre arte*, intr., trad. y notas de Rocío de la Villa, Madrid, Tecnos, 1999.

ALBERTI 2007
Leon Battista Alberti, *De Pictura*, trad. del latín e intr. de Danielle Sonnier, París, Allia, 2007.

ALCIATO 1975
Andrea Alciato, *Emblemas*, Madrid, Editora Nacional, 1975.

ALCIATO 1985
Andrea Alciato, *Emblemas*, ed. y comentario de Santiago Sebastián, Madrid, Akal, 1985.

ALCIATO 1995
Andrea Alciato, *Alciato's* Book of Emblems: *The Memorial Web Edition in Latin and English*. Accesible en http://www.mun.ca/alciato/.

ALLENDE SALAZAR 1925
Juan Allende Salazar, «Don Felipe de Guevara, coleccionista y escritor de arte del siglo XVI», *Archivo Español de Arte y Arqueología*, I (1925), pp. 184-92.

ÁLVAREZ LOPERA 2005
José Álvarez Lopera, *El Greco: estudio y catálogo. T. I. Fuentes y bibliografía*, Madrid, FAH, 2005.

ARES 1990
José Ares Montes, «Los poetas portugueses, cronistas de la Jornada de Felipe III a Portugal», *Revista de Filología Románica*, 7 (1990), pp. 11-36.

AUSTRIAS 1993
Los Austrias: grabados de la Biblioteca Nacional [cat. exp.], Madrid, Biblioteca Nacional y Julio Ollero, 1993.

BAGLIONE 1642
Giovanni Baglione, *Le vite de pittori, scultori et architetti dal pontificato di Gregorio XIII fino Urbano VIII*, Roma, Andrea Fei, 1642.

BAGNI 1988
Prisco Bagni, *Il Guercino e i suoi incisori*, Roma, 1988.

BALDINUCCI 1846
Filippo Baldinucci, *Notizie dei professori del disegno da Cimabue in qua*, Florencia, Batelli, 1846.

BALDINUCCI 1974
Filippo Baldinucci, *Notizie dei professori del disegno da Cimabue in qua* [1681-1728], 7 vols., Florencia, 1974.

BALL-KRUCKMANN 2002
Babette Ball-Kruckmann, «I progetti scenografici dei Galli Bibiena come opera di arte grafica», en *I Bibiena, una famiglia in scena: da Bologna all'Europa*, Florencia, Alinea, 2002, pp. 101-11.

BANDA 1973
Antonio de la Banda y Vargas, «Un plagio flamenco a los grabados del libro de Torre Farfán sobre las fiestas de la canonización fernandina», *Boletín de Bellas Artes* (Sevilla, Real Academia de Bellas Artes de Santa Isabel de Hungría), n.º extra 1 (1973), pp. 47-52.

BARBARO 1556
Vitruvio, *I dieci libri dell'Architettura di M. Vitruuio; tradutti et commentati da Monsignor Barbaro*, Venecia, Francesco Marcolini 1556.

BARBOLANI MONTAUTO 2000
Novella Barbolani Montauto, «Livio Mehus, *Il genio della scultura*», en Marco Chiarini (ed.), *Livio Mehus: Un pittore barocco alla corte dei Medici (1627-1691)* [cat. exp. Florencia], Livorno-Florencia, 2000, n.º 1.

BAROCCHI 1968
Paola Barocchi, *Michelangelo tra le due redazioni delle vite vasariane (1550-1568)*, Lecce, 1968.

BAROCCHI 1977
Paola Barocchi (ed.), *Scritti d'arte del Cinquecento. I: Generalia. Arti e scienze. Le arti*, Turín, 1977 (1.ª ed. 1971).

BAROLSKY 1990
Paul Barolsky, *Michelangelo's Nose. A Myth and Its Maker*, Pennsylvania, 1990.

BAROLSKY 1991
Paul Barolsky, *Why Mona Lisa Smiles and Other Tales by Vasari*, Pennsylvania, 1991.

BAROLSKY 1992
Paul Barolsky, *Giotto's Father and the Family of Vasari's Lives*, Pennsylvania, 1992.

BAROLSKY 1996
Paul Barolsky, «Art History as Fiction», *Artibus et Historiae*, 17, 34 (1996), pp. 9-17.

BAROLSKY 2004
Paul Barolsky, «Dante and the Modern Cult of the Artist», *Arion*, 3.ª serie, 12, 2 (2004), pp. 1-15.

BARÓN, DOCAMPO Y MATILLA 2007
Javier Barón, Javier Docampo y José Manuel Matilla, «Colección y biblioteca Madrazo», en *Museo Nacional del Prado. Memoria de actividades 2006*, Madrid, 2007, pp. 51-60.

BARONE 2003
Juliana Barone, «Seventeenth-Century Illustrations for the Chapters in Motion in Leonardo's *Trattato*», en *The Rise of the Image: Essays on the History of the Illustrated Art Book*, Aldershot, Ashgate, 2003, pp. 23-51.

BASSEGODA 1989
Bonaventura Bassegoda, «Observaciones sobre "El arte de la pintura" de Francisco Pacheco como tratado de iconografía», *Cuadernos de Arte e Iconografía*, II, 3 (1989), pp. 185-96.

BASSEGODA 1990
Francisco Pacheco, *El arte de la pintura*, ed. de Bonaventura Bassegoda, Madrid, Cátedra, 1990.

BASSEGODA 2004
Bonaventura Bassegoda, «Antonio Palomino y la memoria histórica de los artistas en España», en Fernando Checa Cremades (dir.), *Arte barroco e ideal clásico. Aspectos del arte cortesano de la segunda mitad del siglo XVII*, Madrid, 2004, pp. 89-113.

BAUDOIN 1991
Marie-Noelle Baudoin *et al.*, *Marie de Médicis et le Palais du Luxembourg*, París, Délégation de l'action artistique de la ville de Paris, 1991.

BAXANDALL 1996
Michael Baxandall, *Giotto y los oradores*, Madrid, 1996 (1.ª ed. 1971).

BAZIN 1986
Germain Bazin, *Histoire de l'histoire de l'art. De Vasari a nous jours*, París, 1986.

BEAMUD 1985
Ana Marie Beamud, *The Invisible Icon: Poetry about Portraiture in the Spanish Golden Age*, Ann Arbor, UMI, 1985.

BELLORI 1672
Giovanni Pietro Bellori, *Le vite de pittori, scultori et architetti moderni*, Roma, Sucesores de Mascardi, 1672.

BELTRAMINI 2008
Guido Beltramini, *Palladio privato*, Venecia, 2008.

BENATI 2006
Daniele Benati, «Le "postille" di Annibale Carracci al terzo tomo delle *Vite* di Giorgio Vasari», en Daniele Benati y Eugenio Riccòmini (eds.), *Annibale Carracci* [cat. exp. Bolonia-Roma], Milán, 2006, pp. 460-64.

BERTELÀ Y FERRARA 1973
Giovanni Gaeta Bertelà y Stefano Ferrara, *Incisori bolognesi ed emiliani dal sec. XVII*, Bolonia, 1973.

BERTI 1966
Luciano Berti, *Pontormo*, Florencia, 1966.

BIALOSTOCKI 1960
J. Bialostocki, «Poussin et le traité de la peinture de Léonard: notes sur l'état de la question», en *Nicolas Poussin: CCNRS Colloques Internationaux, Sciences Humaines*, ed. de A. Chastel, París, 1960, pp. 133-39.

BLUNT 1958
Anthony Blunt, *Philibert de l'Orme*, Londres, 1958.

BLUNT 1980
Anthony Blunt, *La teoría de las artes en Italia (del 1450 a 1600)*, Madrid, Cátedra, 1980.

BONET 1973
Antonio Bonet Correa, «Láminas de "El Museo Pictórico y Escala Óptica" de Palomino», *Archivo Español de Arte*, 46, 182 (1973), pp. 131-44.

BONET 1979
Antonio Bonet Correa, «La fiesta barroca como práctica del poder», *Diwan*, 5-6 (1979), pp. 35-63.

BONET 1984A
Antonio Bonet Correa, «Introducción», en Fernando de la Torre Farfán, *Fiestas de la Santa Iglesia Metropolitana y Patriarcal de Sevilla, al nuevo culto del señor rey San Fernando*, Sevilla, Fundación Fondo de Cultura de Sevilla, 1984 (ed. facs.), pp. I-XX.

BONET 1984B
Antonio Bonet Correa, «Juan Caramuel de Lobkowitz, polígrafo paradigmático del Barroco, estudio preliminar», en Juan Caramuel, *Architectura recta y obliqua*, Madrid, Turner, 1984 (ed. facs.), vol. 1, p. VII-LI. También pub. en Bonet 1993, pp. 191-234.

BONET 1993
Antonio Bonet Correa, *Figuras, modelos e imágenes en los tratadistas españoles*, Madrid, Alianza, 1993.

BORDES 2003
Juan Bordes, *Historia de las teorías de la figura humana. El dibujo, la anatomía, la proporción, la fisiognomía*, Madrid, Cátedra, 2003.

BORSI 1977
Franco Borsi, *Leon Battista Alberti: complete edition*, Oxford, Phaidon, 1977.

BOUZA 1998
Fernando Bouza, «Cremona Fedelissima», en *Felipe II, un monarca y su época: un príncipe del Renacimiento*, [cat. exp.], Madrid, Sociedad Estatal para la Conmemoración de los Centenarios de Felipe II y Carlos V, 1998, pp. 292-94.

BURCKHARDT 1997
Jacob Burckhardt, *La cultura del Renacimiento en Italia*, Madrid, 1997 (1.ª ed. 1860).

BURNS 2008
Howard Burns, «*I Quattro Libri dell'Architettura*», en Guido Beltramini y Howard Burns (coms.), *Palladio* [cat. exp. Vicenza-Londres, 2008-9], Venecia, Marsilio Editori, 2008, pp. 328-31.

BURNS 2009
Howard Burns, «The *Quattro Libri dell'Architettura*: Book Design and Strategies for Presenting and Marketing Palladio's "Usanza Nuova"», en Francesco Paolo Di Teodoro (ed.), *Saggi di letteratura architettonica da Vitruvio a Winckelmann, I*, Florencia, Leo S. Olschki Editore, 2009, pp. 113-50.

CALVO SERRALLER 1979
Vicente Carducho, *Diálogos de la pintura*, ed. de Francisco Calvo Serraller, Madrid, Turner, 1979.

CALVO SERRALLER 1981
Francisco Calvo Serraller, *Teoría de la pintura del Siglo de Oro*, Madrid, Cátedra, 1981.

CAMEROTA 2006
Filippo Camerota, *La prospettiva del Rinascimento: arte, architettura, scienza*, Milán, Electa, 2006.

CAMPA 1990
Pedro F. Campa, *Emblemata Hispanica. An Annotated Bibliography of Spanish Emblem Literature to the Year 1700*, Durham, Duke University Press, 1990.

CAMPI 1985
Campi e la cultura artistica cremonese del cinquecento [cat. exp.], Milán, Electa, 1985.

CAPUCCI 1974
Martino Capucci, «Forme della biografia nel Vasari», en *Il Vasari storiografo e artista. Atti del congresso internazionale nel IV centenario della morte (1974)*, Florencia, 1976, pp. 299-320.

CARDUCHO 1633
Vicente Carducho, *Diálogos de la pintura. su defensa, origen, esse[n]cia, definición, modos y diferencias*, Madrid, Francisco Martínez, 1633.

CARO BAROJA 1991
Julio Caro Baroja, *De los arquetipos y leyendas*, Madrid, 1991.

CARRASCO 1997
Leticia Carrasco Reija, «La traducción de las *Metamorfosis* de Ovidio por Jorge de Bustamante», en José María Maestre *et al.* (coord.), *Humanismo y pervivencia del mundo clásico. Homenaje al profesor Luis Gil*, Cádiz, Universidad de Cádiz, 1997, pp. 987-94.

CARRETE 1987
Juan Carrete, «El grabado y la estampa barroca», en *El grabado en España (siglos XV-XVIII) (Summa Artis XXXI)*, Madrid, Espasa Calpe, 1987, pp. 201-391.

CASTRO 2008
Benito Castro González, «Sobre "Della Pittura" de Alberti», *Historia 16*, 390 (2008), pp. 108-15.

CATÁLOGO 1883
Catálogo de libros antiguos, raros y curiosos ilustrados con interesantes grabados de la biblioteca del difunto Excmo. Sr. D. Valentín Carderera, Madrid, 1883.

CEÁN 1804
Juan Antonio Ceán Bermúdez, *Descripción artística de la catedral de Sevilla*, Sevilla, Viuda de Hidalgo y Sobrino, 1804.

CELLAURO 1998
Louis Cellauro, «Palladio e le illustrazioni delle edizioni del 1556 e del 1567 di Vitruvio», *Saggi e memorie di storia dell'arte*, 22 (1998), pp. 57-128.

CELLAURO 2001
Louis Cellauro, «The Architectural Theory of Daniele Barbaro», *Studi Veneziani*, 42 (2001), pp. 43-56.

CELLINI 1973
Benvenuto Cellini, *La vita*, ed. de Guido Davico Bonino, Turín, 1973.

CERVELLÓ 2006
José María Cervelló Grande, *Gaspar Gutiérrez de los Ríos y su «Noticia general para la estimación de las artes»*, Madrid, Fundación de Apoyo a la Historia del Arte Hispánico, 2006.

CHASTEL 1991
André Chastel, *Arte y humanismo en Florencia en la época de Lorenzo el Magnífico*, Madrid, 1991 (1.ª ed. 1959).

CHUECA 2001
Fernando Chueca *et al.*, *Tratados de arquitectura de los siglos XVI-XVII*, Valencia, Generalitat, 2001.

CICOGNARA 1979
Leopoldo Cicognara, *Catalogo ragionato dei libri d'arte e d'antichità posseduti dal Conte Cicognara*, Bolonia, Arnaldo Forni, 1979.

CLAPP 1916
Frederick Mortimer Clapp, *Jacopo Carucci da Pontormo: his Life and Work*, New Haven, 1916.

COLLANTES TERÁN 2000
José Miguel Collantes Terán, «Felipe de Guevara humanista: ostentador de sobrados títulos para ocupar un lugar de privilegio en la cultura hispana del s. XVI», *Anales de Historia del Arte*, 10 (2000), pp. 55-70.

CONDIVI 1998
Ascanio Condivi, *Vita di Michelagnolo Buonarroti* [1553], ed. de Giovanni Nencioni con ensayos de Michael Hirst y Caroline Elam, Florencia, 1998.

CRANE, AKIN Y NECIPOĞLU 2006
Howard Crane, Esra Akin y Gulru Necipoğlu (eds.), *Sinan's Autobiographies. Five Sixteenth-Century Texts*, Leiden-Boston, 2006.

CROPPER 1980
Elizabeth Cropper, «Poussin and Leonardo: Evidence from the Zaccolini Mss», *The Art Bulletin*, 62, 4 (dic. 1980), pp. 570-83.

CRUZ YÁBAR 1997
María Teresa Cruz Yábar, «Gaspar Gutiérrez de los Ríos, teórico de la estimación de las artes. II. Formación y obra», *Academia: Boletín de la Real Academia de Bellas Artes de San Fernando*, 84 (1997), pp. 383-422.

DE L'ORME 1988
Philibert De l'Orme, *Traités d'architecture*, París, Laget, 1988.

DE MAIO 1978
Romeo De Maio, *Michelangelo e la Controriforma*, Roma-Bari, 1978.

DE MAIO 1988
Romeo De Maio, *Mujer y Renacimiento*, Madrid, 1988 (1.ª ed. 1987).

DEMPSEY 1986
Charles Dempsey, «Malvasia and the Problem of the Early Raphael and Bologna», en *Raphael before Rome*, Washington, 1986, pp. 57-70.

DEPAUW Y LUIJTEN 2003
Carl Depauw y Ger Luijten, *Anton Van Dyck y el arte del grabado* [cat. exp.], Madrid, Fundación Carlos de Amberes, 2003.

DETHOOR 1981
Brigitte Dethoor, *La literatura emblemática hispánica editada por Otto Vaenius. Elenco de los poemas hispánicos en los libros emblemáticos de Otto Vaenius*, Lovaina, Katholieke Universiteit Leuven, 1981.

DE VESME 1971
Phyllis Dearborn Massar, *Stefano della Bella. Catalogue Raisonné. Alexandre De Vesme. With Introduction and Additions by Phyllis Dearborn Massar*, Nueva York, Collectors Editions, 1971.

DÍAZ PADRÓN Y ROYO-VILLANOVA 1992
Matías Díaz Padrón y Mercedes Royo-Villanova, *David Teniers, Jan Brueghel y los gabinetes de pinturas* [cat. exp.], Madrid, Museo del Prado, 1992.

DIDI-HUBERMAN 2009
Georges Didi-Huberman, *La imagen superviviente. Historia del arte y tiempo de los fantasmas según Aby Warburg*, Madrid, 2009 (1.ª ed. 2002).

DÍEZ PLATAS 2003
Fátima Díez Platas, «Tres maneras de ilustrar a Ovidio: una aproximación al estudio iconográfico de las *Metamorfosis* figuradas del XVI», en M.ª Carmen Folgar de la Calle *et al.* (coords.), *Memoria Artis. Studia in memoriam M.ª Dolores Vila Jato*, Santiago de Compostela, Xunta de Galicia, 2003, vol. I, pp. 247-67.

DÍEZ PLATAS S.A.
Fátima Díez Platas (coord.), *Estudio iconográfico del Ovidio figurado español: las imágenes de la Metamorfosis desde el Medievo al siglo XVII*, Universidad de Santiago de Compostela. Accesible en http://www.usc.es/ovidios/ (consultado el 25-III-2010).

DOCAMPO 2007
Javier Docampo, «La biblioteca de José de Madrazo», *Boletín del Museo Nacional del Prado*, 43 (2007), pp. 97-123.

DOCAMPO 2008
Javier Docampo, «Donación Correa», en *Museo Nacional del Prado: Memoria de actividades 2007*, Madrid, 2008, pp. 56-59.

DOCAMPO 2010
Javier Docampo, «Creating a Heritage Collection: the Entry of Three Private Libraries into the Prado Museum Library», *Art Libraries Journal*, 35, 2 (2010), pp. 20-25.

DOS SANTOS 1950
Reynaldo Dos Santos, «Un exemplaire de Vasari annoté par Francisco De Olanda», en *Studi vasariani. Atti del convegno internazionale per il IV centenario della prima edizione delle «vite» del Vasari (1950)*, Florencia, 1952, pp. 91-92.

DOSSE 2007
François Dosse, *La apuesta biográfica. Escribir una vida*, Valencia, 2007 (1.ª ed. 2005).

DURERO 1995
Alberto Durero, *Instruction sur la manière de mesurer*, ed. de Jeannine Bardy y Michel van Peene, París, Flammarion, 1995.

DURERO 2000
Alberto Durero, *De la medida*, ed. de Jeanne Peiffer, Madrid, Akal, 2000.

ESTAMPAS 1981
Estampas: cinco siglos de imagen impresa, Madrid, Ministerio de Cultura, 1981.

FALOMIR 2003
Miguel Falomir (ed.), *Tiziano* [cat. exp.], Madrid, Museo del Prado, 2003.

FÉLIBIEN 1679
André Félibien, *Entretiens sur les vies et sur les ouvrages des plus excellens peintres, vol. III (Cinquième et Sixième Entretiens)*, París, Jean Baptiste Coignard, 1679.

FERNÁNDEZ-SANTOS 2002
Jorge Fernández-Santos, «*Austriacus re rectus obliquā*: Juan Caramuel y su interpretación oblicua del Escorial», en Francisco Javier Campos (coord.), *El Monasterio del Escorial y la arquitectura: actas del simposium*, San Lorenzo del Escorial, Real Centro Universitario Escorial-María Cristina, 2002, pp. 389-416.

FERNÁNDEZ-SANTOS 2005
Jorge Fernández-Santos, «Classicism *Hispanico More*: Juan de Caramuel's Presence in Alexandrine Rome and Its Impact on His Architectural Theory», *Annali di Architettura. Rivista del Centro Internazionale di Studi di Architettura «Andrea Palladio»*, 17 (2005), pp. 137-66.

FORLANI 1973
Anna Forlani Tempesti, *Mostra di incisioni di Stefano della Bella. Gabinetto disegni e stampe degli Uffizi XXXIX*, Florencia, Leo S. Olschki, 1973.

FORSSMAN 1966
Erik Forssman, «Palladio e Daniele Barbaro», *Bolletino del Centro Internazionale di Studi dell'architettura Andrea Palladio*, 8 (1966), pp. 68-81.

FRIEDLANDER Y BLUNT 1939-74
Walter Friedlander y Anthony Blunt, *The Drawings of Nicolas Poussin: Catalogue Raisonné*, Londres, Warburg Institute, 1939-74.

FROMMEL 1998
Sabine Frommel, *Sebastiano Serlio architetto*, Milán, 1998.

GALERA 1994
Pedro A. Galera Andreu, «Naturalismo y antinaturalismo en el ornamento barroco hispano: la discutida huella de Dietterlin en España», en *Los clasicismos en el arte español: actas del X Congreso del* CEHA (Madrid, 27-30 de septiembre de 1994), Madrid, Departamento de Historia del Arte, UNED, 1994, pp. 493-99.

GALINDO 2006
Inocencio Galindo Mateo (coord.), *Principios para estudiar el nobilísimo y real arte de la pintura de don José García Hidalgo*, Valencia, Universidad Politécnica/Tératos, 2006.

GÁLLEGO 1960
Julián Gállego, «Jusepe Martínez», *Revista de Ideas Estéticas*, 72 (1960), pp. 353-70.

GÁLLEGO 1979
Julián Gállego, «La liberalidad de Velázquez» (1965), en *Temas de cultura aragonesa*, Zaragoza, Librería General, 1979, pp. 68-70.

GÁLLEGO 1988
Jusepe Martínez, *Discursos practicables del nobilísimo arte de la pintura*, ed. de Julián Gállego, Madrid, Akal, 1988 (1.ª ed. 1950).

GÁLLEGO 1995
Julián Gállego, *El pintor, de artesano a artista*, Granada, 1995 (1.ª ed. 1976).

GARCÍA GUATAS 1994-95
Manuel García Guatas, «Carderera: un ejemplo de artista y erudito romántico», *Artigrama*, XI (1994-95), pp. 425-50.

GARCÍA VEGA 1984
Blanca García Vega, *El grabado del libro español: siglos XV, XVI, XVII*, Valladolid, Institución Cultural Simancas, 1984.

GARVEY 1978
Eleanor M. Garvey, «Francisco Herrera the Younger: a Drawing for a Spanish Festival Book», *Harvard Library Bulletin*, XXVI, 1 (1978), pp. 28-37.

GATTI PERER Y ROVETTA 1996
Maria Luisa Gatti Perer y Alessandro Rovetta (dirs.), *Cesare Cesariano e il classicismo di primo Cinquecento*, Milán, 1996.

GAYA NUÑO 1976
Juan Antonio Gaya Nuño, *Historia del Museo del Prado (1819-1976)*, Madrid, 1976 (1.ª ed. 1969).

GERARDS-NELISSEN 1971
Inemie Gerards-Nelissen, «Otto van Veen's *Emblemata Horatiana*», *Simiolus*, 5 (1971), pp. 20-63.

GRASSI 1970-79
Luigi Grassi, *Teorici e storia della critica d'arte*, 3 vols., Roma, Multigrafica Editrice, 1970-79.

GREGORI 2000
Mina Gregori, «Livio Mehus o la sconfitta del dissenso», en Marco Chiarini (ed.), *Livio Mehus: Un pittore barocco alla corte dei Medici (1627-1691)* [cat. exp. Florencia], Livorno-Florencia, 2000, pp. 17-37.

GRÖNERT 2003
Alexander Grönert, «Giuseppe Galli Bibiena (1695-1757). *Architettura e Prospettive*», en *Architectural Theory from the Renaissance to the Present*, Colonia, Taschen, 2003, pp. 156-63.

GROSSMANN 1958
F. Grossman, «A Painting by Georges de La Tour in the Collection of Archduke Leopold Wilhelm», *The Burlington Magazine*, 100, 660 (marzo 1958), pp. 86-91.

GUEVARA 1788
Felipe de Guevara, *Comentarios de la Pintura, que escribió Don Felipe de Guevara, Gentilhombre de boca del Señor Emperador Carlos Quinto, rey de España. Se publican por la primera vez con un discurso preliminar y algunas notas de Don Antonio Ponz*, Madrid, Gerónimo Ortega, hijos de Ibarra y Compañía, 1788.

GUILLAUME 1988
Jean Guillaume (ed.), *Les traités d'architecture de la Renaissance*, París, 1988.

HATFIELD 1981
James Allen Hatfield, *The Relationship between Late Baroque Architecture and Scenography 1703-78: the Italian Influence of Ferdinando and Giuseppe Bibiena, Filippo Juvarra and Giovanni Battista Piranesi*, Detroit, Wayne State University, 1981.

HECK 2006
Michèle-Caroline Heck, *Théorie et pratique de la peinture: Sandrart et la Teutsche Academie*, París, Maison des Sciences de l'Homme, 2006.

HECK 2009
Michèle-Caroline Heck, «Dietterlin, Wendel», en *Grove Art Online. Oxford Art Online*. Accesible en: http://www.oxfordartonline.com/subscriber/article/grove/art/T022713 (consultado el 2-VII-2009).

HECK 2010
Michèle-Caroline Heck (dir.), *L'Histoire de l'histoire de l'art septentrional au XVIIe siècle*, Turnhout, 2010.

HELLWIG 1999
Karin Hellwig, *La literatura artística española del siglo XVII*, Madrid, Visor, 1999.

HEREDIA 2003
María del Carmen Heredia Moreno, «Juan de Arfe Villafañe y Sebastiano Serlio», *Archivo Español de Arte*, LXXVI, 304 (2003), pp. 371-88.

HEREDIA 2006
María del Carmen Heredia Moreno, «La fortuna crítica de Juan de Arfe y Villafañe», *Archivo Español de Arte*, LXXIX, 315 (2006), pp. 313-19.

HERRERA 1617
Pedro de Herrera, *Descripción de la capilla del Sagrario*, Toledo, 1617.

HIND 1963
Arthur M. Hind, *A History of Engraving and Etching from the 15th Century to the Year 1914*, Nueva York, Dover, 1963.

HOLLSTEIN VOL. 7
Friedrich W. Hollstein (ed. de K. G. Boon), *Albrecht and Hans Dürer*, vol. 7 de *German Engravings, Etchings and Woodcuts, ca. 1400-1700*, 62 vols., 1954-2002, Amsterdam, 1962.

HOWARD 1996
Deborah Howard, «Barbaro, Daniele», en *The Dictionary of Art*, Londres, Grove, 1996, vol. 3, pp. 202-3.

HUBER-REBENICH 1992
Gerlinde Huber-Rebenich, «L'iconografia della mitologia antica fra Quattro e Cinquecento: edizioni illustrate delle *Metamorfosi* di Ovidio», *Studi Umanistici Piceni*, 12 (1992), pp. 123-33.

HUIDOBRO 1997
Concha Huidobro, *Grabados alemanes de la Biblioteca Nacional (siglos XV-XVI)*, Madrid, Biblioteca Nacional, 1997.

JACOBS 1984
Fredrika H. Jacobs, «Vasari's Vision of the History of Painting: Frescoes in the Casa Vasari, Florence», *The Art Bulletin*, 66, 3 (septiembre, 1984), pp. 399-416.

JESÚS 1695
Fray Pedro de Jesús, *Templo Nuevo de los Agustinos Descalzos de Granada y Sumptuosas fiestas que se celebraron a su dedicación, con el título de N. S. de Loreto*, Granada, Francisco Gómez Garrido, 1695.

KEMP Y BARONE 2009
Martin Kemp y Juliana Barone, «What Might Leonardo's Own Trattato Have Looked Like? And What Did It Actually Look Like up to the Time of the Editio Princeps?», en *Re-reading Leonardo: The Treatise on Painting Across Europe, 1550-1900*, Aldershot, Ashgate, 2009, pp. 39-60.

KLEMM 1986
Christian Klemm, *Joachim von Sandrart. Kunst-Werke U. Lebens-Lauf*, Berlín, Verlag Fur Kunstwissenschaft, 1986.

KLINGER 2007
Linda Susan Klinger, *The Portrait Collection of Paolo Giovio*, Princeton, 2007 (1.ª ed. 1991).

KLINGER 2007
Linda Susan Klinger, *The Portrait Collection of Paolo Giovio*, Ann Arbor, University Microfilms International, 2007.

KNOX 2008
Gilles Knox, *The Late Paintings of Velázquez: Theorizing Painterly Performance*, Aldershot, 2008.

KRIS Y KURZ 2007
Ernst Kris y Otto Kurz, *La leyenda del artista*, Madrid, 2007 (1.ª ed. 1934).

KRINSKY 1969
Carole Herselle Krinsky (ed.), *Vitruvius De Architectura. Cesare Cesariano* [Como, 1521], Múnich, 1969, ed. facsímil.

KRINSKY 1971
Carole Herselle Krinsky, «Cesariano and the Renaissance without Rome», *Arte Lombarda*, 16 (1971), pp. 211-18.

KUBLER 1965
George Kubler, «Vicente Carducho's *Allegories of Painting*», *The Art Bulletin*, XLVII, 4 (1965), pp. 439-45.

LATASSA 1799
Félix de Latassa, *Biblioteca nueva de los escritores aragoneses que florecieron desde el año 1641 hasta 1680*, vol. III, Pamplona, Joaquín Domingo, 1799.

LEBENSZTEJN 1979
Jean-Claude Lebensztejn, «Jacopo Pontormo, Diario», *Macula*, 5-6 (1979), pp. 2-111.

LEÓN 1989
Aurora León, «Reflexiones acerca de la iconografía y literatura de fiestas durante el Antiguo Régimen», *Cuadernos de Arte e Iconografía*, II, 3 (1989), pp. 376-81.

LEONARDO 1964
Leonardo da Vinci, *Leonardo da Vinci On Painting: A Lost Book [Libro A]*, ed. de Carlo Pedretti, intr. de Kenneth Clark, Berkeley, University of California Press, 1964.

LEONARDO 1983
Leonardo da Vinci, *Tratado de la pintura*, ed. de Ángel González García, 1983.

LEONARDO 1985
Leonardo da Vinci, *El tratado de la pintura por Leonardo da Vinci y los tres libros que sobre el mismo arte escribió Leon Bautista Alberti*, intr. de Valeriano Bozal, Murcia, 1985.

LÓPEZ POZA 2008
Sagrario López Poza, «La política de Lipsio y las Empresas Políticas de Saavedra Fajardo», *Res Publica*, 19 (2008), pp. 209-34.

MADRAZO 1882
Pedro de Madrazo, «Necrología (a Valentín Carderera)», *Boletín de la Real Academia de la Historia*, II (1882), pp. 5-12 y 105-26.

MADRAZO Y KUNTZ 1994
Federico Madrazo y Kuntz, *Epistolario*, 2 vols., Madrid, Museo del Prado, 1994.

MAHON 1947
Denis Mahon, *Studies in Seicento Art and Theory*, Londres, 1947.

MAHON 1986
Denis Mahon, «Malvasia as a Source of Sources», *The Burlington Magazine*, CXXVIII, 1004 (1986), pp. 790-95.

MÂLE 2001
Emile Mâle, *El arte religioso de la Contrarreforma*, Madrid, Ediciones Encuentro, 2001.

MALVASIA 1678
Carlo Cesare Malvasia, *Felsina Pittrice. Vite dei pittori bolognesi*, 2 vols., Bolonia, Herederos de Domenico Barbieri, 1678.

MANETTI 1976
Antonio Manetti, *Vita di Filippo Brunelleschi preceduta da La novella del Grasso*, ed. de Domenico de Robertis con intr. y notas de Giuliano Tanturli, Milán, 1976.

MANETTI 1992
Antonio Manetti, *Vita di Filippo Brunelleschi* [1482-89], ed. de Carlachiara Perrone, Roma, 1992.

MANRIQUE 2008
Jusepe Martínez, *Discursos practicables del nobilísimo arte de la pintura*, ed. de María Elena Manrique, Zaragoza, Prensas Universitarias de Zaragoza, 2008.

MARASCHIO 2005
Nicoletta Maraschio, «Il "De Pictura" albertiano nelle traduzioni cinquecentesche di L. Domenichi e di C. Bartoli», en Alberto Beniscelli y Francesco Furlan (dirs.), *Leon Battista Alberti (1404-72) tra scienze e lettere*, Génova, Accademia Ligure di Scienze e Lettere, 2005, pp. 260-86.

MARÍAS Y BUSTAMANTE 1981
Fernando Marías y Agustín Bustamante, *Las ideas artísticas de El Greco*, Madrid, Cátedra, 1981.

MARTIN 1972
John Rupert Martin, *The Decorations for the Pompa Introitus Ferdinandi* (*Corpus Rubenianum*, XVI), Londres, Phaidon, 1972.

MARTÍNEZ 1866
Jusepe Martínez, *Discursos practicables del nobilísimo arte de la pintura*, Madrid, Real Academia de San Fernando, 1866.

MATILLA 2004
José Manuel Matilla, «Pedro Fernández Durán: apuntes para una biografía de un aficionado a las artes», en Nicholas Turner, *Dibujos italianos del siglo XVI (Museo del Prado. Catálogo de dibujos, Tomo V)*, Madrid, 2004, pp. 34-36.

MATILLA 2007
José Manuel Matilla, «Antonio Correa, pasión por coleccionar», *Grabado y edición*, 10 (septiembre, 2007), pp. 6-13. Accesible también en http://sites.google.com/site/arteprocomun/antonio-correa-1923-2008-.

MATTEUCCI 1980
Anna Maria Matteucci *et al.* (coords.), *L'Arte del settecento Emiliano: Architettura, scenografia, pintura di paesaggio. Biennale d'arte antica (10th 1979 Bologna)*, Bolonia, Alfa, 1980.

MAUQUOY-HENDRICX 1991
Marie Mauquoy-Hendricx, *L'iconographie d'Antoine Van Dyck: catalogue raisonné*, Bruselas, 1991 (1.ª ed. 1956).

MAYOR 1964
Alpheus Hyatt Mayor, «Introduction», en *Architectural and Perspective Designs Dedicated to His Majesty Charles VI, Holy Roman Emperor by Giuseppe Galli Bibiena His Principal Theatrical Engineer and Architect Designer of These Scenes*, Nueva York, Dover, 1964.

MILLARD 1993-2000
The Mark J. Millard Architectural Collection, intr. y cat. de Dora Wiebenson, descripciones bibliográficas de Claire Baines, Washington, National Gallery of Art y Nueva York, George Braziller, 1993-2000.

MONFORTE Y HERRERA 1622
Pedro Monforte y Herrera, *Relación de las fiestas que ha hecho el Colegio imperial de la Compañía de Jesús en Madrid en la canonización de San Ignacio de Loyola y San Francisco Javier*, Madrid, Luis Sánchez, 1622.

MORÁN TURINA 1997
Miguel Morán Turina, «El rigor del tratadista», en Miguel Morán Turina y Javier Portús, *El arte de mirar. La pintura y su público en la España de Velázquez*, Madrid, 1997, pp. 175-94.

MORÁN TURINA 2008
Antonio Palomino, *Vida de Diego Velázquez*, ed. de Miguel Morán Turina, Madrid, 2008.

MORENO CUADRO 1985
Antonio Moreno Cuadro, «Humanismo y arte efímero hispalense: la canonización de San Fernando», *Traza y Baza*, 9 (1985), pp. 21-98.

MORISANI 1953
Ottavio Morisani, «Art Historians and Art Critics-III: Cristoforo Landino», *The Burlington Magazine*, 95, 605 (agosto 1953), pp. 267-70.

MURRAY 1957
Peter Murray, «Art Historians and Art Critics. *XIV Uomini Singhularii in Firenze*», *The Burlington Magazine*, 99, 655 (octubre 1957), pp. 330-36.

NÚÑEZ DE SOTOMAYOR 1661
Juan Núñez de Sotomayor, *Descripción panegyrica, de las insignes fiestas que la S Iglesia catedral de Iaén celebró a la translación del Ss Sacramento a su nuevo y sumptuoso templo, por el mes de octubre del año de 1660*, Málaga, Mateo López Hidalgo, 1661.

OLMSTEAD 1984
Laura Olmstead Tonelli, «Academic Practice in the Sixteenth and Seventeenth Centuries», en *Children of Mercury. The Education of Artist in the Sixteenth and Seventeenth Centuries*, Providence, Brown University, 1984, pp. 96-118.

ORAZI 1982
Anna Maria Orazi, *Jacopo Barozzi da Vignola 1528-1550; apprendistato di un architetto bolognese*, Roma, 1982.

ORTÍ 1651
Marco Antonio de Ortí, *Solemnidad festiva [...] Valencia [...] canonización [...] Santo Tomás de Villanueva*, Valencia, Gerónimo Vilagrasa, 1651.

PAGLIARA 1986
Pier Nicola Pagliara, «Vitruvio da testo a canone», en Salvatore Settis (ed.), *Memoria dell'antico nell'arte italiana, vol. III: Dalla tradizione all'archeologia*, Turín, 1986, pp. 3-85.

PALLADIO 1570
Andrea Palladio, *I quattro libri dell'architettura*, Venecia, Dominico de' Franceschi, 1570.

PANOFSKY 1980
Erwin Panofsky, *El significado de las artes visuales*, Madrid, 1980 (1.ª ed. 1955).

PEDRAZA 1983
Pilar Pedraza, «La *Tabla de Cebes:* un juguete filosófico», *Boletín del Museo e Instituto Camón Aznar*, 14 (1983), pp. 92-113.

PENA 2008
Carlos Pena Buján, *La 'Architectura civil recta y obliqua' de Juan Caramuel de Lobkowitz en el contexto de la teoría de la arquitectura del siglo XVII*, Santiago de Compostela, Universidad de Santiago, 2008.

PERINI 1981A
Giovanna Perini, «Il lessico di Malvasia nella sua *Felsina Pittrice*», *Studi e problemi di critica testuale*, 23 (1981), pp. 107-29.

PERINI 1981B
Giovanna Perini, «La storiografia artistica a Bologna e il collezionismo privato», *Annali della Scuola normale superiore di Pisa*, 3, XI (1981), pp. 215-23.

PERINI 2002
Leandro Perini, *La vita e i tempi di Pietro Perna*, Roma, Edizioni di Storia e Letteratura, 2002.

PÉROUSE DE MONTCLOS 1988
Jean-Marie Pérouse de Montclos, «Introduction», en Philibert De l'Orme, *Traités d'architecture*, París, Laget, 1988.

PÉROUSE DE MONTCLOS 2000
Jean-Marie Pérouse de Montclos, *Philibert De l'Orme Architecte du roi (1514-1570)*, París, Mengès, 2000.

PIERGUIDI 1998
Stefano Pierguidi, «Giovanni Guerra and the Illustrations to Ripa's *Iconologia*», *Journal of the Warburg and Courtauld Institutes*, 61 (1998), pp. 158-75.

PINELLI 1993
Antonio Pinelli, *La bella maniera. Artisti del Cinquecento tra regola e licenza*, Turín, 1993.

PIZARRO 1987
F. Javier Pizarro Gómez, «La jornada de Felipe III a Portugal en 1619 y la arquitectura efímera», en Pedro Dias (coord.), *As relações artísticas entre Portugal e Espanha na época dos descobrimentos. II Simpósio Luso-Espanhol de História da Arte*, Coimbra, Livraria Minerva, 1987, pp. 123-46.

PLACZEK 1968
Adolf K. Placzek, *The Fantastic Engravings of Wendel Dietterlin: The 203 Plates and Text of his «Architectura»*, Nueva York, 1968.

PLAX 1980
Julie Plax, «La Paix confirmée dans le Ciel», *Annual of the Museum of Art and Archaeology, University of Missouri-Columbia*, XIV (1980), pp. 43-51.

PON 1996
Lisa Pon, «Michelangelo's Lives: Sixteenth-Century Books by Vasari, Condivi and Others», *Sixteenth Century Journal*, 27 (1996), pp. 1009-32.

PON 2009
Lisa Pon, «La vita di Jacopo Sansovino, tra Firenze e Venezia», en Lisa Pon y Craig Kallendorf (eds.), *Miscellanea Marciana, vol. XX (2005-2007): The Books of Venice/Il Libro Veneziano*, New Castle (Delaware), 2009, pp. 327-44.

PONTORMO 1956
Jacopo Pontormo, *Diario di Jacopo Pontormo fatto nel tempo che dipingeva il coro di San Lorenzo (1554-56)*, ed. de Emilio Cecchi, Florencia, 1956.

PONTORMO 2005
Jacopo Pontormo, *Il libro mio*, ed. crítica a cargo de Salvatore S. Nigro, presentación de Enrico Baj, Milán, 2005 (1.ª ed. 1984).

PONZ 1988
Antonio Ponz, *Viaje de España*, t. II, Madrid, Alianza, 1988.

POPE-HENNESSY 1985
John Pope-Hennessy, *El retrato en el Renacimiento*, Madrid, Akal, 1985.

PORTILLO 1981
José Luis Portillo Muñoz, «El "San Fernando" de Murillo grabado por Matías de Arteaga. Una iconografía del barroco», *Archivo Hispalense*, 64, 195 (1981), pp. 115-22.

PORTÚS 1995
Javier Portús, «Recuerdo del recuerdo: Las "relaciones" de unas fiestas barrocas españolas», *Revista de Dialectología y Tradiciones Populares*, L (1995), pp. 247-66.

PORTÚS 1998
Javier Portús, «Felipe II con los escudos de sus estados», en *Felipe II, un monarca y su época: las tierras y los hombres del rey* [cat. exp. Valladolid], Madrid, Sociedad Estatal para la Conmemoración de los Centenarios de Felipe II y Carlos V, 1998, p. 221.

PORTÚS 2002
Javier Portús, «¡Viva el santo patrón!» y «Turris "pulchrissima"», en *Ver Sevilla. Cinco miradas a través de cien estampas* [cat. exp.], Sevilla, Fundación Focus-Abengoa, 2002, pp. 106-9.

PORTÚS 2003
Javier Portús, «La recepción en España del "arte nuevo" de Rubens», en José Luis Colomer (dir.), *Arte y diplomacia de la monarquía hispánica en el siglo XVII*, Madrid, Fernando Villaverde, 2003, pp. 457-71.

PORTÚS 2004
Javier Portús «La Biblioteca Cervelló», en *Museo Nacional del Prado: Memoria de actividades 2003*, Madrid, 2004, pp. 52-54. Accesible en http://www.museodelprado.es/uploads/media/Memoria_2003.pdf.

PORTÚS 2006
Javier Portús, «Cervelló Grande, José María», en *Enciclopedia del Museo del Prado*, Madrid, Fundación de Amigos del Museo Nacional del Prado, 2006. Accesible en http://www.museodelprado.es/enciclopedia/enciclopedia-on-line/voz/cervello-grande-jose-maria/

POZZI Y MATTIODA 2006
Mario Pozzi y Enrico Mattioda, *Giorgio Vasari storico e critico*, Florencia, 2006.

PRATER 2007
Andreas Prater, *Venus ante el espejo. Velázquez y el desnudo*, Madrid, Centro de Estudios Europa Hispánica, 2007.

PRAZ 1964
Mario Praz, *Studies in Seventeenth-Century Imagery*, Roma, Edizioni di Storia e Letteratura, 1964.

PRINDLE 1939
Lester M. Prindle, *Mithology in Prints: Illustrations to the Metamorphoses of Ovid, 1497-1824*, Burlington, University of Vermont, 1939.

PUPPI 2008
Lionello Puppi, «Andrea Palladio. Una biografia ambigua», en *Palladio: 1508-2008. Il simposio del cinquentenario*, Venecia, 2008, pp. 20-24.

RASCHE 1999
Adelheid Rasche, «"Decoratore di sua Maestà". Giuseppe Galli Bibiena als Bühnenbildner an der Berliner Hofoper Friedrichs II. von Preussen», *Jahrbuch der Berliner Museen* (Staatliche Museen zu Berlin), 41 (1999) pp. 99-131.

REHM 2009
Ulrich Rehm, «Character Assassination with Consequences. The Life of Botticelli according to Giorgio Vasari and Modern Art Historiography», en Andreas Schumacher (ed.), *Botticelli. Likeness, Myth, Devotion* [cat. exp.], Fráncfort del Meno, 2009, pp. 131-41.

RETRATO 2008
El retrato del Renacimiento [cat. exp.], Madrid, Museo Nacional del Prado, 2008.

RIPA 1987
Cesare Ripa, *Iconología*, Madrid, Akal, 1987.

ROA 1623
Martín de Roa, *Antigüedad, veneración i fruto de las sagradas imágenes, i reliquias. Historias i exenplos a este propósito*, Sevilla, Gabriel Ramos Vejarano, 1623.

RODRÍGUEZ 1669
Iosef Rodríguez, *Sacro y solemne novenario, públicas y luzidas fiestas, que hizo el Real Convento de N.S. del Remedio de la Ciudad de Valencia, a sus dos gloriosos Patriarcas, San Iuan de Mata, y San Félix de Valois*, Valencia, Benito Macé, 1669.

RODRÍGUEZ G. DE CEBALLOS 1988
Alfonso Rodríguez G. de Ceballos, «Tratados españoles de arquitectura de comienzos del siglo XVII», en *Les traités d'architecture de la Renaissance*, París, Picard, 1988, pp. 317-26.

RODRÍGUEZ ORTEGA 2005
Nuria Rodríguez Ortega, *Maneras y facultades en los tratados de Francisco Pacheco y Vicente Carducho. Tesauro terminológico-conceptual*, Málaga, Universidad de Málaga, 2005.

RODRÍGUEZ-MOÑINO Y SÁNCHEZ CANTÓN 1965
Antonio Rodríguez-Moñino y Francisco Javier Sánchez Cantón, *José García Hidalgo, Principios para estudiar el nobilísimo y real arte de la pintura* [1693], Madrid, Instituto de España, 1965.

ROMANOSKI 2006
Christian Romanoski, *Tacitus Emblematicus. Diego Saavedra Fajardo und seine Empresas Políticas*, Berlín, Wiedler, 2006.

ROSA DE GEA 2006
Belén Rosa de Gea, *La vida buena: Estoicismo y emblemas barrocos. Reseña a «Otto Vaenius, Antonio Brum. Teatro moral de la vida humana en cien emblemas»*, Biblioteca Saavedra Fajardo de Pensamiento Político Hispánico, Universidad de Murcia y Fundación Séneca, 2006. Accesible en: http://saavedrafajardo.um.es/WEB/archivos/NOTAS/RES0050.pdf.

RUBIN 1995
Patricia Lee Rubin, *Giorgio Vasari. Art and History*, New Haven-Londres, 1995.

SACCHETTI 1970
Franco Sacchetti, *Il trecentonovelle* [1399], ed. de Emilio Faccioli, Turín, 1970.

SALAS Y MARÍAS 1992
Xavier de Salas y Fernando Marías, *El Greco y el arte de su tiempo: las notas de El Greco a Vasari*, Toledo, 1992.

SÁNCHEZ CANTÓN 1933-41
Francisco Javier Sánchez Cantón, *Fuentes literarias para la historia del arte español*, 5 vols., Madrid, CSIC, 1933-41.

SÁNCHEZ CANTÓN 1956
Francisco Pacheco, *Arte de la pintura*, ed. de Francisco Javier Sánchez Cantón, 2 vols., Madrid, Instituto Valencia de Don Juan, 1956.

SÁNCHEZ ESTEBAN 2000
Natividad Sánchez Esteban, «Felipe II con los escudos de sus estados», en *El linaje del emperador* [cat. exp. Cáceres], Madrid, Sociedad Estatal para la Conmemoración de los Centenarios de Felipe II y Carlos V, 2000, pp. 176-77.

SANTIAGO 1992
Elena Santiago Páez, «Los fondos del Servicio de Dibujos y Grabados de la Biblioteca Nacional», *Boletín de la Asociación Española de Archiveros, Bibliotecarios, Museólogos y Documentalistas*, XLII, 1 (enero-marzo 1992), pp. 115-50.

SANTIAGO 1993
Elena Santiago Páez, «Reinado de Felipe III», en *Los Austrias: grabados de la Biblioteca Nacional* [cat. exp.], Madrid, Biblioteca Nacional y Julio Ollero, 1993, pp. 220-224.

SANZ 1978
María Jesús Sanz Serrano, *Juan de Arfe y Villafañe y la custodia de Sevilla*, Sevilla, Diputación de Sevilla, 1978.

SAXON 1969
Arthur H. Saxon, «Giuseppe Galli-Bibiena's *Architetture e prospettive*», en *Maske und Kothurn: Internationale Beitrage zur Theaterwissenschaft*, 15 (1969) pp. 105-18.

SCHEVILL 1971
Rudolf Schevill, *Ovid and the Renaissance in Spain*, Hildesheim y Nueva York, Georg Olms Verlag, 1971 (1.ª ed. 1913).

SCHLOSSER 1993
Julius Schlosser, *La literatura artística*, Madrid, 1993 (1.ª ed. 1924).

SEBASTIÁN 1983
Santiago Sebastián, «*Theatro moral de la vida humana*, de Otto Vaenius. Lectura y significado de los emblemas», *Boletín del Museo e Instituto Camón Aznar*, 14 (1983), pp. 7-91.

SEBASTIÁN 1987
Santiago Sebastián, «La edición española del *Theatro moral de la Vida Humana* y su influencia en las artes plásticas de Brasil y Portugal», en Pedro Dias (coord.), *As relações artísticas entre Portugal e Espanha na época dos descobrimentos. II Simpósio Luso-Espanhol de História da Arte*, Coimbra, Livraria Minerva, 1987, pp. 381-405.

SEBASTIÁN 1991
Santiago Sebastián, «Presentación», en Fernando de la Torre Farfán, *Fiestas de la S. Iglesia metropolitana y patriarcal de Sevilla, al nuevo culto del señor Rey S. Fernando el tercero de Castilla y de León*, La Coruña, Euringra, 1991 (ed. facs.), pp. VII-XVIII.

SERLIO/VILLALPANDO 1552
Sebastiano Serlio, *Tercero y quarto libro de Architectura de Sebastiá[n] Serlio Boloñés [...] traduzido de Toscano en Romance Castellano por Francisco de Villalpando Architecto*, Toledo, Juan de Ayala, 1552.

SIMONETTI 2005
Carlo Maria Simonetti, *La vita delle «vite» vasariane. Profilo storico di due edizioni*, Florencia, 2005.

SINISGALLI 2006
Rocco Sinisgalli, *Il nuovo de pictura di Leon Battista Alberti = The New De Pictura of Leon Battista Alberti*, Roma, Edizione Kappa, 2006.

SKELTON 2007
Kimberley Skelton, «Shaping the Book and the Building: Text and Image in Dietterlin's *Architectura*», *Word & image*, 23, 1 (enero-marzo, 2007), pp. 25-44.

SOUSSLOFF 2009
Catherine M. Soussloff, «The *Vita* of Leonardo da Vinci in the Du Fresne Edition of 1651», en *Re-reading Leonardo: The Treatise on Painting Across Europe, 1550-1900*, Aldershot, Ashgate, 2009 pp. 175-96.

STAHLBERG 1984
Karl Stahlberg, «Virgil Solis und die Holzschnitte zu den Metamorphosen des Ovid», *Marginalien*, 95 (1984), pp. 29-35.

STEFANI 1990
Chiara Stefani, «Cesare Ripa: New Biographical Evidence», *Journal of the Warburg and Courtauld Institutes*, 53 (1990), pp. 307-12.

STEFANO DELLA BELLA 1998
Stefano della Bella 1610-1664 [cat. exp.], Caen, Musée des Beaux-Arts, 1998.

STEINITZ 1958
Kate Trauman Steinitz, *Leonardo da Vinci's Trattato della Pittura / Treatise on Painting: A Bibliography of the Printed Editions 1651-1956*, Copenhague, Munksgaard, 1958.

STIMMER 1984
Tobias Stimmer, 1539-1584: Spätrenaissance am Oberrhein [cat. exp.], Basilea, Kunstmuseum, 1984.

STONE 1991
David M. Stone, *Guercino. Catalogo completo dei dipinti*, Florencia, 1991.

SUMMERSCALE 2000
Anna Summerscale, *Malvasia's «Life of the Carracci»: Commentary and Translation*, Pennsylvania, University Park, 2000.

TAFURI 1978
Manfredo Tafuri, «Cesare Cesariano e gli studi vitruviani del Quattrocento», en *Scritti rinascimentali d'architettura*, Milán, 1978, pp. 387-467.

TAFURI 1995
Manfredo Tafuri, *Sobre el Renacimiento. Principios, ciudades, arquitectos*, Madrid, 1995 (1.ª ed. 1992).

TANTURLI 1976
Giuliano Tanturli, «Le biografie d'artisti prima del Vasari», en *Il Vasari storiografo e artista. Atti del congresso internazionale nel IV centenario della morte (1974)*, Florencia, 1976, pp. 275-98.

TENIERS 2006
David Teniers and the Theatre of Painting [cat. exp.], Londres, Courtauld Institute of Art Gallery, 2006.

THOENES 1974A
Christof Thoenes, «Per la storia editoriale della "Regola delli cinque ordini"», en Wolfgang Lotz (ed.), *Jacopo Barozzi il Vignola: Vita e opere*, Vignola y Bolonia, 1974, pp. 180-89.

THOENES 1974B
Christof Thoenes (ed.), *Regola delli cinque ordini d'architettura di M. Iacomo Barozzio da Vignola*, Bolonia, 1974.

THOENES 1988
Christof Thoenes, «*La Regola delli cinque ordini* del Vignola», en Jean Guillaume (ed.), *Les traités d'architecture de la Renaissance*, París, 1988, pp. 269-79.

THOENES 1989
Christof Thoenes (ed.), *Sebastiano Serlio. Sesto Seminario Internazionale di Storia dell'Architettura* (Vicenza, 1987), Vicenza, 1989.

THOFNER 2003
Margit Thofner, «Making a Chimera: Invention, Collaboration and the Production of Otto Vaenius's *Emblemata Horatiana*», en Alison Adams y Marleen van der Weij (eds.), *Emblems of the Low Countries: a Book Historical Perspective*, Glasgow, Glasgow Emblem Studies, 2003.

TRENTO 1984
Dario Trento, *Pontormo. Il diario alla prova della filologia*, Bolonia, 1984.

TRENTO 1988
Dario Trento, «Due edizioni del diario di Pontormo e la pontormomania», *Ricerche di Storia dell'arte*, 34 (1988), pp. 35-54.

TRIADÓ 2005
Joan-Ramón Triadó, «Perspectiva y escenografia barroca. Catalunya y Sicilia: Caramuel versus Guarino Guarini», en Ferdinando Maurici y Gianni E. Viola (eds.), *Sicilia barocca: maestri, officine, cantieri*, Roma, Studium, 2005, pp. 133-48.

TUTTLE 1998
Richard Tuttle, «On Vignola's Rule of the Five Orders of Achitecture», en Vaughn Hart y Peter Hicks (eds.), *Paper Palaces: The Rise of the Renaissance Architectural Treatise*, New Haven, 1998, pp. 199-218.

VASARI 1550
Giorgio Vasari, *Le vite de più eccellenti architetti, pittori, et scultori italiani, da Cimabue insino a' tempi nostri*, 2 vols., Florencia, Lorenzo Torrentino, 1550.

VASARI 1568
Giorgio Vasari, *Le vite de' più eccellenti pittori, scultori et architettori da Cimabue insino a' tempi nostri*, Florencia, I Giunti, 1568.

VASARI 1568B
Giorgio Vasari, *La vita del gran Michelagnolo*, Florencia, I Giunti, 1568.

VÁZQUEZ DUEÑAS 2008
Elena Vázquez Dueñas, «Felipe de Guevara. Algunas aportaciones biográficas», *Anales de Historia del Arte*, 18 (2008), pp. 95-110.

VÁZQUEZ DUEÑAS 2009
Elena Vázquez Dueñas, «El manuscrito del *Comentario de la Pintura y Pintores antiguos* de Felipe de Guevara en el Prado», *Boletín del Museo del Prado*, 2009, pp. 33-43.

VELASCO Y MERLO 2000
Esperanza Velasco de la Peña y José Antonio Merlo Vega, «Nuevas formas para el acceso al libro antiguo», comunicación presentada en el *XV Coloquio de la AIB* (Salamanca, 9-11 mayo 2000). Accesible en: http://exlibris.usal.es/merlo/escritos/aib.htm.

VETTER 1962
Ewald M. Vetter, «Der Einzug Philipps III in Lissabon, 1619», *Spanischen Forschungen der Görresgesellschaft*, 19 (1962) 18-32.

VILLATA 1999
Edoardo Villata, *Leonardo da Vinci: I documenti e le testimonianze contemporanee*, Milán, 1999.

VITRUVIO 1987
Vitruvio, *I dieci libri dell'architettura, tradotti e commentati da Daniele Barbaro* [1567], ed. de Manfredo Tafuri y Manuela Morresi, Milán, 1987.

WALCHER CASSOTI 1960
Maria Walcher Casotti, *Il Vignola*, Trieste, 1960, vol. I, pp. 99-112.

WALCHER CASSOTI 1985A
Maria Walcher Casotti, «Giacomo Barozzi da Vignola: Nota introduttiva», en Elena Bassi (ed.), *Trattati*, Milán, 1985, pp. 501-12.

WALCHER CASSOTI 1985B
Maria Walcher Casotti, «Giacomo Barozzi da Vignola: Le Edizioni della Regola», en Elena Bassi (ed.), *Trattati*, Milán, 1985, pp. 527-77.

WATERFIELD 2006
Giles Waterfield, «Teniers's *Theatrum Pictorium*: Its Genesis and its Influence», en *David Teniers and the Theatre of Painting*, Londres, Courtauld Institute of Art Gallery, 2006, pp. 41-57.

WAZBINSKI 1990
Zygmunt Wazbinski, «Los *Diálogos* de la pintura de Vicente Carducho: el manifiesto del academicismo español y su origen», *Archivo Español de Arte*, LXIII, 251 (1990), pp. 435-48.

WIEBENSON 1988
Dora Wiebenson, *Los tratados de arquitectura: de Alberti a Ledoux*, Madrid, Hermann Blume, 1988.

WITTKOWER 2006
Rudolf y Margot Wittkower, *Nacidos bajo el signo de Saturno. Genio y temperamento de los artistas desde la Antigüedad hasta la Revolución Francesa*, Madrid, 2006 (1.ª ed. 1963).

ZAPPELLA 2009
Giuseppina Zappella, *L'iconologia di Cesare Ripa: notizie, confronti e nuove ricerche*, Salerno, Opera Edizioni, 2009.

ZILSEL 2008
Edgar Zilsel, *El genio. Génesis de un concepto*, Madrid, 2008 (1.ª ed. 1925).

ZIMMER 2006
Jürgen Zimmer, «Wendel Dietterlin (1550/1-1599), *Architectura von Austheilung, Symmetria und Proportion der Fünff Seulen*», en *Teoría de la arquitectura del Renacimiento a la actualidad*, Colonia, Taschen, 2006, pp. 310-19.

ZIMMERMANN 1995
T. C. Price Zimmermann, *Paolo Giovio: The Historian and the Crisis of Sixteenth-Century Italy*, Princeton, Princeton University Press, 1995.

EXPOSICIÓN

COMISARIO
Javier Docampo Capilla
Jefe del Área de Biblioteca, Archivo y Documentación del Museo Nacional del Prado

COORDINACIÓN
Karina Marotta
Jefe del Área de Exposiciones del Museo Nacional del Prado

Domingo Guerrero Borrull
Olga Rivero Menéndez de Llano

RESTAURACIÓN
Pilar Sedano
Jefe del Área de Restauración

Javier Macarrón
María Eugenia Sicilia

Paloma de la Cruz
El Taller

DISEÑO DE LA IMAGEN GRÁFICA
Mikel Garay / Museo Nacional del Prado Difusión

DISEÑO Y DIRECCIÓN DEL MONTAJE
El Taller de GC

PRODUCCIÓN DEL MONTAJE
Empty

CATÁLOGO

COORDINACIÓN
Área de Edición del Museo Nacional del Prado

EDICIÓN Y PRODUCCIÓN
Ediciones El Viso

DISEÑO
gráfica futura

ARCHIVO FOTOGRÁFICO
Ana María Écija
Jefe del Archivo Fotográfico

José Baztán
Alberto Otero

PREIMPRESIÓN
Lucam

IMPRESIÓN
Brizzolis

ENCUADERNACIÓN
Encuadernación Ramos

NIPO: 555-10-020-X
ISBN: 978-84-8480-206-8
D.L.: M-3982-2010

Créditos fotográficos

Todas las fotografías de las obras reproducidas en este catálogo pertenecen al Museo Nacional del Prado, excepto las siguientes:

Boston © 2010 Museum of Fine Arts. Todos los derechos reservados / Scala, Florencia, fig. 9
Ciudad del Vaticano, Archivos fotográficos y servicios de los Museos Vaticanos, fig. 16
Florencia, © 2010 Photo Scala, fig. 15
Florencia, © 2010 Photo Scala —cortesía del Ministero Beni e Att. Culturali, fig. 17
Londres, Bridgeman Art Library, fig. 18
Roma, Biblioteca dell'Accademia Nazionale dei Lincei e Corsiniana, fig. 14